APRENDENDO A VIVER COM O TRANSTORNO BIPOLAR

A Artmed é a editora oficial da ABP

A654 Aprendendo a viver com o transtorno bipolar : manual
       educativo / Ricardo Alberto Moreno ... [et al.]. –
       Porto Alegre: Artmed, 2015.
       208 p. il. ; 25 cm.

       ISBN 978-85-8271-204-7

       1. Psiquiatria. 2. Transtorno bipolar. I. Moreno, Ricardo Alberto.

       CDU 616.89

Catalogação na publicação: Poliana Sanchez de Araujo – CRB 10/2094

APRENDENDO A VIVER COM O TRANSTORNO BIPOLAR

MANUAL EDUCATIVO

Ricardo Alberto Moreno
Doris Hupfeld Moreno
Danielle Soares Bio
Denise Petresco David

organizadores

Reimpressão 2022

2015

Artmed Editora Ltda., 2015

Gerente editorial: *Letícia Bispo de Lima*

Colaboraram nesta edição:

Coordenadora editorial: *Cláudia Bittencourt*
Editora: *Mirela Favaretto*
Preparação de originais: *Giovana Silva da Roza*
Leitura final: *Antonio Augusto da Roza*
Capa: *Paola Manica*
Ilustrações do Capítulo 12: *José Antonio de Melo Siqueira Amaral*
Projeto e editoração: *TIPOS – design editorial e fotografia*

> **Nota**
>
> A medicina é uma ciência em constante evolução. À medida que novas pesquisas e a experiência clínica ampliam o nosso conhecimento, são necessárias modificações no tratamento e na farmacoterapia. Os autores desta obra consultaram as fontes consideradas confiáveis, em um esforço para oferecer informações completas e, geralmente, de acordo com os padrões aceitos à época da publicação. Entretanto, tendo em vista a possibilidade de falha humana ou de alterações nas ciências médicas, os leitores devem confirmar estas informações com outras fontes. Por exemplo, e em particular, os leitores são aconselhados a conferir a bula de qualquer medicamento que pretendam administrar, para se certificar de que a informação contida neste livro está correta e de que não houve alteração na dose recomendada nem nas contraindicações para o seu uso. Essa recomendação é particularmente importante em relação a medicamentos novos ou raramente usados.

Reservados todos os direitos de publicação à
ARTMED EDITORA LTDA., uma empresa do GRUPO A EDUCAÇÃO S.A.
Av. Jerônimo de Ornelas, 670 – Santana
90040-340 – Porto Alegre, RS
Fone: (51) 3027-7000 Fax: (51) 3027-7070

É proibida a duplicação ou reprodução deste volume, no todo ou em parte,
sob quaisquer formas ou por quaisquer meios (eletrônico, mecânico, gravação,
fotocópia, distribuição na Web e outros), sem permissão expressa da Editora.

SÃO PAULO
Av. Embaixador Macedo Soares, 10.735 – Pavilhão 5
Cond. Espace Center – Vila Anastácio
05095-035 – São Paulo – SP
Fone: (11) 3665-1100 Fax: (11) 3667-1333
SAC 0800 703-3444 – www.grupoa.com.br

IMPRESSO NO BRASIL
PRINTED IN BRAZIL

AUTORES

RICARDO ALBERTO MORENO – Psiquiatra. Médico assistente e coordenador do Programa Transtornos Afetivos (PROGRUDA) do Instituto de Psiquiatria do Hospital das Clínicas da Faculdade de Medicina da Universidade de São Paulo (IPq-HC-FMUSP). Professor da Pós-graduação do Departamento de Psiquiatria da FMUSP.

DORIS HUPFELD MORENO – Psiquiatra. Mestre e Doutora em Medicina pela FMUSP. Médica assistente e supervisora do PROGRUDA, IPq-HC-FMUSP.

DANIELLE SOARES BIO – Psicóloga clínica e neuropsicóloga. Especialista em Neuropsicologia pelo Serviço de Psicologia do IPq-HC-FMUSP. Mestre em Ciências e doutoranda pela FMUSP. Professora do curso de Extensão e Especialização em Neuropsicologia e do curso de Extensão em Reabilitação Cognitiva do Instituto de Doenças Neurológicas de São Paulo Prof. Dr. Raul Marino J. Pesquisadora do PROGRUDA, IPq-HC-FMUSP.

DENISE PETRESCO DAVID – Psicóloga clínica. Especialista em Psicoterapia cognitivo-comportamental pelo IPq-HC-FMUSP. Mestranda na FMUSP. Pesquisadora, colaboradora e coordenadora dos Encontros Psicoeducacionais sobre Depressão e Transtorno Bipolar do PROGRUDA, IPq-HC-FMUSP.

ALINE VALENTE CHAVES – Psiquiatra. Colaboradora do PROGRUDA, IPq-HC-FMUSP.

ANDRÉ CAVALCANTI – Psiquiatra e terapeuta cognitivo-comportamental. Colaborador do PROGRUDA, IPq-HC-FMUSP.

CARLA RENATA GARCIA RODRIGUES DOS SANTOS – Psiquiatra.

CHEI TUNG TENG – Médico. Doutor em Psiquiatria pela FMUSP. Professor colaborador da FMUSP. Supervisor do HC-FMUSP. Coordenador dos Serviços de Interconsultas e Pronto-socorro do IPq-HC-FMUSP. Coordenador da Comissão de Emergências Psiquiátricas da Associação Brasileira de Psiquiatria (ABP). Membro da Comissão Científica da Associação Brasileira de Familiares, Amigos e Portadores de Transtornos Afetivos (ABRATA).

CILLY ISSLER – Psiquiatra. Mestre em Ciências pela FMUSP.

EDUARDO CALMON DE MOURA – Psiquiatra. Professor assistente e coordenador do internato em Saúde Mental do curso de Medicina da Universidade Metropolitana de Santos (UNIMES). Responsável técnico na ECM Saúde Mental.

ELISABETH SENE-COSTA – Psiquiatra. Mestre em Ciências pela FMUSP. Membro da Comissão Científica e professora/supervisora do curso para Facilitadores dos Grupos de Apoio Mútuo (GAM) da ABRATA.

FERNANDO FERNANDES – Psiquiatra. Mestrando na FMUSP. Pesquisador do PROGRUDA, IPq-HC-FMUSP.

FREDERICO NAVAS DEMETRIO – Psiquiatra. Doutor em Psiquiatria pela FMUSP. Supervisor da Enfermaria de Ansiedade e Depressão do IPq-HC-FMUSP. Supervisor do PROGRUDA, IPq-HC-FMUSP.

GIOVANI MISSIO – Psiquiatra. Pesquisador PROGRUDA, IPq-HC-FMUSP.

JANETTE CANALES – Fisioterapeuta. Especialista em Fisiologia do Exercício pela FMUSP, em Cinesiologia Psicológica – Integração Fisiopsíquica pelo Instituto Sedes Sapientae, em Cadeias Musculares e Articulares GDS e Microfisioterapia pela Escola de Terapia Manual e Postural. Mestre em Ciências pela FMUSP. Pesquisadora do PROGRUDA, IPq-HC-FMUSP.

KARINA DE BARROS PELLEGRINELLI – Psicóloga clínica. Especialista em Terapia Cognitiva pelo Núcleo de Terapia Cognitiva de São Paulo. Mestre em Ciências pela FMUSP. Doutoranda em Psiquiatria na FMUSP. Professora no curso de Pós-graduação do Instituto Paranaense de Terapia Cognitiva (IPTC).

LUIS FELIPE COSTA – Psiquiatra. Psiquiatra da Equipe de Retaguarda do Hospital Israelita Albert Einstein. Coordenador da Equipe de Retaguarda Psiquiátrica do Hospital Sepaco, São Paulo. Membro titular da ABP.

MARCIO GERHARDT SOEIRO-DE-SOUZA – Psiquiatra. Doutor em Ciências e pós-doutorando pela FMUSP. Pesquisador PROGRUDA, IPq-HC-FMUSP.

MIREIA ROSO – Psicóloga. Especialista em Psicoterapia Cognitivo-construtivista. Mestre em Psicologia pela USP.

ODEILTON TADEU SOARES – Psiquiatra. Mestre em Psiquiatria pela FMUSP. Coordenador da Enfermaria de Ansiedade e Depressão do IPq-HC-FMUSP. Diretor clínico do Hospital Psiquiátrico Francisca Júlia. Diretor técnico da Clínica de Ansiedade e Depressão (CLIAD).

RODOLFO NUNES CAMPOS – Psiquiatra. Doutor em Ciências pela FMUSP. Professor do Departamento de Saúde Mental e Medicina Legal da Faculdade de Medicina da Universidade Federal de Goiás (UFG). Professor orientador do Programa de Pós-graduação em Ciências da Saúde da UFG.

ROSILDA ANTONIO – Psiquiatra. Psicoterapeuta pela Sociedade de Psicodrama de São Paulo. Vice-presidente do Conselho Científico da ABRATA.

SANDRA PETRESCO – Psiquiatra. Mestre em Psiquiatria pela FMUSP. Doutoranda em Epidemiologia na Universidade Federal de Pelotas (UFPel).

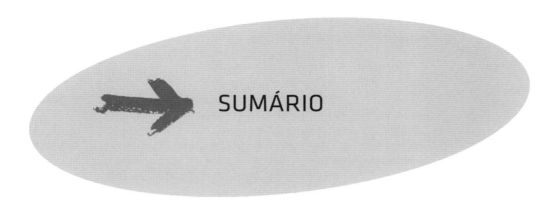

SUMÁRIO

INTRODUÇÃO   **9**
Ricardo Alberto Moreno

1   **BREVE HISTÓRICO DA DOENÇA**   **14**
Frederico Navas Demetrio

2   **TRANSTORNO BIPOLAR: O QUE É NECESSÁRIO SABER?**   **19**
Doris Hupfeld Moreno, Denise Petresco David, Danielle Soares Bio, Ricardo Alberto Moreno

3   **CAUSA GENÉTICA DO TRANSTORNO BIPOLAR**   **36**
Marcio Gerhardt Soeiro-de-Souza, Giovani Missio

4   **ASPECTOS PSICOLÓGICOS DO TRANSTORNO BIPOLAR**   **44**
Denise Petresco David, Danielle Soares Bio

5   **PREJUÍZOS PESSOAIS E SOCIOECONÔMICOS DO TRANSTORNO BIPOLAR**   **66**
Luis Felipe Costa, Rodolfo Nunes Campos

6   **TRATAMENTO MEDICAMENTOSO**   **73**
Cilly Issler, Carla Renata Garcia Rodrigues dos Santos

7	**TRATAMENTOS ALTERNATIVOS** 87
	Aline Valente Chaves, Chei Tung Teng

8	**TRATAMENTO PSICOLÓGICO** 95
	Mireia Roso, Karina de Barros Pellegrinelli

9	**ADESÃO *VERSUS* DESISTÊNCIA DO TRATAMENTO** 110
	Karina de Barros Pellegrinelli, Rosilda Antonio

10	**COMO AGIR EM RELAÇÃO AO MÉDICO E AO TRATAMENTO?** 120
	Ricardo Alberto Moreno, Elizabeth Sene-Costa

11	**COMO LIDAR COM O RISCO DE SUICÍDIO?** 132
	Rodolfo Nunes Campos, Fernando Fernandes

12	**COMO LIDAR COM OUTROS TRANSTORNOS MENTAIS ASSOCIADOS AO TRANSTORNO BIPOLAR?** 141
	Odeilton Tadeu Soares, Eduardo Calmon de Moura

13	**COMO ADMINISTRAR E PREVENIR RECAÍDAS NO TRANSTORNO BIPOLAR?** 155
	Ricardo Alberto Moreno, Mireia Roso

14	**COMPORTAMENTOS QUE PROMOVEM A QUALIDADE DE VIDA** 168
	Janette Canales, André Cavalcanti

15	**O PAPEL DA FAMÍLIA NO TRANSTORNO BIPOLAR** 181
	Danielle Soares Bio, Karina Pellegrinelli, Mireia Roso

16	**CUIDADOS MATERNOS E TRANSTORNO BIPOLAR NA INFÂNCIA** 198
	Sandra Petresco, Doris Hupfeld Moreno

APÊNDICE: DICAS PARA MANTER O SEU BEM-ESTAR 206
Danielle Soares Bio, Denise Petresco David, Ricardo Alberto Moreno

INTRODUÇÃO

Ricardo Alberto Moreno

O Programa de Transtornos Afetivos (PROGRUDA), do Instituto de Psiquiatria do Hospital das Clínicas da Faculdade de Medicina da Universidade de São Paulo, iniciou, em 1997, o estudo e a implantação de intervenções educacionais com grupos fechados de psicoeducação sobre transtornos do humor. Esses encontros eram mensais, com duas horas de duração, e seu propósito principal era obter dados para a dissertação de mestrado, que mostrou a importância, para os pacientes, do senso de pertencimento a um grupo de pessoas que compartilham os mesmos problemas do transtorno. Na primeira experiência dessa abordagem,[1-3] foi possível observar que a intervenção psicoeducacional não se limitou a promover a ampliação do conhecimento de pacientes e suas famílias acerca da doença e seu tratamento, mas permitiu a compreensão e deu sentido à experiência vivida, engajando os participantes no uso dessa compreensão em seus cotidianos, bem como valorizando a vida e preocupando-se com ela.[1] Todos os encontros obedeciam ao mesmo formato, isto é, o tema era apresentado por um psiquiatra e/ou um psicólogo do grupo durante uma hora, e, na sequência, a plateia participava fazendo perguntas e contando suas experiências com o transtorno. A discussão possibilitava o esclarecimento de dúvidas a respeito do transtorno e do tratamento e, principalmente, propiciava a troca de experiências de pacientes, familiares e profissionais a respeito das dificuldades em reconhecer e manejar os sintomas, bem como entender os efeitos colaterais da farmacoterapia e prevenir recorrências ou prejuízos psicossociais acarretados pela doença.

Mantivemos esses programas educacionais com grupos fechados e, em 2001, criamos a Associação Brasileira de Familiares, Amigos e Portadores de Transtornos Afetivos (ABRATA).[4] A ABRATA é uma associação sem fins lucrativos, como um braço de atuação gerenciado pela sociedade civil, que tem como missão dar suporte educacional e acolhimento a portadores de depressão unipolar ou de transtorno bipolar (TB). Atualmente, a ABRATA organiza seus encontros educacionais sob orientação de um conselho científico composto por psiquiatras e outros especialistas em saúde mental.

Em 2004, apresentamos um estudo no XXII Congresso Brasileiro de Psiquiatria, no qual descrevemos os resultados da avaliação do conhecimento que os participantes dos encontros psicoeducacionais obtiveram a respeito da doença e de seu tratamento, bem como a principal motivação alegada para a participação nos encontros. Observamos que eles apresentaram bom conhecimento sobre conceitos relacionados ao TB (72% de acertos). Entretanto, o motivo citado com mais frequência foi a "busca por novas informações". Contudo, em uma análise mais detalhada dos resultados obtidos, foi possível observar que a soma dos demais fatores – identificação com outros que têm problemas similares, motivação para o tratamento, conforto e ser compreendido – foi responsável por 60% das razões alegadas para frequentar os encontros educacionais. Concluímos que, apesar do alto índice de conhecimento sobre a doença e o tratamento, o significado mais amplo da educação foi o de promover o encontro, a identificação e a troca de experiências entre pessoas que sofrem dos mesmos problemas.[5]

Também concluímos, em 2004, o Programa de Prevenção de Recaídas Maníacas do Transtorno Afetivo Bipolar (PPBipolares), um projeto realizado em São José do Rio Preto, no interior de São Paulo, que contou com a parceria de diversas instituições universitárias, a Secretaria de Saúde do município, do Estado de São Paulo e a ABRATA, tendo sido financiado pela Fundação de Amparo a Pesquisa do Estado de São Paulo.[6] Nossos resultados mostraram que os recursos locais para a assistência a portadores da doença bipolar existiam, e era preciso apenas

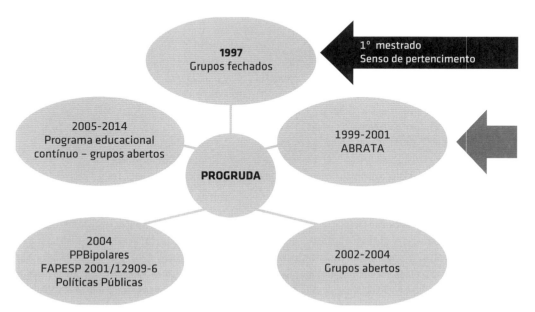

FIGURA 1 ➔ PROGRAMAS EDUCACIONAIS SOBRE TRANSTORNO BIPOLAR DO PROGRAMA DE TRANSTORNOS AFETIVOS (PROGRUDA).

criar um fluxograma de atuação e orientação dos pacientes e dos profissionais da saúde mental. Foi realizado treinamento com as equipes de assistência aos pacientes e profissionais de enfermagem, com a participação de familiares e pacientes, que criaram a rotina de encontros educacionais para a comunidade.[7]

Em 2005, publicamos outros resultados e a principal conclusão foi a possibilidade de adequar e estender os benefícios já conhecidos das intervenções educacionais no tratamento de pacientes bipolares a grupos grandes e abertos, incluindo pacientes, familiares e interessados no tema. Apesar da falta de medidas de avaliação para esse tipo de experiência, trata-se, sem dúvidas, de um método de fácil aplicação, baixo custo e ampla abrangência, que deveria ser mais estimulado, principalmente em centros de assistência pública nos quais o acesso a intervenções psicológicas individuais ou de grupo é mais difícil.[8]

Em 2009, publicamos os resultados obtidos no Programa PPBipolares, que avaliou a vida familiar do paciente na presença do TB e mostrou que as famílias apresentavam conflitos no cotidiano, prejuízo nas relações com pessoas fora do lar e perturbações na rotina diária, bem como sofriam impacto no orçamento familiar e preconceito.

Posteriormente, o PROGRUDA realizou um estudo-piloto[9] acerca das principais crenças errôneas dos pacientes e familiares presentes em seus encontros psicoeducacionais abertos. Para isso, foi elaborado um questionário, que consistia em 32 afirmações (verdadeiras ou falsas) a respeito da doença, de seu tratamento, da importância da família durante o processo e da prevenção de recaídas. Os 62 participantes do estudo foram instruídos a classificar cada afirmação como verdadeira (V) ou falsa (F). Os resultados demonstraram que 40% tinham crenças equivocadas a respeito da natureza biológica da doença, da importância do apoio da família e dos efeitos do medicamento, sendo as principais as seguintes:

❶ O TB é um problema psicológico.
❷ O tratamento medicamentoso pode comprometer a vida do paciente mais do que melhorá-la (relação risco versus benefício)
❸ O TB é emocional, não biológico.
❹ O TB não é um transtorno mental ou uma doença médica.
❺ O medicamento, além de causar dependência, é prejudicial.
❻ A família tem um papel prejudicial no tratamento.
❼ A cura é possível.

Esses resultados nos deram subsídios para estruturar a programação oferecida nos anos subsequentes, reforçando a importância de fornecer informações atualizadas e baseadas em evidências médicas para que os pacientes e seus familiares pudessem lidar com os três aspectos que mais comprometem o entendimento e o tratamento da doença: a ignorância, o preconceito e o estigma. A falta de conhecimento pode levar a crenças, atitudes e comportamentos desfavoráveis à estabilização da condição. Conceitos ou opiniões formadas antecipadamente, sem maior ponderação ou conhecimento dos fatos, podem levar a ideias preconcebidas, julgamentos ou opiniões adquiridos de forma distorcida e incompatíveis com a realidade da doença. Censurar, acusar ou condenar as pessoas que apresentam doenças psiquiátricas, em particular TB, também constituem um desafio, junto com ignorância e preconceito, na abordagem multiprofissional da doença.

Desde 2002, o PROGRUDA realiza anualmente 10 encontros educacionais abertos, uma vez por mês, para pacientes, familiares e pessoas interessadas no tema. Essa atividade de mais de 15 anos nos permitiu reunir experiência e informações suficientes para elaborar este manual de acordo com as necessidades dos pacientes com TB e suas famílias do Estado de São Paulo. Continuamos nossa pesquisa na área e, mais recentemente, publicamos um artigo que mostrou que os programas educacionais devem ser diferenciados de acordo com as características clínicas da condição bipolar, como tempo de doença, carga familiar e número de crises maníacas e depressivas ao longo da vida.

A ideia de fazer este livro é fornecer dados baseados em evidências científicas acerca da doença e seu tratamento. Todo ele foi norteado de acordo com os temas abordados nos encontros educacionais realizados pelo Programa de Transtornos Afetivos (PROGRUDA), do Instituto de Psiquiatria do Hospital das Clínicas da Faculdade de Medicina da Universidade de São Paulo, ao longo de mais de 15 anos. As perguntas feitas com mais frequência pelos portadores e seus familiares são abordadas e respondidas em cada capítulo.

REFERÊNCIAS

1. Andrade ACF. Abordagem psicoeducacional no tratamento do transtorno afetivo bipolar. Rev Psiquiatr Clín. 1999;26(6):1-8.

2. Andrade ACF, Moreno RA. Qual o papel da abordagem psicoeducacional no tratamento dos transtornos afetivos? Bolet Transt Afetivos Alim.1998;3:3.

3. Moreno RA, Andrade ACF. The psychoeducational aproach on the treatment of bipolar patients. In: Second International Conference on Bipolar Disorder, Pittsburgh, Pennsylvania 1997; June 19-21.The Psychoeducational aproach on the treatment of bipolar patients, 1997. p. 41.

4. Associação brasileira de familiares, amigos e portadores de transtornos afetivos (ABRATA)[Internet]. São Paulo: ABRATA; c2012 [capturado em 10 jan. 2015]. Disponível em: www.abrata.org.br.

5. Roso MC, Moreno RA, Costa EMS. Intervenção psicoeducacional nos transtornos do humor: a experiência do Grupo de Estudos de Doenças Afetivas (GRUDA). Rev Bras Psiquiatr. 2005;27(2):163.

6. Moreno RA. Programa de prevenção de recaídas do transtorno afetivo bipolar (TAB): processo 2001/12909-6. Programa Pesquisa em Políticas Públicas. 2001;139:116-7.

7. Moreno RA, Stefanelli MC, Souza MGG, Oliveira AR, Taveira AC, Gentil FilhoV. Comprendiendo la convivencia familiar en presencia del trastorno bipolar. Index Enferm. 2009;18(3):156-60.

8. Roso MC, Moreno RA, Costa EMS. Intervenção psicoeducacional nos transtornos do humor: a experiência do Grupo de Estudos de Doenças Afetivas (GRUDA). Rev Bras Psiquiatr. 2005;27(2):163.

9. de Barros Pellegrinelli K, de O Costa LF, Silval KI, Dias VV, Roso MC, et al. Efficacy of psychoeducation on symptomatic and functional recovery in bipolar disorder. Acta Psychiatr Scand. 2010;127(2):153-8.

LEITURAS SUGERIDAS

Roso MC, de Barros Pellegrinelli K, Moreno RA. The impact of psychoeducational meetings in knowledge of disease and treatment in bipolar patients and their relatives bipolar disorders: psychoeducation, evaluation impact. J Affect Disord. 2005;91:S78.

Roso MC, de Barros Pellegrinelli K, Moreno RA. Evaluation of the impact of psychoeducational meetings in knowledge of disease and treatment in bipolar patients. Bipolar Disord. 2005;7 Suppl 2:27-117.

Stefanelli MC, Moreno RA, Souza MGG, Oliveira AR, Taveira AC, Gentil FilhoV. Comprendiendo el significado de la presencia del transtorno bipolar em la família. In: II Congresso Iberoamericano de Investigación Cualitativa em Salud, 2005, Madrid. Libro de Ponencias co II Congresso Iberoamericano de Investigación Cualitativa em Salud, 2005. p. 39-40.

BREVE HISTÓRICO DA DOENÇA

Frederico Navas Demetrio

Os termos *transtorno bipolar do humor* ou *transtorno afetivo bipolar*, que tanto usamos hoje, podem parecer algo "novo" ou "moderno", que só recentemente começou a ser diagnosticado e reconhecido como doença, mas são apenas outros nomes para um problema de saúde reconhecido e diagnosticado há muito tempo. O primeiro médico a relatar a mania como conhecemos hoje (episódio maníaco dentro do transtorno bipolar tipo I) foi o grego Areteus da Capadócia (Alexandria, final do século I a.C.), que a descreveu como um estado de falta de controle em que a pessoa cometia todo tipo de excesso, com furor, excitação e euforia. Nas formas graves da doença, o indivíduo poderia até mesmo matar e humilhar seus servos, e, nas menos graves, se sentiria grandioso: "sem nunca ter estudado, ele diz ser filósofo. [...] e o incompetente diz ser artesão habilidoso, [...] outros ainda se tornavam desconfiados e se sentiam perseguidos, razões pelas quais se tornavam raivosos". Areteus foi também o primeiro a associar a mania com a depressão (melancolia), descrevendo indivíduos que passavam por períodos alternados ao longo da vida. De acordo com ele, a forma clássica de mania era a bipolar: o quadro do paciente, anteriormente alegre, eufórico e hiperativo, de maneira repentina se invertia para a melancolia; e, no final do "ataque", ele se tornava lânguido, triste e taciturno, queixando-se de preocupações com seu futuro e sentindo-se envergonhado. Quando a fase depressiva acabava, tais pacientes voltavam a ser alegres, contavam piadas, riam, cantavam e se exibiam em público como se estivessem retornando de um jogo vitorioso. Algumas vezes, riam e dançavam durante o dia e a noite toda.

Vale a pena ressaltar que o termo grego *mania*, na sua ideia original, significa "loucura enfurecida" (algo bem próximo do que ocorre nos episódios mais graves do que conhecemos hoje como episódio maníaco). Infelizmente, o termo também foi – e continua sendo – usado para descrever outros estados que não se parecem com seu conceito original, como no caso de mania de limpeza, que remete ao transtorno obsessivo-compulsivo, ou maníaco do parque, que remete à psicopatia.

Galeno de Pérgamo (131-201 d.C.), por sua vez, definiu a melancolia como uma doença crônica e recorrente. Em seus poucos comentários sobre a mania, Galeno disse que ela poderia ser tanto uma patologia primária do cérebro quanto secundária a outras condições. Assim como Areteus e Aristóteles, acreditava que mania e melancolia tinham uma origem comum na bile negra (*melancholia*), e, em concordância com a teoria grega dos humores, os líquidos que circulam no organismo – sangue, linfa, bile negra e bile amarela – determinariam os estados de ânimo da pessoa. Assim, quando afetava o cérebro, a melancolia aumentaria e se transformaria em mania.

O coração era considerado mais importante que o cérebro na teoria dos humores, mas ao menos a doença já se localizava no corpo, sendo possível o tratamento médico. Da Grécia clássica até o início da Idade Média, as doenças mentais e físicas eram tratadas primariamente por médicos, e, à medida que essa função foi delegada ao monastério e a religiosos, as ideias iniciais desapareceram. O período que se seguiu foi de "trevas", quando a doença mental foi atribuída à magia, ao pecado e à possessão demoníaca, alvo da caça às bruxas e da inquisição.

Ao longo dos séculos XVII e XVIII, já sem influência religiosa, havia milhares de observações clínicas sobre a natureza de fenômenos maníacos ou melancólicos, mas ninguém conseguiu reestabelecer a ligação entre elas. Muitas classificações de doenças e especulações sobre as suas origens, que antecipavam a nossa visão atual, também foram registradas.

As ideias explícitas do transtorno bipolar (TB) como uma única doença datam da metade do século XIX. Dois psiquiatras franceses, Jules Falret (1794-1870) e J.F. Baillarger (1809-1890), formularam a ideia de que mania e depressão representariam diferentes episódios de uma mesma patologia. Ambos foram estudantes de Esquirol, compartilhavam as ideias de Pinel e não aprovavam as noções de que cada sintoma representava uma nova doença nem de "psicose única". Ou seja, em vez de inúmeras doenças, existiria apenas uma única condição mental com diferentes manifestações de sintomas. Por longos períodos, Falret estudou os episódios depressivos acompanhados de tendências suicidas e notou que alguns casos apresentavam períodos de excitação e retornavam para a depressão. Baillarger, por sua vez, mais do que notar a duplicidade de manifestações da doença, observou também que alguns melancólicos chegavam até mesmo a ficar em estado de estupor.

Em 1851 e 1853, Falret e Baillarger descreveram basicamente a mesma doença, chamada pelo primeiro de loucura circular (*la folie circulaire*) e pelo segundo de loucura de dupla forma (*la folie à double forme*). Para Falret, a sucessão de mania e melancolia manifesta-se em si, em continuidade e de maneira quase sempre regular. Baillarger registrou essencialmente uma doença de curso similar, enfatizando que o episódio maníaco e o depressivo não eram dois ataques diferentes, mas dois estágios distintos da mesma condição.

Esses dois conceitos franceses quase correspondiam ao conceito moderno de TB, ganhando muitos adeptos dentro e fora da França. Kahlbaum (1828-1899), por exemplo, comentou com entusiasmo, em 1863, sobre uma nova "loucura circular típica". Na França, a noção de Ritti (1883) reforçou a ideia de uma doença única, apaziguando os calorosos debates sobre a validade dessa nova entidade. Na monografia que ganhou o prêmio da Academia de Medicina, Ritti caracterizou claramente a "loucura de dupla forma" pela sucessão de crises de mania ou de melancolia no mesmo indivíduo. As ideias de Falret e Ritti seriam aproveitadas mais tarde nas concepções do alemão Emil Kraepelin, considerado o pai da psicose maníaco-depressiva.

Finalmente, em 1899, Emil Kraepelin descreveu a psicose maníaco-depressiva (PMD) na sexta edição de seu livro-texto, analisando os estados de transição e das concomitâncias das crises maníacas e melancólicas, bem como avaliando os estados mistos, em que existem sintomas de mania e de depressão ao mesmo tempo. Todas as psicoses descritas anteriormente como intermitentes, circulares, periódicas, de dupla forma ou alternadas foram agrupadas em uma entidade fundamental: a PMD, que Kraepelin considerava uma doença essencialmente endógena. Ele também separou a PMD da esquizofrenia (na época chamada de *dementia praecox*, ou demência precoce, pois seus portadores desenvolviam muito cedo sintomas de prejuízo na emoção e no raciocínio.

Com rapidez, as ideias de Kraepelin ganharam vários adeptos, unificando muitas concepções europeias controversas. Ele foi o primeiro a desenvolver completamente o modelo de doença em psiquiatria, por meio de observações extensas e descrições organizadas com cuidado. Sem desprezar os fatores psicológicos e o estresse social, Kraepelin observou também que um indivíduo sob efeito de sobrecarga tornava-se propenso a precipitar um novo episódio. Além da síntese dicotômica, deve ser atribuída a Kraepelin a distinção das duas grandes síndromes clínicas em psiquiatria, traçando de modo correto o quadro clínico e a história natural das doenças. Fundamentalmente, esse autor construiu uma base sólida, ancorada na observação dos pacientes, para futuros desenvolvimentos.

A principal mudança ocorrida no conceito original da PMD até os dias atuais foi a separação de suas formas de doença puramente depressiva. O conceito de Kraepelin abraçava todas as condições com a sintomatologia tanto de mania como de melancolia, não importando se o indivíduo tivesse uma ou várias fases; se elas foram breves ou prolongadas, leves ou graves; se apresentou depressão recorrente, só mania ou ambas. Esse paciente seria classificado como afetado por uma mesma doença, a PMD. Essa separação é relativamente recente, datando de 1966, quando Jules Angst (na Suíça) e Carlo Perris (na Suécia) publicaram trabalhos independentes, os quais indicavam que pacientes que sofriam apenas de depressão, hoje conhecidos como "unipolares" ou portadores de depressão unipolar, apresentavam histórico familiar predominantemente de depressão, enquanto aqueles que apresentavam episódios de mania, com ou sem episódios de depressão, apresentavam histórico familiar tanto de mania como de depressão.

Além disso, a doença de pacientes que apresentavam episódios de mania (que atualmente chamamos de TB) começava em média 15 anos mais cedo que a daqueles que tinham apenas depressão e maior frequência de crises. Os episódios individuais eram mais curtos, e o risco de doença mental na família era alto entre os familiares de primeiro grau; haveria também diferenças de personalidade entre os dois grupos: os pacientes com episódios de mania tenderiam a ser mais calorosos, enérgicos e extrovertidos, enquanto os que apresentavam somente depressão eram mais isolados, tensos e ansiosos.

Além da separação dos unipolares e bipolares, o conceito original de PMD sofreu outras subdivisões, pois Kraepelin incluiu nele todas as manifestações de humor, desde as mais leves e consideradas próprias da personalidade do indivíduo até as mais graves, como a mania e a depressão. Hoje, chamamos de ciclotímicas as pessoas que têm flutuações do humor para cima e para baixo, mas que nunca preenchem os critérios para um episódio de mania ou de depressão. Hipertímico é o indivíduo que está sempre um pouco para cima, além do que seria considerado normal para a maioria das pessoas, enquanto distímico é aquele que está sempre um pouco mais para baixo. O próprio TB foi dividido em "TB tipo I", que se refere àqueles pacientes que apresentam episódios de mania ou estados mistos, e "TB tipo II", para os que exibem episódios de depressão e de hipomania – uma mania mais leve, mas de intensidade que chama atenção, indicando uma clara mudança de comportamento. Para o diagnóstico do TB tipo II é necessário que o paciente nunca tenha tido um episódio pleno de mania.

O Quadro 1.1 resume a evolução do conceito original de Kraepelin até os dias de hoje.

Apesar dessa subdivisão, todos os transtornos do humor parecem estar inter-relacionados, como previsto por Kraepelin. Não é raro nos depararmos com um paciente que inicialmente é diagnosticado como hipertímico e apresenta, por exemplo, uma depressão, sendo por muitos anos considerado unipolar e, depois, desenvolve hipomania. Assim, muitos ainda preferem enxergar os transtornos do humor em um espectro, ou *continuum*, em que até podem existir separações entre uma categoria ou outra. Contudo, elas não são tão nítidas a

QUADRO 1.1 EVOLUÇÃO DO CONCEITO DE KRAEPELIN

KRAEPELIN	HOJE	
Psicose maníaco-depressiva original	Unipolar	Depressão maior Distimia
	Bipolar	TB tipo I TB tipo II Transtorno ciclotímico Hipertimia

> **PONTOS** IMPORTANTES
> - O conceito original de mania é o que utilizamos hoje para designar o episódio maníaco do TB. Os termos "mania de limpeza" ou "maníaco do parque" não têm a ver com doença bipolar.
> - O conceito dos transtornos do humor agrupados como proposto por Kraepelin continua válido, embora subdivididos em diversas categorias.
> - Os transtornos do humor possuem uma origem biológica, mas fatores precipitantes psicológicos e sociais também participam de seu desencadeamento.

ponto de serem definitivas em uma primeira observação, devendo o desenrolar da doença ser levado em conta na hora de se formular um diagnóstico.

CONSIDERAÇÕES FINAIS

A ideia de uma doença como o transtorno bipolar existe há milênios, mas desapareceu na Idade Média, quando todas as doenças mentais eram abordadas de forma mística ou religiosa. Até o século XIX, muitas observações foram feitas, mas a relação entre mania e depressão não foi relatada. Dois franceses (Falret e Baillarger) e um alemão (Kraepelin) finalmente correlacionaram os dois polos, constituintes de uma mesma doença, na qual o humor ou afeto está prejudicado. Essa ideia permanece praticamente a mesma até hoje.

LEITURAS SUGERIDAS

Goodwin FK, Jamison KR. Doença maníaco-depressiva: transtorno bipolar e depressão recorrente. 2. ed. Porto Alegre: Artmed; 2010.

Moreno RA, Moreno DH, organizadores. Da psicose maníaco-depressiva ao espectro bipolar. 2. ed. São Paulo: Segmento Farma; 2008.

TRANSTORNO BIPOLAR: O QUE É NECESSÁRIO SABER?

Doris Hupfeld Moreno
Denise Petresco David
Danielle Soares Bio
Ricardo Alberto Moreno

Mudanças de humor ocorrem em condições normais no cotidiano de todos nós, portanto é natural que todas as pessoas sintam raiva, ódio e outras emoções e sentimentos que dão sentido à nossa vida afetiva. Sendo assim, queixas ou sentimentos isolados de alegria, tristeza ou irritabilidade não são suficientes para fazer o diagnóstico de um problema psiquiátrico, porque essas manifestações afetivas tendem a ser de curta duração, não se sustentam ao longo do tempo e não causam problemas maiores na vida das pessoas; além disso, o indivíduo pode modular seu estado de humor, ou seja, sair, por exemplo, do estado basal de tristeza e ser capaz de sentir alegria.

Quando falamos em transtorno bipolar (TB), nos referimos a uma doença reconhecida há mais de 3 mil anos ao longo da história da medicina. Na doença bipolar, encontramos a presença de vários sintomas e sinais que compõem o chamado episódio depressivo ou maníaco/hipomaníaco. Além disso, os sintomas persistem durante a maior parte do tempo; duram pelo menos 15 dias, no caso do episódio depressivo, ou quatro, no caso do episódio maníaco/hipomaníaco; e causam sofrimento e prejuízo no funcionamento global habitual do paciente. Ademais, geralmente as mudanças de comportamento são notáveis, e as mudanças psicológicas comportamentais e físicas que ocorrem durante os episódios da doença podem deixar sequelas ou marcas importantes na vida do sujeito e dos seus familiares. O TB é uma doença que interfere muito na vida do paciente, da sua família e da sociedade, causando prejuízos geralmente irreparáveis na saúde, na reputação e nas finanças do indivíduo e/ou da família, além do sofrimento psicológico acarretado para todos os envolvidos. Também pode gerar conflitos nos relacionamentos familiares, sociais, conjugais, com amigos e no trabalho.

CARACTERÍSTICAS DO **TRANSTORNO BIPOLAR**

- É uma doença médica séria.
- Até o momento, não existe cura, sendo considerada uma enfermidade para a vida toda.
- Quanto mais cedo for diagnosticada e tratada, melhor será sua evolução.
- Considerando todos os tipos da doença bipolar, sua ocorrência é estimada em 8 a cada 100 indivíduos.
- Costuma iniciar entre a adolescência e o começo da vida adulta.
- Pode aparecer na infância, sendo que um terço dos pacientes desenvolverá a doença plenamente na adolescência, e mais de dois terços até os 19 anos de idade.
- Raramente começa após os 50 anos, e, quando isso acontece, é importante investigar outras possíveis causas.
- A doença manifesta-se igualmente em mulheres e homens, e familiares de pacientes têm maior risco de desenvolvê-la.
- Sua principal causa é genética, e o que se herda é a predisposição para adoecer. Entretanto, fatores psicológicos, ambientais, sociais e físicos podem funcionar como gatilhos para sua manifestação.
- A enfermidade é recorrente, e, em 90% dos casos, os episódios tendem a se repetir ao longo da vida.
- A doença se manifesta por meio de mudanças psicológicas, físicas e comportamentais, que são diferentes da maneira habitual de o indivíduo ser e funcionar.
- Quando não é tratada, a doença causa grande impacto, comprometendo a qualidade de vida do paciente, da família e dos amigos.
- O tratamento adequado envolve o uso de medicamentos chamados de estabilizadores do humor e requer mudanças no estilo de vida do paciente, sendo fundamental a psicoeducação sobre a doença e seu tratamento para a família e o paciente; em alguns casos, a orientação psicológica se faz necessária com profissionais que conheçam a fundo a doença bipolar.
- Todas as estratégias de tratamento devem ser gerenciadas pelo médico psiquiatra, que deverá conversar com os outros profissionais envolvidos, além da família, do empregador e dos amigos.
- Embora não exista cura, com o tratamento adequado, a doença pode ser controlada, assim como acontece no diabetes, na hipertensão arterial e em outros problemas médicos crônicos. O paciente pode ter uma vida normal ou, no mínimo, muito próxima do seu normal.

Fonte: Moreno e Andrade.[1]

DEPRESSÃO

O transtorno depressivo maior (TD), ou doença depressiva, caracteriza-se por episódios depressivos que podem ser únicos ou que tendem a se repetir ao longo da vida. A depressão recorrente é diferente do TB. Embora compartilhem o episódio depressivo, no TB o paciente apresenta episódio atual ou passado, durando dias, meses ou anos, nos quais o humor ficou irritável ou exaltado, houve maior entusiasmo ou impaciência e sensação de "pavio curto", além de aumento de energia mental e/ou física, maior impulsividade e aceleração de pensamentos. O TB é classificado em dois grupos principais (Quadro 2.1), TB tipo I e TB tipo II. Para o diagnóstico de TB tipo I, é imprescindível a presença atual ou passada de episódios de mania, enquanto o TB tipo II cursa no máximo com episódios de hipomania. Esses episódios costumam se repetir inúmeras vezes ao longo da vida, entre períodos de depressão, ou os chamados sintomas mistos, descritos a seguir. Pode haver períodos de volta à normalidade que podem durar meses ou anos, mas, uma vez diagnosticado o TB, sempre haverá o risco da ocorrência de novos episódios ao longo da vida do paciente.

Portanto, o diagnóstico de TB em alguém que se encontra em depressão requer uma avaliação do histórico da doença, o que depende da lembrança de episódios anteriores por parte do paciente e de seus familiares e exige habilidade e treinamento do médico psiquiatra, o qual deve levar em consideração:

❶ Todos os sintomas maníaco-depressivos atuais e do passado.
❷ Como cursaram ou evoluíram os episódios desde a infância e adolescência.

QUADRO 2.1 CLASSIFICAÇÃO DO TRANSTORNO BIPOLAR

	CARACTERÍSTICAS
Transtorno bipolar tipo I	Episódio depressivo e episódio de mania
Transtorno bipolar tipo II	Episódio depressivo e episódio de hipomania
Transtorno ciclotímico	Oscilações persistentes depressivas e de hipomania
Transtorno bipolar e relacionados, induzidos por substâncias/medicamentos	Episódios depressivos, de mania ou hipomania desencadeados por substâncias ou medicamentos. Por exemplo: episódio de mania/hipomania induzido pelo uso de medicamentos antidepressivos.
Transtorno bipolar e relacionados, devidos a outra condição médica	Episódios de mania/hipomania causados por outras doenças médicas associadas, como na doença de Cushing, na esclerose múltipla, no acidente vascular cerebral e em lesões cerebrais traumáticas.
Outro transtorno bipolar e relacionados, especificado	Quando o diagnóstico de episódios depressivos, maníacos ou hipomaníacos não estão suficientemente claras.
Transtorno bipolar e relacionados, não especificado	Quando não há informações suficientes para que seja feito um diagnóstico mais específico. Casos duvidosos ou com informações insuficientes no momento.

Fonte: American Psychiatric Association.[2]

❸ Antecedentes familiares, isto é, a presença de outros parentes afetados por depressão ou TB ou, ainda, casos suspeitos, não diagnosticados até o momento.

❹ A idade de início da doença, que na grande maioria dos casos é precoce (até o final da adolescência e início da vida adulta), e a presença de sintomas subsindrômicos (sintomas presentes que não são fortes ou em número suficiente para preencher o critério diagnóstico de episódio completo).

A seguir, serão descritos os episódios do TB.

O termo "depressão", neste livro, se refere ao transtorno depressivo maior de acordo com os critérios diagnósticos do Manual diagnóstico e estatístico de transtornos mentais (DSM-5) (Quadro 2.2).[2] Suas principais manifestações clínicas, independentemente da gravidade, são humor depressivo (referido pelo paciente como triste ou melancólico), falta de interesse e motivação/redução ou

QUADRO 2.2 TRANSTORNO DEPRESSIVO MAIOR

CRITÉRIOS DIAGNÓSTICOS

A. Cinco (ou mais) dos sintomas seguintes estiveram presentes durante o mesmo período de duas semanas e representam uma mudança em relação ao funcionamento anterior; pelo menos um dos sintomas é (1) humor deprimido ou (2) perda de interesse ou prazer.

Nota: não incluir sintomas nitidamente devidos a outra condição médica.

1. Humor deprimido na maior parte do dia, quase todos os dias, conforme indicado pelo relato subjetivo (p. ex., sente-se triste, vazio, sem esperança) ou por observações feitas por outras pessoas (p. ex., parece choroso). (Nota: Em crianças e adolescentes, pode ser humor irritável.)
2. Acentuada diminuição do interesse ou prazer em todas ou quase todas as atividades na maior parte do dia, quase todos os dias (indicada pelo relato subjetivo ou observação feita por outras pessoas).
3. Perda ou ganho significativo de peso sem estar de dieta (p. ex., uma alteração de mais de 5% do peso corporal em um mês), ou redução ou aumento do apetite quase todos os dias. (Nota: Em crianças, considerar o insucesso em ganhar o peso esperado.)
4. Insônia ou hipersonia quase todos os dias.
5. Agitação ou retardo psicomotor quase todos os dias (observáveis por outras pessoas, não meramente sensações subjetivas de inquietação ou de estar mais lento).
6. Fadiga ou perda de energia quase todos os dias.
7. Sentimentos de inutilidade ou culpa excessiva ou inadequada (que podem ser delirantes) quase todos os dias (não meramente autorrecriminação ou culpa por estar doente).
8. Capacidade diminuída para pensar ou se concentrar, ou indecisão, quase todos os dias (por relato subjetivo ou observação feita por outros pessoas).
9. Pensamentos recorrentes de morte (não somente medo de morrer), ideação suicida recorrente sem um plano específico, uma tentativa de suicídio ou plano específico para cometer suicídio.

Fonte: American Psychiatric Association.[2]

incapacidade de sentir prazer/alegria (anedonia – não vibra ou tem prazer em atividades que costumam ser legais ou prazerosas), queda nos níveis de energia (fadiga, desanimo) e lentificação psicomotora (andar, falar ou pensar mais devagar, estar de modo geral mais lento). Dizer a um sujeito deprimido que reaja e sinta alegria é o mesmo que mandar um paciente de pernas quebradas correr.

Durante esses episódios, o estado de humor é depressivo ou irritável, hipersensível a eventos considerados negativos, e o paciente não consegue reagir a estímulos positivos ou prazerosos, podendo predominar a apatia. O deprimido tende a aumentar ou criar problemas e direcionar seus sentimentos e pensamentos a uma temática negativa (desanimo, baixa autoestima, culpa, desesperança, burrice, tristeza, ansiedade, tédio, vazio, falta de sentido na vida, achar que está com uma doença grave, pensamentos de morte ou de suicídio). O pensamento costuma ser lento, o que compromete o raciocínio, a capacidade de concentração e a memória, e o sujeito não tem mais força de vontade e iniciativa para realizar as atividades do seu cotidiano. Em depressões leves a moderadas, o paciente funciona após esforço inicial, mas tudo é feito com grande sacrifício, de forma não adequada. Nas depressões graves, a capacidade de superação desaparece, e cobrar uma reação pode piorar a depressão, levando inclusive à inanição (o indivíduo não se alimenta mais). Em todos os graus de intensidade da depressão pode haver lentificação ou agitação psicológica e motora.

Geralmente, a autocrítica sobre a doença está preservada, mas a realidade passada ou atual é distorcida de modo negativo. No caso da depressão psicótica, as ideias depressivas (de pecado, pobreza, culpa, doença, etc.) carecem de lógica, e são comuns alterações da percepção sensorial, como alucinações auditivas e visuais, relatadas como ver, ouvir ou sentir coisas que não existem.

As depressões são acompanhadas de alterações em outras partes do organismo, como nos ritmos biológicos (padrão dormir/estar acordado) e sintomas vegetativos (queixas físicas gástricas, intestinais, urinárias, genitais ou dolorosas, entre outras). O humor oscila ao longo das 24 horas do dia e acontece piora de manhã e melhora à tarde ou vice-versa; o apetite e o peso podem aumentar ou diminuir; o sono não é reparador, e as queixas são de insônia ou sonolência excessiva; frequentemente surgem sintomas físicos ou dolorosos, além de diminuição ou perda do desejo sexual.

O episódio depressivo pode se apresentar de várias formas dependendo de suas características clínicas e evolutivas (ao longo da vida) que constituem os chamados subtipos ou formas clínicas de apresentação do episódio (Quadro 2.3).

TRANSTORNO DEPRESSIVO PERSISTENTE (DISTIMIA)

É um estado depressivo de intensidade leve e com duração crônica (mais do que 2 anos), marcado por sentimentos frequentes de insatisfação e pessimismo. A maioria dos pacientes desenvolve francos episódios depressivos durante

QUADRO 2.3 SUBTIPOS DO TRANSTORNO DEPRESSIVO MAIOR

ESPECIFICADOR E CRITÉRIOS DIAGNÓSTICOS

SOFRIMENTO ANSIOSO: Dois ou mais sintomas devem estar presentes

1) Sentir-se nervoso ou tenso.
2) Sentir-se incomumente inquieto.
3) Dificuldade de concentração por estar preocupado.
4) Medo de que algo terrível possa acontecer.
5) Sensação de que pode perder o controle de si mesmo.

CARACTERÍSTICAS MISTAS: Três ou mais sintomas e o diagnóstico de episódio depressivo

1) Humor elevado, expansivo.
2) Autoestima aumentada ou grandiosidade.
3) Mais falante que o habitual ou pressão para continuar falando.
4) Fuga de ideias (pensamentos excessivamente rápidos) ou sensação subjetiva que os pensamentos estão acelerados.
5) Aumento de energia ou de atividade dirigida a objetivos (ficar "fanático" por alguma coisa. Por exemplo, socialmente, no trabalho ou na escola).
6) Envolvimento aumentado ou excessivo em atividades de alto potencial de consequências ruins (p. ex., compras compulsivas, indiscrições sexuais, investimentos em negócios insensatos).
7) Redução da necessidade de sono (sentir-se repousado apesar de dormir menos que o habitual).

MELANCÓLICA: Três ou mais sintomas e anedonia (incapacidade de sentir prazer) ou humor depressivo não reativo a estímulos prazerosos

1) Tristeza de qualidade distinta da normal, morosidade, sensação de vazio.
2) Depressão pior de manhã.
3) Despertar precoce (2 horas ou mais antes do habitual).
4) Retardo ou agitação psicomotora acentuadas.
5) Acentuada diminuição de apetite, perda de peso.
6) Sentimentos de culpa excessivos ou inapropriados.

ATÍPICA: Dois ou mais sintomas e reatividade do humor a estímulos prazerosos

1) Aumento de apetite e/ou ganho de peso.
2) Hipersônia (sonolência excessiva).
3) Exaustão (sensação de peso nas pernas e braços).
4) Padrão duradouro de sensibilidade à rejeição interpessoal.

PSICÓTICA: Presença de delírios e/ou alucinações (crenças irracionais ou sensações ou percepções que não existem)

1) Congruentes com o humor – inadequação pessoal, culpa, doença, morte, niilismo, punição merecida.
2) Incongruentes com o humor – persecutórios, religiosos, etc., em geral associados aos delírios/alucinações de conteúdos depressivos.

COM CATATONIA: Comportamentos ou movimentos estranhos, como imobilidade, atividade motora excessiva desproposital, rigidez ou adoção de posturas bizarras, imitação de gestos e palavras; quadro raro.

QUADRO 2.3 SUBTIPOS DO TRANSTORNO DEPRESSIVO MAIOR (continuação)
INÍCIO NO PERIPARTO: 3 a 6% das mulheres apresentam depressão durante a gestação ou até quatro semanas após o parto. Geralmente acontece depois da primeira gravidez, e em metade das mulheres a depressão começou durante a gestação. Quando psicótica, a depressão está associada a TB tipo I e história familiar de TB, e tende a recorrer em 30 a 50% das gestações subsequentes.
PADRÃO SAZONAL: Episódio depressivo recorrente (que se repete ao longo da vida do paciente) em determinadas estações do ano por dois anos seguidos, geralmente iniciando no outono ou inverno e desaparecendo na primavera. Melhoras totais dos sintomas depressivos e mudanças súbitas de depressão para mania ou hipomania também acontecem em determinado período do ano. Devem predominar episódios sazonais em relação aos não sazonais durante a vida.

TB = Transtorno bipolar; ADs = antidepressivos.
Fonte: American Psychiatric Association.[2]

a vida, e seu quadro clínico é semelhante ao das outras depressões (com todas as características descritas anteriormente e no Quadro 2.1), porém com poucos sintomas e de intensidade mais leve e persistente ao longo do tempo. Devido à durabilidade, os sintomas são interpretados pelas pessoas como características da sua personalidade. Não são incapacitantes, mas comprometem o rendimento profissional e interferem nas relações sociais e familiares. O paciente funciona sempre abaixo do seu potencial máximo de capacidade (Quadro 2.4).

A distimia pode ser um estágio anterior ao aparecimento do TB.

EPISÓDIO DE DEPRESSÃO BIPOLAR

Mais de 20% dos deprimidos atendidos em postos de saúde ou unidades de atendimento médico geral, e cerca de 50% dos que são vistos em ambulatórios psiquiátricos, são, na realidade, portadores de TB, e, nesses casos, a depressão constitui o motivo principal de procura por tratamento, por ser mais grave e comprometedora. Normalmente, o TB começa com uma depressão, muitas vezes já na adolescência. Ainda que leve, a depressão é mais frequente que períodos e hipomania ou mania no TB ao longo da vida. A depressão bipolar é igual às outras depressões, mas aumento do sono e de fome e/ou peso são mais comuns na depressão bipolar.

É muito importante diferenciar a depressão bipolar da depressão que não é bipolar (unipolar), porque os antidepressivos, que são o principal tratamento da depressão unipolar, podem piorar os sintomas e o desenvolvimento do TB durante a vida. Por isso, o médico precisa descobrir se houve sintomas maníacos ou hipomaníacos no passado do deprimido, além de averiguar a presença de outros familiares com TB.

QUADRO 2.4 CRITÉRIOS DIAGNÓSTICOS PARA TRANSTORNO DEPRESSIVO PERSISTENTE DO DSM-5
A. Humor deprimido na maior parte dos dias, indicado por relato subjetivo ou observação feita por terceiros, pelo período mínimo de 2 anos. Obs.: em crianças e adolescentes, o humor pode ser irritável, com duração mínima de 1 ano.
B. Presença, enquanto deprimido, de duas (ou mais) das seguintes características: • Apetite diminuído ou hiperfagia (fome excessiva) • Insônia ou hipersônia (sonolência excessiva) • Baixa energia ou fadiga • Baixa autoestima • Fraca concentração ou dificuldade em tomar decisões • Sentimentos de desesperança
Fonte: American Psychiatric Association.[2]

EPISÓDIO DE MANIA

As principais características da mania e da hipomania são humor expansivo ou irritabilidade com sentimentos que tendem para o positivo e aumento da atividade ou de tempo ocupado (até mesmo no computador, celular). A aparência pode tornar-se mais chamativa, colorida, ou até mesmo inadequada ou bizarra; além disso, aumenta a sensibilidade ao estresse, a reatividade a tudo e a busca por estímulos. Os sintomas variam de intensidade em diferentes episódios e de um paciente a outro. A seguir, são apresentados os principais sintomas maníacos e os critérios diagnósticos (Quadro 2.5).

Os sentimentos tendem ao positivo (p. ex. grandiosidade, otimismo exagerado, falta de medo e autoestima aumentada ou diferente do habitual do paciente). Os pensamentos aparecem mais rápidos, atropelados, ou são vários ao mesmo tempo, sobre algum assunto que tem a ver com a vida do paciente, mas de uma maneira obstinada, pressionada; o conteúdo das ideias também pode ser religioso, esotérico, sexualizado ou desconfiado. O pensamento pula de um assunto para outro rapidamente, sem concluir o anterior, e o discurso se perde nos detalhes. Quando muito grave aparece até confusão mental. O excesso de ideias causa dificuldade de concentração e pode prejudicar a memória. Fica difícil organizar e planejar a vida, bem como hierarquizar problemas e atividades, de acordo com suas necessidades, inclusive as rotineiras. A sensação de energia e bem-estar físico aumenta, assim como a desinibição, que costuma levar o paciente a se expor socialmente de forma inadequada – por exemplo, necessidade de sair, de ter liberdade, brigar, falar alto, xingar, gargalhar, cantar, contar piadas, dançar ou gritar, interromper os outros, tornar-se inconveniente e provocativo. O paciente está mais ocupado consigo e suas atividades e ideias, criando uma falsa sensação de ocupação e eficiência, quando na realidade se atrapalha mais, se desorganiza, se desentende mais, se agita, mas descuida de si mesmo e do seu entorno. Na maioria dos bipolares em mania, aumenta a impulsividade para uma série de comportamentos – por exemplo, para beber, fumar, consumir drogas, fazer sexo, colocar *piercings* e tatuagens, jogar, comprar (mesmo não tendo necessidade ou condições financeiras), presentear, dirigir em alta velocidade, etc.

O paciente não avalia as consequências dos seus atos: assume riscos ou tem comportamentos de risco (esportes, negócios, atos delinquentes, sexo sem precaução, etc.). Na mania, geralmente falta a autocrítica e a pessoa não enxerga os problemas que ocasiona, nem a alteração do próprio comportamento, e não aceita nem ouve o que outros dizem, principalmente se for contrário ao que pensa, porque distorce tudo. Se houver delírios ou alucinações, é preciso distinguir quadro da esquizofrenia. Aparece insônia grave ao ponto de não conseguir dormir e continuar ativo ou sentir menor necessidade de sono. Evidentemente podem acontecer consequências graves e irreversíveis para si e a família em todos os âmbitos da vida, inclusive fatais ou ligados à justiça (Quadro 2.5).

HIPOMANIA

A hipomania é uma forma de mania atenuada, difícil de diagnosticar por ser mais leve em termos de sintomas, duração e consequências. Deve ser notada por ou-

QUADRO 2.5 CRITÉRIOS DIAGNÓSTICOS DE EPISÓDIO DE MANIA E HIPOMANIA SEGUNDO O DSM-5
A. Um período distinto de humor anormal e persistentemente elevado, expansivo ou irritável e aumento anormal da atividade dirigida a objetivos ou da energia com duração mínima de: • Mania – 1 semana (ou qualquer duração, se a hospitalização for necessária); • Hipomania – pelo menos 4 dias
B. Três (ou mais) dos seguintes sintomas (quatro, se o humor é apenas irritável) em um grau significativo: • autoestima aumentada ou grandiosidade; • redução da necessidade de sono; • mais falante do que o habitual ou pressão por falar; • fuga de ideias ou experiência subjetiva de que os pensamentos estão correndo; • distraibilidade (isto é, a atenção é desviada com excessiva facilidade para estímulos externos insignificantes ou irrelevantes); • aumento da atividade dirigida a objetivos (socialmente, no trabalho, na escola, sexualmente) ou agitação psicomotora; • envolvimento excessivo em atividades com alto potencial para consequências dolorosas (p. ex., surtos desenfreados de compras, indiscrições sexuais ou investimentos financeiros insensatos).
Fonte: American Psychiatric Association.[2]

tros (em geral, familiares, amigos ou colegas próximos percebem que o paciente está diferente), mas nunca ser psicótica nem causar prejuízos à pessoa ou a sua família. Para o diagnóstico, é essencial um período distinto de humor expansivo ou irritável (diferente da forma normal, habitual ou corriqueira de ser ou funcionar), acompanhado das mesmas alterações psicológicas e comportamentais já descritas para definir o episódio de mania, principalmente a hiperatividade de ideias ou ocupacional. No hipomaníaco, as coisas de repente são mais urgentes, existe pressa e obstinação por qualquer coisa - e sempre é algo que se torna desproporcionalmente importante naquele momento. Por exemplo, novos planos, empreendimentos ou novas paixões; trabalhar muito, sem cansaço proporcional; começar muitas coisas e não terminá-las; necessitar ficar mais ao celular/computador; relacionar-se mais socialmente; escrever, andar, comprar, viajar, fazer exercícios, etc. O aumento da energia física e/ou mental é difícil de identificar porque não há queixas, como se fazer ou pensar muito fosse parte do seu ser ou apenas um momento bom na vida. Alterações comportamentais podem levar a abuso de substâncias (álcool, tabaco e/ou outras drogas lícitas ou ilícitas), separações e perda de escolaridade ou emprego.

TRANSTORNO CICLOTÍMICO (CICLOTIMIA)

A ciclotimia se caracteriza por leves e curtas alterações bifásicas de humor, energia, sentimentos, pensamentos e comportamentos que oscilam entre depressão e hipomania, sem jamais preencher os critérios diagnósticos de episódio depressivo e hipomania, e que duraram pelo menos dois anos (Quadros 2.2 e 2.5). Em alguns pacientes ciclotímicos predominam humor depressivo ou irritável; em outros, traços hipomaníacos (p. ex., aceleração de pensamentos, estar mais ocupado, irritabilidade) (Quadro 2.6). Podem representar formas iniciais de um TB ou perdurar ao longo da vida sem agravamentos maiores.

Os que procuram atendimento geralmente são adultos jovens com rompimentos sociais na vida, como problemas românticos, extravagâncias financeiras, mudanças repetidas nos planos de vida, nos estudos ou no trabalho, mudanças geográficas de domicílio e abuso de múltiplas substâncias lícitas ou ilícitas. Quando as oscilações do humor são acentuadas e se associam a diversos conflitos interpessoais e rompimentos, muitos ciclotímicos recebem incorretamente o diagnóstico de transtorno da personalidade *borderline* ou outros transtornos da personalidade.

TRANSTORNO BIPOLAR COM CARACTERÍSTICAS MISTAS

Quando sintomas depressivos se combinam com um episódio de mania ou hipomania, ou uma depressão maior se associa a sintomas maníacos durante alguns dias, o diagnóstico passa a ser: depressão, mania ou hipomania "com características mistas" (Quadros 2.7 e 2.8). Os sintomas mistos são mais frequentes em

> **QUADRO 2.6** CRITÉRIOS DIAGNÓSTICOS PARA TRANSTORNO CICLOTÍMICO SEGUNDO O DSM-5
>
> A. Pelo período mínimo de 2 anos, presença de numerosos períodos com sintomas hipomaníacos e numerosos períodos com sintomas depressivos que não satisfazem os critérios para um episódio depressivo maior. Nota: em crianças e adolescentes, a duração deve ser de pelo menos 1 ano.
>
> B. Durante o período de 2 anos estipulado (1 ano para crianças e adolescentes), o indivíduo não ficou sem sintomas do primeiro critério por mais de 2 meses consecutivos.
>
> C. Nenhum episódio depressivo maior, episódio maníaco ou episódio misto esteve presente durante os 2 primeiros anos da perturbação.
>
> Após os 2 anos iniciais (1 ano para crianças e adolescentes) do transtorno ciclotímico, pode haver superposição de episódios maníacos ou mistos (nesse caso, transtorno bipolar tipo I e transtorno ciclotímico podem ser diagnosticados concomitantemente) ou episódios depressivos maiores (nesse caso, diagnostica-se tanto transtorno bipolar tipo II quanto transtorno ciclotímico).
>
> **Fonte:** American Psychiatric Association.[2]

mulheres e possuem o pior prognóstico, pela tendência a cronificar, maior sofrimento, ansiedade e risco de suicídio em comparação a episódios na forma pura, não mista. Seu diagnóstico é difícil, pois se confunde com inúmeros outros quadros psiquiátricos. A superposição de sintomas maníaco-depressivos resulta em instabilidade afetiva, e diferentes comportamentos impulsivos podem surgir no intuito de aliviar a ansiedade ou canalizar a inquietação causada por depressões mistas ou hipomanias mistas, como, por exemplo, raiva, violência, agressividade para si ou para outros (bater, ameaçar, cortar-se), tentativas de suicídio, abuso de substâncias (cigarro, álcool, drogas, tranquilizantes, analgésicos), comer por ansiedade e compras compulsivas. Habitualmente, o paciente troca o dia pela noite: amanhece torporoso e deprimido, melhora depois do almoço e, à tarde, fica ansioso, mas de noite não consegue desligar e se mantém ocupado ou agitado. No tratamento, devem-se evitar medicamentos antidepressivos que pioram a sintomatologia de desconforto e ansiosa, e geralmente são necessárias combinações de medicamentos estabilizadores do humor e antipsicóticos atípicos (Quadros 2.7 e 2.8).

QUADRO 2.7 EPISÓDIO DE HIPOMANIA/MANIA COM CARACTERÍSTICAS MISTAS

Episódio de mania/hipomania e três ou mais dos seguintes sintomas

1) Disforia (desconforto intenso com sentimentos de depressão e insatisfação) ou humor depressivo acentuado.
2) Interesse ou prazer diminuído em todas ou quase todas as atividades.
3) Retardo psicomotor quase diário.
4) Fadiga ou perda de energia.
5) Sentimento de inutilidade ou de culpa excessiva ou inapropriada.
6) Pensamentos recorrentes de morte (não somente medo de morrer), ideação suicida recorrente sem plano específico, tentativa de suicídio ou plano específico para cometer suicídio.

Fonte: American Psychiatric Association.[2]

QUADRO 2.8 EPISÓDIO DEPRESSIVO COM CARACTERÍSTICAS MISTAS

Episódio de depressão e três ou mais dos seguintes sintomas

1) Humor elevado, expansivo
2) Autoestima aumentada ou grandiosidade
3) Mais falante que o habitual ou pressão para continuar falando
4) Fuga de ideias ou sensação subjetiva que os pensamentos estão acelerados
5) Aumento de energia ou de atividade dirigida a objetivos (socialmente, no trabalho ou na escola)
6) Envolvimento aumentado ou excessivo em atividades de alto potencial de consequências ruins (p. ex., compras desenfreadas, indiscrições sexuais, investimentos em negócios insensatos).
7) Redução da necessidade de sono (sentir-se repousado, apesar de dormir menos que o habitual).

Fonte: American Psychiatric Association.[2]

PERGUNTAS FREQUENTES

QUAL A DIFERENÇA ENTRE OS TRANSTORNOS BIPOLARES TIPO I E TIPO II?
O TB tipo I cursa com episódios de depressão e um ou mais episódios de mania durante toda a vida. No TB tipo II, além dos episódios depressivos, o paciente apresenta pelo menos um episódio de hipomania, mas nunca mania ou sintomas psicóticos, como delírios e/ou alucinações.

A IRRITABILIDADE FAZ PARTE DA MANIA, DA DEPRESSÃO OU DA PERSONALIDADE?
A irritação é uma emoção normal, passageira, que não causa prejuízo e que a pessoa consegue controlar. Já a irritabilidade patológica ou anormal é um sintoma – portanto, mais duradouro – e causa sofrimento ou prejuízo para o indivíduo, que não a controla naturalmente, a menos que seja leve. Quando é um sintoma, sempre se combina com outros nos episódios de depressão, de mania ou hipomania. Pode aparecer em algumas formas de personalidade anormal.

O QUE É TRANSTORNO CICLOTÍMICO?
O transtorno ciclotímico é uma das formas clínicas do TB e se caracteriza por ter poucos sintomas do episódio de depressão e episódio completo de hipomania. Costuma se manifestar na maior parte do tempo de forma persistente e dura pelo menos dois anos. Pode se alternar com períodos de humor normal, mas quase sempre o paciente apresenta os sintomas, que são poucos e de intensidade leve.

O QUE QUER DIZER REFRATÁRIOS?
Refratário é um termo usado na medicina para designar uma doença de difícil controle e que não responde aos tratamentos convencionais. Também é conhecida como resistente a tratamentos.

POR QUE DEMORA TANTO PARA SE CHEGAR AO DIAGNÓSTICO DE BIPOLARIDADE?
A demora em fazer o diagnóstico de TB tem vários fatores, como falta de informação dos pacientes que não procuram tratamento, preconceito em relação a ir a uma consulta com um médico psiquiatra e medo de ser portador de uma doença psiquiátrica ou do estigma de ser taxado como louco ou desequilibrado, incapaz de superar as dificuldades da vida. Ao mesmo tempo, o médico geralmente atende o paciente quando este se encontra em depressão, e esquece de investigar episódios de mania/hipomania no passado ou de avaliar os antecedentes familiares, incluindo depressão ou transtorno bipolar.

COMO O INDIVÍDUO PODE TER CERTEZA DO DIAGNÓSTICO SE CADA MÉDICO RELATA UM DIFERENTE?
Devido às características clínicas na manifestação do episódio atual e o curso do transtorno ao longo da vida da pessoa, a presença de comorbidades e a pouca experiência do psiquiatra podem confundir o diagnóstico do TB. Muitas vezes, pode não haver concordância entre os diagnósticos, então o importante nesses casos é pedir a opinião de um psiquiatra especialista em TB. As principais características da doença bipolar são a presença de episódios de depressão, mania, hipomania ou mistos que se repetem ao longo da vida, bem como a presença de antecedentes familiares de depressão, doença bipolar, suicídio ou outros transtornos psiquiátricos.

AS CRISES SÃO SEMPRE IGUAIS OU PODEM SE AGRAVAR? ISSO DEPENDE DE QUÊ?
Os episódios ou crises da doença podem se agravar com o passar do tempo, sobretudo em pacientes não tratados ou inadequadamente tratados, bem como naqueles que não seguem o tratamento à risca e não conseguem mudar seu estilo de vida, promovendo hábitos saudáveis e evitando álcool, drogas ilícitas a café em excesso, por exemplo.

PERGUNTAS FREQUENTES

O QUE É O ESTADO MISTO?
O termo misto é utilizado quando o paciente está em episódio de depressão e apresenta alguns sintomas de mania/hipomania. Também se refere àqueles indivíduos que se encontram em episódio de mania/hipomania e apresentam concomitantemente alguns sintomas de depressão. Não se trata de outro diagnóstico, mas de uma forma clínica de apresentação dos episódios de depressão, mania ou hipomania. É importante reconhecer a presença de sintomas mistos porque, nesses casos, há necessidade de investigar possíveis causas, e o tratamento deve ser revisto.

NÃO HÁ A POSSIBILIDADE DE UM PACIENTE UNIPOLAR TER MANIA? QUEM TEM QUE MANIA É NECESSARIAMENTE BIPOLAR?
Uma vez tendo apresentado um episódio de mania, fica a característica da doença bipolar. Pacientes que apresentam apenas episódios de mania ou hipomania não sofrem as consequências da depressão, ou esta passa despercebida por não ser tão incapacitante.

POR QUE PODEM OCORRER EPISÓDIOS DE HIPOMANIA MESMO EM UMA PESSOA QUE JÁ ESTÁ TOMANDO O MEDICAMENTO CORRETO?
Mesmo tomando o medicamento adequadamente, podem ocorrer oscilações do humor, como hipomania ou depressão, e nesses casos é importante investigar a causa. Às vezes, com o uso de outros medicamentos, mudanças no padrão de sono, eventos estressantes na vida, etc., podem funcionar como gatilho para essas oscilações. Isso não necessariamente significa que o tratamento não esteja dando certo, mas que precisa de ajustes.

É NORMAL O PACIENTE FICAR AGRESSIVO QUANDO ESTÁ EM EPISÓDIOS DE MANIA?
A agressividade não é uma "regra" na mania ou na depressão. Quando a irritabilidade é grave, o paciente pode se tornar agressivo. Geralmente, fica menos tolerante e mais impaciente ou tem reações desproporcionais quando se sente provocado. Costumamos orientar o paciente e suas famílias a evitar confrontos porque todos são desfavorecidos com discussões ou desentendimentos.

COMO DISTINGUIR A PESSOA QUE TEM TB DAQUELA QUE TEM PODERES MEDIÚNICOS?
No TB, durante os episódios, há uma falha na capacidade de avaliar sua realidade e os comportamentos são distorcidos pelo estado de humor depressivo, maníaco ou hipomaníaco. Além disso, vários sintomas estão presentes dependendo do episódio. Poderes mediúnicos são situações de outra esfera da vida psicológica e estão relacionados a crenças pessoais, não se tratando de problemas psiquiátricos.

O QUE MAIS CHAMA ATENÇÃO EM UM PACIENTE COM TB?
O humor perturbado (depressivo, maníaco, hipomaníaco ou misto) costuma ser a característica principal dos episódios do TB. Entretanto, em alguns casos, outros sintomas podem dominar o quadro clínico e mascarar o humor, como em pacientes muito apáticos ou agitados, em que o humor depressivo ou eufórico pode não predominar.

O QUE FAZER QUANDO O INDIVÍDUO NÃO ACEITA QUE TEM TB?
Costumamos falar para os pacientes que é difícil aceitar o fato de ter uma doença, mas talvez isso não seja o principal no início, já que a aceitação da doença com suas limitações requer tempo para ser elaborada psicologicamente. A mensagem importante a ser transmitida ao paciente e à sua

PERGUNTAS FREQUENTES

família é que o fundamental é aprender a viver da melhor maneira possível com a doença e suas limitações e sempre usar a inteligência ao seu favor. Aceitar ou não o diagnóstico não é prioridade nesse momento.

EM PRIMEIRO PLANO, O TB É UM TRANSTORNO ORGÂNICO OU MENTAL?
Sem corpo não há mente, portanto, o transtorno bipolar é em primeiro plano orgânico ou biológico, e suas manifestações são psicológicas, comportamentais e físicas.

HÁ PESSOAS BIPOLARES PERIGOSAS?
De modo geral, o paciente com TB não é perigoso, mesmo nos períodos de agitação. O perigo maior está nos chamados comportamentos de risco do sujeito sem crítica, que se envolve em situações potencialmente perigosas, e no risco de suicídio.

EXISTEM ADULTOS QUE CICLAM AO LONGO DA VIDA OU ISSO SÓ PODE OCORRER DURANTE A ADOLESCÊNCIA?
A ciclagem significa a passagem de um episódio para outro. Isso pode se agravar ao longo da vida com intervalos mais curtos e mudança de humor rápida, como de um episódio de depressão para o de euforia ou vice-versa.

POR QUE A PESSOA É DIAGNOSTICADA COM DEPRESSÃO E DEPOIS PODE SE TRANSFORMAR EM TB?
De modo geral, o episódio depressivo é a primeira manifestação do TB, e, em alguns casos, o paciente apresenta vários episódios de depressão antes de ter um episódio de mania ou hipomania. Outra possibilidade é a de que os episódios de hipomania passam despercebidos ao paciente ou não são adequadamente investigados pelo médico psiquiatra.

A DEPRESSÃO TEM CURA?
O episódio depressivo do TB melhora com o tratamento adequado e se o paciente tomar todos os cuidados necessários. O risco de aparecimento de novos episódios ao longo da vida permanece, e, nesse caso, é necessário fazer o tratamento preventivo com medicamentos estabilizadores do humor para diminuir o risco de recaídas.

NOS ÚLTIMOS TEMPOS HOUVE UM AUMENTO DA QUANTIDADE DE DIAGNÓSTICOS DE TB. É VERDADE?
O TB é uma doença psiquiátrica que tem por característica a alternância de episódios de depressão, de mania, de hipomania ou mistos, os quais tendem a se repetir ao longo da vida; geralmente, nas famílias desses pacientes encontramos outras pessoas afetadas pela doença. Não se trata de variações normais do humor, como se fala na linguagem popular – "estou com depressão" ou "essa pessoa é bipolar". Portanto, para fazer o diagnóstico, é necessária a avaliação de um médico psiquiatra.

COMO FAÇO PARA SABER SE O DIAGNÓSTICO ESTÁ CORRETO?
Procure sempre consultar um médico psiquiatra especialista em TB. Lembre-se que a doença tem por características a presença de episódios de depressão, de mania, de hipomania ou mistos, os quais se repetem ao longo da vida, e há um padrão genético nas famílias dos portadores.

PERGUNTAS FREQUENTES

COMO SABER QUANDO É DEPRESSÃO E QUANDO É TB?
Existem alguns indicativos de bipolaridade, como ter algum parente de primeiro grau com esse diagnóstico. Em caso de dúvida, consulte um médico psiquiatra especialista no assunto.

EXISTE UM TEMPO MÍNIMO PARA ESTABILIZAR O HUMOR?
O tempo para atingir a estabilização do humor é variado de acordo com as características de cada paciente. Depende de suas respostas ao tratamento, se não falha na tomada dos medicamentos, e do quanto ele se cuida (dormindo bem todas as noites, evitando drogas ou café em excesso, tendo um padrão de vida saudável com tempo para descanso, trabalho, lazer e tendo um ambiente familiar favorável com relacionamentos de confidência e intimidade).

OS LAPSOS DE MEMÓRIA OCORREM DEVIDO AO TB OU AO MEDICAMENTO?
O paciente geralmente se esquece de fatos que aconteceram durante os episódios, principalmente os de mania. Em alguns casos, os medicamentos também podem dificultar a lembrança de palavras ou de fatos recentes. Esse efeito colateral é transitório e tende a desaparecer com o tempo.

EXISTE UMA REGRESSÃO DO TB AO LONGO DOS ANOS?
Quanto maior o tempo de estabilização do humor do paciente, melhor sua evolução ao longo da vida. O risco de recaídas sempre existirá, mas, com o tratamento adequado, as chances de ter uma vida normal são muito grandes.

DEPOIS QUE RECEBI O DIAGNÓSTICO, COMECEI A PESQUISAR MAIS SOBRE ISSO E ACHO QUE TENHO TB DESDE QUE NASCI. ISSO É POSSÍVEL?
O TB pode ter suas manifestações clínicas desde a infância, quando já aparecem os primeiros sintomas.

COMO DIAGNOSTICAR TB NA PRÉ-ADOLESCÊNCIA?
O médico psiquiatra infantil tem treinamento e experiência para diagnosticar e cuidar do TB na infância e na adolescência. Crianças que se comportam diferentemente do normal para sua idade devem ser olhadas com cuidado. Na dúvida, sempre consulte um especialista.

QUAL A RELAÇÃO DO TB COM A PSICOSE MANÍACO-DEPRESSIVA?
O termo psicose maníaco-depressiva foi utilizado para designar o TB. Não se utiliza mais porque os pacientes não precisam necessariamente apresentar psicose durante seus episódios de depressão ou mania/hipomania.

QUAL A DIFERENÇA ENTRE MELANCOLIA, TRISTEZA E DEPRESSÃO?
Todos esses termos são utilizados como sinônimos pelos pacientes para referir seu estado depressivo.

QUAL A DIFERENÇA ENTRE DEPRESSÃO UNIPOLAR E BIPOLAR?
O transtorno depressivo maior, ou depressão unipolar, refere-se a pacientes que apresentam apenas episódios de depressão e, até o momento, nunca tiveram episódios de mania ou de hipomania.

PERGUNTAS FREQUENTES

O QUE DIFERENCIA AS OSCILAÇÕES DE HUMOR NORMAIS DAS CONSIDERADAS BIPOLARES?
As oscilações de humor da doença bipolar vêm acompanhadas de outros sintomas, persistem a maior parte do tempo, causam prejuízo no funcionamento habitual do paciente e são reconhecidas pelos pacientes ou familiares como diferentes do habitual da pessoa.

EXISTE ALGUM EXAME QUE PODE AJUDAR NO DIAGNÓSTICO DA DOENÇA?
Alguns testes laboratoriais são feitos para verificar o funcionamento de vários sistemas do organismo, mas, até o momento, não existe nenhum exame específico para diagnosticar a doença bipolar.

REFERÊNCIAS

1. Moreno DH, Andrade LH. The lifetime prevalence, health services utilization and risk of suicide bipolar spectrum subjects, including subthreshold categories in the São Paulo ECA study. J Affect Disord. 2005;87(2-3):231-41.

2. American Psychiatric Association. Manual diagnóstico e estatístico de transtornos mentais: DSM-5. 5. ed. Porto Alegre: Artmed; 2014.

CAUSA GENÉTICA DO TRANSTORNO BIPOLAR

Marcio Gerhardt Soeiro-de-Souza
Giovani Missio

O tema da causa dos fenômenos mentais e comportamentais incita, inevitavelmente, discussões polêmicas e, algumas vezes, intensamente ideológicas. Discutir a relação que há entre o cérebro e a experiência mental é discutir pontos de vista e valores pessoais fundamentais, por isso, falar a respeito da causa do transtorno bipolar desperta controvérsias. Enquanto alguns consideram de modo errôneo os sintomas dessa doença como defeito moral, falta de ética ou irresponsabilidade – isso quando não creem que são propositadamente forjados pelos pacientes –, outros acreditam, também de maneira equivocada, que os pacientes perdem completamente qualquer controle voluntário consciente ou da capacidade de julgamento. Este manual não pretende discutir valores nem a relação entre material e imaterial, mas discorrer unicamente sobre o ponto de vista psiquiátrico, médico e científico do desenvolvimento do transtorno bipolar (TB).

Apesar dos crescentes avanços no diagnóstico e no conhecimento do TB, seu mecanismo fisiológico ainda não foi completamente desvendado. O que se sabe até o momento é que uma predisposição pessoal, determinada geneticamente, e determinados fatores estressores – como condições de nascimento, uso de drogas, nutrição, alterações no funcionamento celular e ambiente – se combinam para gerar a alteração de comportamento.[1]

Para saber como isso acontece, é importante ter em mente alguns princípios do funcionamento neurológico. O neurônio é a unidade básica do sistema nervoso central, e sua função é transmitir impulsos elétricos, como um fio que conduz eletricidade em uma casa. Ocorre um estímulo em uma das ramificações da ponta do neurônio, que é transmitido até as ramificações da outra extremidade e se liga com outro neurônio. Esse ponto de ligação entre um neurônio e outro recebe o nome de *sinapse*, que é onde o sinal elétrico é transmitido através de substâncias químicas (dopamina, noradrenalina, serotonina, gaba, glutamato, etc.) liberadas pelo neurônio que tenta enviar o sinal. A substância varia conforme o tipo de neurônio, sua localização e sua função. O neurônio que recebe a substância química transforma essa informação em novo sinal elétrico e o conduz adiante. Nos quadros de transtornos do humor, como o TB, ocorrem alterações no equilíbrio dessa transmissão elétrica e química no cérebro, levando a alterações comportamentais. O controle desse equilíbrio é orientado e regulado pelo DNA (do inglês *desoxiribonucleic acid*) de cada pessoa e pela receita biológica de funcionamento de todo o organismo.

Cada ser vivo possui uma fórmula, como uma receita própria, com as instruções para o funcionamento do seu organismo. Essa receita é o código genético, ou DNA, uma "fita dupla" composta de duas hastes paralelas e mais estreitas de bases nitrogenadas, uma herdada do pai, a outra da mãe. Essa fita dupla pode ser didaticamente dividida em diversos pedaços de tamanhos diferentes, e cada pedaço é o que chamamos de gene, que é responsável pelo controle de uma determinada função ou característica do organismo.

Como o DNA é herdado dos pais, as características controladas por ele também são transmitidas. Dessa forma, o controle do funcionamento cerebral e sua maior propensão ao equilíbrio ou desequilíbrio também são transmitidos. Para chegar a essa conclusão, cientistas utilizaram estudos que envolveram familiares de portadores de TB, gêmeos e crianças adotadas. Esses estudos, realizados nos últimos 40 anos, fornecem um conjunto de provas científicas que tornaram possível afirmar a existência de fatores genéticos, influenciando as chances de o TB e sua complexa apresentação clínica serem adquiridos.

Enquanto na população geral a prevalência da forma mais grave da doença fica entre 1 e 2%, a chance de um familiar de primeiro grau de um paciente apresentar a doença é de cerca de 9%. As chances de os familiares desenvolverem transtorno depressivo também é três vezes maior que na população geral.[2]

O maior estudo de gêmeos feito sobre TB, o qual contou com 19.124 pessoas, demonstrou que, em 43% dos casos de gêmeos univitelinos (idênticos), quando um apresenta a doença, o outro também a desenvolve, enquanto em apenas 6% dos casos de gêmeos bivitelinos (não idênticos) ambos apresentam a patologia. Tal estudo demonstra uma alta taxa de herdabilidade da doença, de 79 a 93%, sendo mais elevada que a de algumas doenças clínicas, como câncer de mama, em que genes específicos de suscetibilidade já foram identificados.[3] Como a concordância entre gêmeos monozigóticos (idênticos) não é de 100%, supõe-se que a etiologia do TB seja multifatorial, resultante da interação entre fatores genéticos e ambientais. Até o momento, não há mutações específicas de um único gene que possa ser associado à etiologia da síndrome que envolve o TB.

Assim, tem havido um grande esforço por parte da ciência internacional para investigar o papel da genética no TB, não mais com a esperança de achar um único gene responsável pela doença. Por meio de estudos de associação, pretende-se identificar características clínicas da doença que tenham evidências de agregação familiar, como resposta positiva ao tratamento com lítio,[4] início precoce da doença antes dos 25 anos,[5] presença de sintomas psicóticos, ciclagem rápida,[6] polaridade do início da doença, se maníaca ou depressiva,[7] comorbidade com transtorno de déficit de atenção/hiperatividade (TDAH),[8] suicídio e comorbidade com abuso de álcool e transtorno de pânico.[6]

Recentemente, estudos genéticos de associação têm avaliado se a frequência de alguns alelos ou genótipos de genes ligados à neurobiologia do TB pode ser associada com o seu diagnóstico em estudos de caso-controle, em que se comparam as variáveis em um grupo com doença e outro sem a doença. Dos genes mais estudados e que possuem resultados positivos, destacam-se SLCA3, SLC6A4, COMT, GRIN2B, TPH2, NRG1, BDNF, PPARD, DAOA, DISC1.[2]

O que se supõe até o momento é que uma combinação de pequenas variações normais do funcionamento contribua de alguma forma para o desenvolvimento da doença, ou seja, genes responsáveis por pequenas alterações normais somam-se para terminar com alterações significativas no indivíduo (Fig. 3.1). Dessa forma, é possível que haja uma variação de graus desde alterações normais de funcionamento até formas graves da doença, decorrentes da soma da atividade de diversos genes alterados.[9]

Além dos componentes genéticos, fatores ambientais também contribuem para a doença, dificultando a recuperação das crises ou favorecendo recaídas. O ciclo de sono-vigília tem se mostrado um dos componentes ambientais mais significativos no TB. Frequentemente, alterações nesse ciclo precedem episódios de mania;[10] além disso, situações ambientais estressantes ou traumáticas estão relacionadas a recaídas e pior evolução.[11]

Para entender ou pelo menos supor algum modelo de como o TB se desenvolve, os profissionais da pesquisa se apoiam sobre as evidências. Com essas informações achadas até o momento, é possível propor um modelo cíclico para o transtorno. Nessa proposta, as alterações funcionais somadas conferem certa

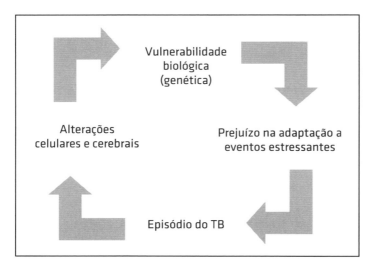

FIGURA 3.1 ➔ REPRESENTAÇÃO DA HIPÓTESE DE NEUROPROGRESSÃO NO TRANSTORNO BIPOLAR.

capacidade a cada indivíduo de lidar com eventos estressantes e de se adaptar às adversidades, e, quando essa adaptação não acontece ou os eventos estressantes vão além daquilo com que o indivíduo pode lidar, ocorrem os transtornos do humor. Em consequência do episódio de alteração do humor, seja depressivo, maníaco ou misto, ocorrem alterações no funcionamento dos neurônios e dano celular importante, principalmente com diminuição das ligações e sinapses entre os neurônios. Esse dano celular, que ocorre em partes importantes do cérebro, como o cortex pré-frontal, hipocampo e amígdala, leva a um remodelamento do cérebro, que ocorre com uma menor capacidade de adaptação do que antes, predispondo à repetição desses ciclos com mais facilidade.[12]

Dito de maneira mais simples, algumas pessoas possuem maior ou menor habilidade para lidar com determinadas situações adversas, suportar estresse e se adaptar a dificuldades. Quanto mais saudável e bem adaptado ao ambiente o sujeito for, menor será sua chance de desenvolver recorrências de episódios de humor.

Em resumo, a causa do TB é atribuída a diversos fatores, destacando-se a história familiar, os estresses social e físico e até mesmo a personalidade do indivíduo. Atualmente, não podemos dizer com exatidão, por meio de exames de sangue, qual a causa do TB. Contudo, a ciência está evoluindo para que, no futuro, tenhamos tais exames e que sejam capazes de informar quais as chances de uma pessoa ter uma melhor resposta ao tratamento do TB ou prever tipos de características clínicas ao longo da doença. Isso permitirá o exercício de uma psiquiatria mais personalizada para as características de cada indivíduo e provavelmente facilitará a adesão dos pacientes ao tratamento do TB.

PERGUNTAS FREQUENTES

A FALTA DE ALGUM MINERAL PODE DESENCADEAR O TB?
Não. Existe uma falsa crença de que o transtorno seria causado pela falta de lítio no sangue e que sua dosagem serviria para o diagnóstico, mas isso é completamente falso. O lítio é um mineral usado no controle do TB, entretanto, nem sua falta nem a de nenhum mineral estão relacionadas como causa dessa doença. A dosagem do lítio no sangue é um exame indicado para quem faz uso do medicamento a fim de manter a dose em uma faixa que funcione sem atingir níveis tóxicos.

O TB É GENÉTICO OU AMBIENTAL (FATORES ESTRESSORES)?
O TB é multifatorial, dependente de variáveis tanto genéticas como ambientais. A morte de pessoas próximas e queridas pode ser um fator estressor que contribui, em parte, para o desenvolvimento dos episódios da doença.

O QUE QUER DIZER "DOENÇA GENÉTICA"?
Doença genética é aquela potencialmente determinada pelo DNA. Em outras palavras, existe chance de a pessoa vir a desenvolvê-la pela maneira como o seu organismo está programado para funcionar. Por estar no DNA, tem também a possibilidade de ser transmitida para os descendentes.

POR QUE ÀS VEZES SE REFEREM À DOENÇA COMO GENÉTICA E OUTRAS COMO QUÍMICA?
A genética diz respeito ao controle de funções do organismo, e a genética do TB envolve a maneira como a química cerebral é controlada em cada indivíduo. Por isso, em alguns momentos se afirma que a doença é genética e, em outros, que envolve a química.

QUAL É O RISCO DE A PACIENTE COM TB ENGRAVIDAR?
Alguns medicamentos usados no controle do transtorno podem trazer consequências no desenvolvimento do feto se tomados em determinado período da gestação, enquanto outros devem ser evitados na amamentação. Além disso, existe também o risco de propensão ou predisposição de a doença ser transmitida para os filhos.

ENTÃO SE O PACIENTE COM TB TIVER FILHOS, ELES TAMBÉM TERÃO TB?
Não necessariamente, mas o risco é grande. Comparadas a filhos de pais que não possuem a doença, os filhos de pacientes com TB têm maiores chances de apresentar a doença tanto na forma mais grave (tipo I) como na mais leve (tipo II), além de maior chance para desenvolver depressão e outros problemas psiquiátricos.

COMO O MEU HISTÓRICO DE DEPRESSÃO TRANSFORMOU-SE EM TB? FOI UM FATOR EXTERNO OU GENÉTICO?
É comum que pacientes bipolares demorem para receber o diagnóstico de TB por se apresentarem deprimidos a maior parte do tempo. Dessa forma, ficam muito tempo com o diagnóstico de depressão até que desenvolvam um episódio de mania ou de hipomania e, então, passam a ter o diagnóstico de TB. De qualquer modo, apenas pessoas com a predisposição genética desenvolvem TB a partir de uma depressão.

QUANTO DO TB É GENÉTICO E QUANTO É AMBIENTAL?
O TB é uma doença multifatorial e dependente de diversas variáveis tanto genéticas como ambientais. Estudos recentes indicam que ele apresenta uma altíssima herdabilidade e que a genética tem de 79 a 93% de responsabilidade no desenvolvimento da doença.

PERGUNTAS FREQUENTES

HÁ EVIDÊNCIAS DE ONDE ESTÁ O GENE DO TB NO INDIVÍDUO?
Não existe um único gene relacionado à doença, e sim uma combinação variável de diversos genes alterados. Existem alterações genéticas que, quando ocorrem sozinhas, não levam a grandes problemas. Acontece que, no TB, diversas dessas alterações simples se combinam, e isso resulta na doença ou, ao menos, em uma alta vulnerabilidade a desenvolvê-la.

O TB TEM RELAÇÃO COM A VIDA PASSADA OU PODE SER UMA DOENÇA DA ALMA?
Trata-se de conceitos demasiadamente abstratos para serem objetivados, assim, nem a alma nem vidas passadas são objetos de estudo da ciência, pois essas noções pertencem a estudos de filosofia ou religião. Dessa maneira, a resposta da ciência para essa pergunta é não. O TB não é uma doença da alma, tampouco tem relação com vidas passadas.

ALGUMAS PESSOAS SE REFEREM À BIPOLARIDADE COMO UMA "DOENÇA MODERNA". É VERDADE?
O modo de vida atual pode contribuir como um evento estressor ambiental e, dessa forma, predispor a recaídas ou dificuldades de remissão completa, mas o TB não é causado por esse ritmo de vida atual. Existe um aumento no diagnóstico nos últimos anos, porém não há evidências de que seja causado por alterações no ritmo de vida da sociedade. É possível que o aumento no diagnóstico de TB seja devido ao maior conhecimento por parte da população e dos médicos a respeito da doença. Leia o Capítulo 1 para maiores esclarecimentos.

O CLIMA PODE INFLUENCIAR A QUEM TEM TB?
Existe um padrão de variação do humor chamado de sazonal. Os pacientes com esse padrão podem apresentar oscilações específicas em determinadas estações do ano, mas não há evidências de que mudanças do clima estejam relacionadas ao TB.

TODO TB É 100% GENÉTICO OU PODE SER CAUSADO PELA FAMÍLIA?
O TB é uma doença multifatorial, dependente de diversas variáveis tanto genéticas como ambientais. A família não pode ser apontada como causa de TB em nenhum indivíduo, porém, em algumas situações, pode ser um fator estressor que contribui para o desencadeamento de episódios e para dificuldades na recuperação. É bom lembrar que, exatamente por ter alta herdabilidade, com frequência outros membros da família também padecem de algum transtorno do humor, seja depressão, seja TB, o que causa ou agrava os estresses nas famílias, principalmente se não estiverem tratados.

UMA PESSOA PODE TER UM PARENTE COM TB E NÃO NECESSARIAMENTE DESENVOLVER A DOENÇA?
Sim. A presença da doença em um parente indica apenas uma maior predisposição de que outras pessoas possam desenvolvê-la, mas não garante que venham a ficar doentes. É possível que outras pessoas na família vivam normalmente sem desenvolver TB.

EXISTE ALGUM TIPO DE EXAME DE SANGUE PARA SABER SE EU VOU TER TB EM ALGUM MOMENTO DA MINHA VIDA?
Não existem exames para o diagnóstico ou para detectar o TB. Os pesquisadores usam exames de sangue para buscar marcadores genéticos que estejam envolvidos, entretanto, isso ainda não possui utilidade na prática clínica.

PERGUNTAS FREQUENTES

EU POSSO TRANSMITIR O TB PARA O MEU NAMORADO?
Não. O TB não pode ser transmitido para outras pessoas com exceção da transmissão da predisposição genética aos descendentes.

HÁ ALGO QUE EU POSSA FAZER DURANTE A GRAVIDEZ PARA EVITAR QUE MEU FILHO HERDE O MEU TB?
Complicações na gestação e no desenvolvimento são fatores que contribuem para o aumento na chance de desenvolver doenças psiquiátricas de maneira geral. Realizar exames pré-natais adequados durante a gestação, bem como evitar o uso de tabaco, álcool e drogas, pode diminuir os problemas de desenvolvimento e, dessa forma, as chances de desenvolver a doença.

SE EU E MEU IRMÃO SOMOS FILHOS DOS MESMOS PAIS E FOMOS CRIADOS NA MESMA CASA, POR QUE EU TENHO TB E ELE NÃO? QUAL É A CHANCE DE ELE VIR A TER TAMBÉM?
Alguns estudos com famílias de indivíduos bipolares indicam que, em relação à forma mais grave da doença (tipo I), haja um risco de cerca 9% de que familiares de primeiro grau também venham a apresentar a doença.

É POSSÍVEL O PACIENTE COM TB RECUPERAR PERDAS CEREBRAIS?
Não. A cada episódio há uma perda das conexões neuronais que não é recuperada. Por esse motivo, a manutenção do tratamento para prevenção de novos episódios é fundamental.

COMO VENCER O MEDO DE ENGRAVIDAR?
Com planejamento prévio e acompanhamento médico é possível engravidar.

MEU FILHO TEM TB E A TENDÊNCIA DELE É ESTAR SEMPRE DEPRIMIDO. ELE É BIPOLAR OU DEPRESSIVO?
Se o diagnóstico do seu filho é de TB, ele está em depressão bipolar. Pacientes com TB sofrem de depressão, mania/hipomania e estados mistos durante a vida, e o tempo que a pessoa permanece em cada tipo de crise varia de um paciente a outro. Contudo, a maioria dos bipolares passa mais tempo em depressão do que em mania/hipomania, e justamente por isso muitos levam anos para receber o diagnóstico.

O QUE SIGNIFICAM NEUROTRANSMISSORES, NORADRENALINA E SEROTONINA?
Neurotransmissores são substâncias envolvidas na transmissão dos impulsos entre os neurônios, e os mais estudados são a serotonina, a noradrenalina e a dopamina.

O TB É MAIS FREQUENTE EM HOMENS OU MULHERES?
O TB tipo I é igualmente frequente em homens e mulheres, mas o TB tipo II é mais comum em mulheres. Acredita-se que os hormônios femininos contribuam para a maior oscilação do humor e o predomínio de sintomatologia depressiva.

COM QUE IDADE O TB PODE SURGIR?
A maioria dos pacientes desenvolve o TB até os 20 anos de idade, mas ele pode se iniciar em qualquer momento da vida, sendo menos comum depois dos 35 anos.

REFERÊNCIAS

1. Caspi A, Moffitt TE. Gene-environment interactions in psychiatry: joining forces with neuroscience. Nat Rev Neurosci. 2006;7(7):583-90.

2. Barnett JH, Smoller JW. The genetics of bipolar disorder. Neuroscience. 2009;164(1):331-43.

3. Kieseppä T, Partonen T, Haukka J, Kaprio J, Lönnqvist J. High concordance of bipolar I disorder in a nationwide sample of twins. Am J Psychiatry. 2004;161(10):1814-21

4. Grof P, Duffy A, Cavazzoni P, Grof E, Garnham J, MacDougall M, et al. Is response to prophylactic lithium a familial trait? J Clin Psychiatry. 2002;63(10):942-7.

5. Somanath CP, Jain S, Reddy YC. A family study of early-onset bipolar I disorder. J Affect Disord. 2002;70(1):91-4.

6. Saunders EH, Scott LJ, McInnis MG, Burmeister M. Familiality and diagnostic patterns of subphenotypes in the national institutes of mental health bipolar sample. Am J Med Genet B Neuropsychiatr Genet. 2008;147B(1):18-26.

7. Kassem L, Lopez V, Hedeker D, Steele J, Zandi P, Bipolar Disorder Consortium NIMH Genetics Initiative, et al. Familiality of polarity at illness onset in bipolar affective disorder. Am J Psychiatry. 2006;163(10):1754-9.

8. Faraone SV, Glatt SJ, Tsuang MT. The genetics of pediatric-onset bipolar disorder. Biol Psychiatry. 2003;53(11):970-7.

9. Youngstrom E, Van Meter A, Algorta GP. The bipolar spectrum: myth or reality? Curr Psychiatry Rep. 2010;12(6):479-89.

10. Goodwin FK, Jamison KR. Manic-depressive illness: bipolar disorders and recurrent depression. 2nd ed. New York: Oxford University; 2007.

11. Miklowitz DJ. Functional impairment, stress, and psychosocial intervention in bipolar disorder. Curr Psychiatry Rep. 2011;13(6):504-12.

12. Kapczinski F, Dias VV, Kauer-Sant'Anna M, Brietzke E, Vázquez GH, Vieta E, et al. The potential use of biomarkers as an adjunctive tool for staging bipolar disorder. Prog Neuropsychopharmacol Biol Psychiatry. 2009;33(8):1366-71.

ASPECTOS PSICOLÓGICOS DO TRANSTORNO BIPOLAR

Denise Petresco David
Danielle Soares Bio

Um relato de como o paciente com transtorno bipolar (TB) se vê:

> Quando se está animada, é fantástico. As ideias e os sentimentos são velozes e frequentes como estrelas cadentes. A timidez some, as palavras e os gestos certos de repente aparecem, o poder de cativar os outros é uma certeza. Descobrem-se interesses em pessoas desinteressantes, a sensualidade é difusa e o desejo de seduzir e ser seduzida é irresistível. Impressões de desenvoltura, energia, poder, bem-estar, onipotência financeira e euforia estão impregnadas na nossa medula, mas, em algum ponto, tudo muda. As ideias velozes são rápidas demais e surgem em quantidades excessivas. Uma confusão arrasadora toma o lugar da clareza, a memória desaparece e o humor e o enlevo no rosto dos amigos são substituídos pelo medo e pela preocupação. Tudo o que antes corria bem, agora, só contraria. Você fica irritadiça, zangada, assustada, incontrolável e totalmente emaranhada na caverna mais sinistra da mente, a qual você nem sabia que existia. Quais dos meus sentimentos são reais? Qual das minhas versões de "eu" sou eu? A selvagem, a impulsiva, a caótica, a vigorosa e a amalucada? Ou a tímida, a retraída, a desesperada, a suicida, a cansada e a fadada ao insucesso? Provavelmente um pouco de cada lado.[1]

Receber o diagnóstico de que você tem uma doença não é fácil, imagine então uma doença psiquiátrica. Pode ser extremamente desagradável tanto para o indivíduo como para a família, sobretudo em razão do estigma e do preconceito,[2] e, por isso, é comum que os pacientes psiquiátricos, ao receberem o diagnóstico, não o aceitem. Geralmente, a primeira reação de uma pessoa diante de uma doença é o choque, o qual é seguido de descrença, manifestada em frases como: "não pode ser", "isso não está acontecendo comigo" ou "deve ser engano".[2-4]

O PACIENTE E AS FASES DE ADAPTAÇÃO AO DIAGNÓSTICO DE TRANSTORNO BIPOLAR

Concordar com o diagnóstico de TB significa não somente aceitar que você tem uma doença psiquiátrica, mas também que sua condição requer tratamento para a vida toda. É difícil assimilar de uma só vez, por isso, é natural que em um primeiro momento exista uma resistência a essa ideia,[2-4] sendo comuns primeiramente **reações de dúvida**,[2,4] seguidas de **reações de negação, raiva, minimização** ou **identificação excessiva com o diagnóstico**.[2-4]

REAÇÕES DE DÚVIDA[2,4]
- "Eu sou apenas bipolar ou ainda tenho uma identidade separada?"
- "É uma doença ou sou eu?"
- "Onde termina a minha pessoa e começa o transtorno?"
- "Os meus períodos anteriores de alta energia, criatividade e realização não eram nada além de sinais de uma doença?"

O paciente pode achar, assim como seus familiares, que os seus sintomas de mania são apenas "manifestações de seu eu exuberante, otimista, empolgado" e que a sua depressão é apenas uma tendência ao pessimismo ou a reagir exageradamente a decepções. Pode ser difícil diferenciar o transtorno dos altos e baixos normais da vida humana. Uma pessoa pode ter sido sempre mal-humorada ou temperamental e acreditar que os seus períodos de mania ou de depressão são apenas exageros de seu temperamento normal.[4,5]

NEGAÇÃO DA DOENÇA[2-4]
- "Eu não tenho isso. O médico cometeu um erro."
- "O diagnóstico está errado. É só uma maneira de as outras pessoas explicarem o que sinto."

Os sintomas do TB contribuem para o processo de negação. O juízo dos pacientes costuma ser suspenso durante os episódios de mania aguda, ao ponto de os indivíduos tornarem-se incapazes de reconhecer o caráter destrutivo de seu comportamento[9] e continuar levando a vida como se não tivessem a doença.[5]

- Os comportamentos mais frequentes nessa fase são:
    - Buscar outras explicações para os sintomas.
    - Ignorar as recomendações de tratamento.
    - Buscar uma segunda opinião.

REJEIÇÃO DO DIAGNÓSTICO[5]

RAIVA DA DOENÇA[2]
- "Eu não sou bipolar!"
- "Não é justo que eu tenha essa doença."
- "Não consigo lidar com isso agora."
- "Por que eu? O que fiz para merecer isso?"

Assim como em outras doenças crônicas, é natural que, em um primeiro momento, surja a pergunta "por que eu tenho isso?". Nessa hora, você pode sentir muita raiva da doença e das limitações e perdas que ela acarreta, mas esse sentimento costuma desaparecer com o tratamento eficaz da doença, conforme você começa a se sentir melhor e volta a ter mais qualidade de vida.[2]

- Os comportamentos mais frequentes nessa fase são:
  - Recusar-se a ouvir conselhos.
  - Recusar-se a falar sobre a doença.
  - Perder a calma com profissionais da área da saúde.

MINIMIZAR O DIAGNÓSTICO[2,4]
- "Eu não sou bipolar, sou apenas uma pessoa temperamental."

Essa reação ocorre quando a pessoa manifesta certo reconhecimento do TB, contudo sem aceitação real: o paciente acredita que tem o TB, mas continua

FIGURA 4.1 → CICLO DA REJEIÇÃO DO DIAGNÓSTICO.
Fonte: Miklowitz.[2]

levando a vida como se não o tivesse. Comumente, ele fica acordado durante a noite, frequenta baladas, consome bebidas alcoólicas, fuma e, em alguns casos, usa drogas.[2,4]

IDENTIFICAÇÃO EXCESSIVA COM O DIAGNÓSTICO[4]
- "A minha doença sou eu e não tenho controle sobre o meu comportamento."

Nesse caso, o paciente aceitou que tem a doença, mas acaba caindo no extremo oposto da negação e se vendo apenas como "a doença". Passa a ver todos os seus problemas, suas reações emocionais, seus pontos de vista, sua atitude e seus hábitos como parte de sua patologia.[2,4]

O PACIENTE E AS CRENÇAS SOBRE O TRANSTORNO BIPOLAR

Além das fases naturais de enfrentamento desse diagnóstico, existem outros fatores que comprometem o tratamento, como a percepção do paciente a respeito da doença, que pode ser inadequada e distorcida devido a falsas crenças* e informações errôneas.

Nesse sentido, o Programa de Transtornos Afetivos (GRUDA), do Instituto de Psiquiatria do Hospital das Clínicas da Faculdade de Medicina da Universidade de São Paulo (IPq-HCFMUSP), realizou um estudo-piloto acerca das principais crenças errôneas dos pacientes e familiares presentes em seus encontros psicoeducacionais** abertos. Para isso, foi elaborado um questionário que consistia de 32 afirmações (verdadeiras e falsas) a respeito da doença, de seu tratamento, da importância da família durante o processo e da prevenção de recaídas. Os 62 sujeitos que participaram do estudo foram instruídos a atribuir a cada afirmação o conceito de verdadeira (V) ou falsa (F). Os resultados demonstraram que 40% tinham crenças errôneas a respeito da natureza biológica da doença, da importânciado apoio da família e dos efeitos do medicamento.[6]

As principais **crenças errôneas** levantadas foram:[6]

- O TB é um problema psicológico.
- O tratamento medicamentoso pode comprometer a vida do paciente mais do que melhorá-la (relação risco *versus* benefício).
- O TB é emocional, e não biológico.
- O TB não é um transtorno mental ou uma doença médica.

---

* As crenças são as ideias e percepções de uma pessoa, consideradas por ela absolutas e verdadeiras. São formadas a partir da visão que o indivíduo tem de si e do mundo, e é por meio delas que olhamos para todas as situações da nossa vida.
** Encontros psicoeducacionais são palestras gratuitas de caráter educativo e psicológico que são abertas ao público e visam orientar o paciente e/ou os familiares sobre a doença e seu tratamento.

- O medicamento, além de causar dependência, é prejudicial.
- A família tem um papel prejudicial no tratamento.
- A cura é possível.

COMO COMBATER AS FALSAS CRENÇAS DOS PACIENTES COM TRANSTORNO BIPOLAR E DE SEUS FAMILIARES?

A melhor forma de combater as falsas crenças e o estigma é com informação; assim, é importante que o paciente e seus familiares tenham acesso a abordagens psicossociais como a psicoterapia e a psicoeducação.

As principais informações a serem trabalhadas com os pacientes e seus familiares são:

- O TB é uma doença caracterizada por oscilações de humor* que podem ir da depressão à euforia.[7]
- O TB é um transtorno mental e uma doença psiquiátrica biológica e crônica que exige tratamento medicamentoso para o controle dos sintomas. No entanto, ainda não há cura.[8]
- O tratamento medicamentoso é fundamental para o controle da doença, pois torna os episódios menos graves e mais curtos, além de evitar novas crises[9] (ver Cap. 9).
- O curso do TB é, frequentemente, caracterizado por sintomas crônicos de desenvolvimento lento e longa duração e por altos índices de recaídas e internações.
- Muitas vezes, mesmo com uma melhora significante dos episódios de humor, podem persistir sintomas leves, principalmente depressivos (p. ex., dificuldade para dormir, ansiedade e irritabilidade em momentos do dia e falta da capacidade normal de sentir prazer), em grande parte dos pacientes.[2]
- Outros problemas, com graves consequências pessoais, interpessoais e sociais, podem acompanhar o TB, como alcoolismo, abuso de drogas, violência, desemprego, divórcio, negligência parental e até mesmo tentativa de suicídio.[10]
- As consequências pessoais, interpessoais e sociais sugerem intervenção psicoterapêutica.[10]

---

* O humor é um estado de ânimo cuja intensidade representa o grau de disposição e de bem-estar psicológico e emocional de um indivíduo. Além do estado normal de humor, chamado de eutimia (palavra grega que significa "equilíbrio do humor"), momentos de alegria e tristeza são naturais e comuns de acordo com as fases da vida. É o humor que nos faz sentir a riqueza dos sentimentos, das emoções, dos vínculos afetivos, dos sonhos e das decepções.[7] O que define se o humor está sadio é o quanto ele está adequado à situação real. Tristezas, alegrias, ansiedades ou irritações sem motivo aparente podem configurar um transtorno do humor (Capítulo 2 – Transtorno bipolar: o que é necessário saber?).[2,4]

COMO A PSICOLOGIA PODE AJUDAR OS PACIENTES COM TRANSTORNO BIPOLAR?

As diferentes abordagens psicoterápicas estruturadas têm procurado:[2,4]

❶ Aumentar o tempo de remissão da doença.
❷ Aumentar a adesão ao tratamento medicamentoso.
❸ Lidar com fatores de estresse.
❹ Melhorar as habilidades de comunicação.
❺ Melhorar as habilidades de resolução de problemas desses pacientes.

Conhecendo bem o TB e todos os aspectos implicados na doença, fica claro que os instrumentos terapêuticos da psicologia podem significar uma força estabilizadora na vida dos pacientes e contribuir muito para a qualidade de vida e o tratamento, aumentando a adesão aos medicamentos e, consequentemente, diminuindo o número de crises e hospitalizações.

Mesmo sabendo que as variáveis biológicas predominam na etiologia do TB, as principais manifestações clínicas são comportamentais e psicológicas, com profundas mudanças na percepção, nas atitudes, na personalidade, no humor e na cognição.[6] O paciente tem dificuldade em aderir ao tratamento e o medicamento isolado não o capacita a amadurecer, a adequar suas crenças à realidade, a recuperar sua autoestima e a consolidar seu equilíbrio psíquico.[10]

RELATO DE COMO UM PACIENTE COM TRANSTORNO BIPOLAR VÊ O PROCESSO PSICOTERÁPICO

> ... A psicoterapia faz com que a confusão tenha algum sentido. Coloca um freio nos pensamentos e nos sentimentos apavorantes, devolve o controle, a esperança e a possibilidade de aprender com a experiência. Nenhum remédio é capaz de ajudar a lidar com o problema de não querer tomar remédios e, do mesmo modo, nem toda psicoterapia do mundo pode impedir meus episódios de mania e depressão. Eu preciso das duas coisas.[1]

Por isso é importante um apoio psicoterápico, que auxilia o paciente a melhor perceber-se, entender o que é seu e o que é da doença, ter maior compreensão de si e dos outros, suportar melhor as frustrações, criar estratégias para lidar com o estresse, ter maior assertividade para lidar com os problemas, aprender os seus sinais de alerta de um novo episódio do humor e desenvolver estratégias para reduzir os sintomas de depressão e mania, prevenindo recaídas e aumentando sua qualidade de vida e seu bem-estar.[3,11,12]

Como o TB tem um curso de longa duração e manifestações bastante variáveis, a aliança – produto de uma boa sintonia combinada com conhecimento sobre o curso da doença de cada paciente – e o apoio terapêuticos desempenham um papel central no tratamento.

Nesse sentido, o tratamento adequado para o TB é o combinado, conforme apontado na Figura 4.2.[8]

Para compreender melhor a importância da psicoterapia no tratamento combinado do TB, é fundamental entender alguns conceitos que embasam o tratamento psicoterápico. Quando falamos em psicoterapia, pensamos nos padrões de funcionamento mental e nos comportamentos do indivíduo, o que engloba a personalidade, o temperamento e o caráter da pessoa.

Comportamento é o conjunto de reações e atitudes de um indivíduo ou grupo em face do meio social ou ambiente.[13]

Personalidade é o conjunto de características psicológicas que determinam os padrões de pensar, sentir e agir, ou seja, a individualidade pessoal e social de alguém.[13,14] Para a *Classificação internacional de doenças* (CID-10),[15] a personalidade é a expressão característica da maneira de viver do indivíduo e de seu modo de estabelecer relações consigo e com os outros. Já para o *Manual diagnóstico e estatístico de transtornos mentais* (DSM-5)[9] trata-se de padrões persistentes no modo de perceber, relacionar-se e pensar sobre o ambiente e sobre si mesmo, exibidos em uma ampla faixa de contextos sociais e pessoais.

A palavra **temperamento** é definida como estado fisiológico ou constituição particular do corpo; o conjunto de traços psicofisiológicos de uma pessoa e que lhe determinam as reações emocionais e os estados de humor. Por isso, o temperamento, que também conhecemos como "gênio", está ligado às sensações e motivações básicas e automáticas da pessoa no âmbito emocional; é herdado geneticamente e regulado pela biologia do sujeito, podendo ser observado nos primeiros anos de vida.[16]

FIGURA 4.2 ➔ TRATAMENTO COMBINADO PARA O TRANSTORNO BIPOLAR.
Fonte: Colom e colaboradores.[8]

Caráter é o termo que designa o aspecto da personalidade responsável pela forma habitual e constante de agir peculiar a cada indivíduo; essa qualidade é inerente a uma pessoa e única, pois é o conjunto de seus traços particulares, o seu modo de ser. O caráter decorre das experiências e dos modelos de aprendizagem que formam nossas memórias e padrões psicológicos, os quais decorrem dos resultados de progressiva adaptação constitucional do sujeito às condições ambientais, familiares, pedagógicas e sociais.[16]

> Personalidade = temperamento + caráter[17]
>
> Temperamento – natureza emocional herdada geneticamente – base do humor
>
> ≠
>
> Caráter – aprendido pelas vivências, experiências, pelas relações que estabelecemos no ambiente

Além disso, pacientes e familiares precisam saber escolher quais o tipo de psicoterapia e o psicoterapeuta mais adequados para o tratamento; o profissional precisa ter conhecimento amplo e sólido do transtorno, bem como considerável flexibilidade em estilo e técnica, para se adaptar às características do TB em cada paciente.[18] Esse conhecimento abrange a fenomenologia, a história natural da doença (incluindo sua natureza recorrente, seu curso problemático, elevada taxa de mortalidade e padrões sazonais), aspectos biológicos (incluindo respostas ao medicamento na mania e na depressão) e mecanismos de ação dos medicamentos usados no tratamento.[17] Já a flexibilidade é necessária em razão das mudanças de humor, pensamentos e comportamentos do paciente, que provocam níveis flutuantes de dependência terapêutica intrínsecos à doença. As flutuações no funcionamento que ocorrem durante e entre os episódios representam um sério desafio para os terapeutas, que devem adaptar opções, estratégias e posturas para satisfazer as demandas de cada paciente e da fase específica em que este se encontra (mania/hipomania, estado misto, depressão e remissão).[17]

Existe uma linha tênue no controle terapêutico, em que o excesso de controle pode levar a maior dependência, rebeldia, menor autoestima ou falta de adesão, enquanto pouco controle pode levar a sentimentos de insegurança, relação frágil com a realidade e sensação de abandono.[11,17]

A PSICOTERAPIA E AS DIFERENTES FASES DO TRANSTORNO BIPOLAR

A psicoterapia deve ser direcionada para as características da fase em que o paciente se encontra.[12]

PACIENTE NA FASE DEPRESSIVA[12]
Nessa fase, não adianta insistir em discussões sobre questões profundas. O deprimido apresenta dificuldade no raciocínio, na atenção e na memorização de novas informações, bem como rebaixamento da energia e da disposição para mudar sua conduta diante de conclusões que exijam reação ou atitude. Tal insistência só vai piorar a autoestima devido à dificuldade de colocar em prática o que deveria fazer. A terapia deve se limitar a apoiar, dar estímulos positivos e organizar um conjunto de ações que possam reverter a inação e a angústia do paciente, ajudando-o a melhorar da depressão.

PACIENTE NA FASE HIPOMANÍACA/MANÍACA[12]
O indivíduo hipomaníaco/maníaco costuma não aceitar orientações, tentando se impor e podendo irritar-se com facilidade. Portanto, o terapeuta deve apenas tentar manter o vínculo terapêutico que o paciente já tinha, apontar sintomas como sinais da hipomania/mania e informar ao médico e à família que o sujeito está entrando ou já desenvolveu nova fase de hipomania/mania. É essencial evitar confrontos desnecessários a fim de preservar a relação terapêutica e manter o paciente tranquilo.

PACIENTE NA FASE EUTÍMICA[12]
Nessa fase, o paciente está com o humor estabilizado, o que lhe permite trabalhar melhor várias questões terapêuticas, como a importância da aceitação da doença e da adesão ao tratamento; as principais características do seu TB e como diferenciá-lo da própria personalidade; a identificação de pensamentos automáticos (crenças inadequadas e, em geral, extremamente negativas) que influenciam as emoções e os comportamentos, também chamados de pensamentos disfuncionais, que desencadeiam emoções disfuncionais, reativando sintomas da doença; a orientação sobre a importância da regularidade do ciclo circadiano (sono-vigília) e de hábitos cotidianos saudáveis para diminuir as oscilações de humor; a aprendizagem de técnicas de manejo e resolução de estressores psicossociais; e a identificação dos sintomas depressivos, mistos, maníacos e hipomaníacos para prevenir recaídas e recorrências.

TEMAS QUE DEVEM SER ABORDADOS E TRABALHADOS NA PSICOTERAPIA[3-5,11,12]

ACEITAÇÃO DA DOENÇA
A maioria dos pacientes tem dificuldade em aceitar sua doença, principalmente se estiver se sentindo melhor, sem depressão, ou nas fases de hipomania e mania. Faz parte do quadro clínico não acreditar que existe algum problema, sendo essa uma das principais causas de abandono do tratamento.

AUTOAPRENDIZADO DE RECONHECIMENTO DE SINTOMAS AFETIVOS
Muitas vezes, os sintomas de um episódio depressivo, hipomaníaco ou maníaco não são identificados nem pelo paciente nem pelos familiares. O erro mais co-

mum é atribuir o sintoma a uma característica "complicada" da personalidade do paciente ou aos problema da vida. Reconhecer algum comportamento atípico do paciente pode apontar precocemente o começo de um episódio, como, por exemplo, o uso de roupas que não são do seu estilo, compras excessivas quando o indivíduo costuma gastar moderadamente, acordar mais tarde ou ficar muito tempo em frente à televisão, quando o costume da pessoa é acordar cedo e fazer suas atividades normalmente, etc.

ADESÃO AO TRATAMENTO FARMACOLÓGICO
São necessárias muitas sessões de psicoterapia para discutir o impacto dos fármacos na vida dos pacientes. Os medicamentos são fundamentais para o tratamento, e alguns efeitos colaterais podem acontecer. Cabe ao paciente conversar com seu médico e sanar suas dúvidas sobre o tratamento e o medicamento, mas nem sempre ele se sente à vontade para discutir com o profissional, tanto pela falta de disponibilidade deste como por constrangimento do próprio indivíduo. Nesses casos, é importante lembrar ao paciente que ele é corresponsável pelo seu tratamento e é seu direito e dever saber tudo sobre este.

RECONSTRUÇÃO DA VIDA PESSOAL APÓS UM EPISÓDIO AFETIVO
Quando os sintomas diminuem e o paciente fica bem, ele precisa recomeçar a sua vida, reconquistar a confiança dos amigos, dos familiares e dos colegas de trabalho, tendo humildade para reconhecer que tem uma doença e que precisa do tratamento adequado para saber lidar com ela e do apoio dos familiares e amigos.

CUIDAR DOS RITMOS BIOLÓGICOS E MANTER UMA ROTINA ADEQUADA
Pacientes que trocam o dia pela noite apresentam problemas em seus ritmos biológicos e precisam analisar sua rotina detalhadamente para instalar mudanças de hábitos e comportamentos que prejudicam e pioram o padrão de sono e outras funções biológicas, como evitar atividades estimulantes que prendem a atenção de noite (p. ex., exercício físico, uso de computador, ir a festas que terminam muito tarde) ou atividades profissionais que exijam trabalho noturno (p. ex., plantões).

A PSICOTERAPIA E O APRENDIZADO NA DISCRIMINAÇÃO DO HUMOR[10]

Na psicoterapia de pacientes com TB, é muito comum eles relatarem a dificuldade para aprender a discriminar humores normais de humor bipolar.

Em virtude da experiência de sua doença e da intensidade de suas respostas emocionais, muitos temem que uma reação depressiva normal possa se aprofundar e virar um episódio maior e que um estado de bem-estar possa se transformar em hipomania ou mania. Essas emoções sobrepostas podem ser confusas e causar ansiedade em muitos pacientes, os quais talvez questionem seu grau de discernimento e se preocupem indevidamente com recorrências de sua doença afetiva.[10]

Ao mesmo tempo, também é muito comum que o paciente e seus familiares, além de amigos que convivem com o indivíduo diariamente, acreditem que os sintomas de mania são apenas manifestações de seu eu exuberante, otimista e alegre, que a sua depressão seja apenas uma tendência ao pessimismo ou reação exagerada a decepções e que seu mau humor e sua irritabilidade refletem apenas um temperamento forte. Entretanto, cada vez mais as pesquisas evidenciam que as pessoas com TB apresentam oscilações de humor ou distúrbios de temperamento desde a infância.[17]

A necessidade de ajudar o paciente a diferenciar o afeto normal do bipolar é comum e extremamente importante na psicoterapia. Ele deve aprender a viver em uma faixa mais limitada de emoções, além de dominar a capacidade de usá-las com mais sutileza e discrição. Intimamente relacionado com a discriminação de humores está o processo lento e constante pelo qual passam os pacientes para aprender a separar o que é a personalidade normal daquilo que é imposto pela doença – turbulência, impulsividade, falta de previsibilidade e depressão.[17]

AS DIFERENÇAS ENTRE TRANSTORNO BIPOLAR E CARACTERÍSTICAS DE PERSONALIDADE

É muito comum os pacientes questionarem o que é da doença e o que é da sua personalidade após o diagnóstico de TB. Eles devem ser capazes de perceber como a personalidade, os hábitos e as atitudes diferem dos sintomas para aprender a aceitar o transtorno;[18] além disso, distinguir entre personalidade e TB ajuda a determinar quando a pessoa está no início de um novo episódio ou com sinais prodrômicos* da doença. Por exemplo, se ela é habitualmente introvertida, um aumento na sua socialização de maneira exagerada pode ser um sinal do desenvolvimento de um novo episódio de hipomania/mania. No entanto, se é de natureza extrovertida, participar de muitos eventos sociais pode ser menos significativo para determinar se ela apresenta um episódio de humor do que mudanças no padrão de sono ou aumento da irritabilidade.[2]

Partindo do fato de que cada indivíduo tem uma personalidade diferente, no processo psicoterápico, é possível elaborar uma planilha do humor (Quadro 4.1) para ajudar a perceber o que é da doença (sintoma) e o que é da personalidade.[3] Vale ressaltar que o comportamento do paciente com TB só muda significativamente quando os sintomas se manifestam.

---

* Prodrômico: o que é indicativo de uma patologia clínica; conjunto de sinais e sintomas que prenunciam uma doença ou anormalidade orgânica.[19,20]

QUADRO 4.1	EXEMPLO DE PLANILHA DO HUMOR		
CATEGORIA	QUANDO MANÍACO	QUANDO DEPRIMIDO	QUANDO ESTOU BEM
Humor	Irritável	Triste	Contente
Atitude	"Sou o único que pensa"	"Eu me odeio"	"Estou bem"
Autoconfiança	Extremamente autoconfiante	Sem autoconfiança	Se considera capaz
Atividades usuais	Começo, mas não termino	Fico na cama ou assisto TV	Trabalho, limpo a casa e faço exercícios
Atividades sociais	"Não aguento ficar perto das pessoas"	"Não quero que ninguém me veja"	"Visito os amigos e a família"
Concentração	"Não consigo frear os pensamentos"	"Fico olhando para a página, mas não consigo ler"	"Consigo ler o jornal e me concentro bem"
Hábitos de sono	"Durmo 4 horas por noite"	"Durmo o tempo todo"	"Durmo de 7 a 8 horas, sem trocar o dia pela noite"

A PSICOTERAPIA E A PREVENÇÃO DE RECAÍDAS: COMO IDENTIFICAR OS SINAIS PRODRÔMICOS?

No processo psicoterápico, é de extrema importância o paciente ter a informação necessária sobre sua doença e trabalhar o impacto que as informações e o aprendizado têm sobre ele. Uma das estratégias para adquirir conhecimento e identificar os primeiros sinais de um novo episódio é fazer uma lista dos sintomas mais comuns de cada.[2-5]

SINAIS DE ALERTA MAIS COMUNS DE HIPOMANIA OU MANIA:
- Diminuição de horas de sono;
- Sentimento de tempo perdido em relação às horas gastas com sono;
- Impaciência;
- Irritabilidade ou aumento de desentendimentos ou discussões;
- Aumento do nível de energia;
- Falar mais rápido;
- Dirigir mais rápido;
- Aumento do otimismo e autoconfiança;
- Novos projetos (desejo de fazer mudanças);
- Aumento do desejo sexual e da libido;

- Compras ou gastos exagerados;
- Mudança do estilo de se vestir.

SINAIS DE ALERTA MAIS COMUNS DE DEPRESSÃO:
- Perda de interesse em fazer coisas que normalmente lhe dão prazer;
- Diminuição das atividades ou negligência em relação às tarefas usuais;
- Aumento de horas do sono (vontade de dormir mais);
- Sentimentos de tristeza e choro frequente;
- Perda de energia e cansaço constante;
- Dores físicas;
- Mudança no apetite e no peso;
- Esquecimento fácil e dificuldade em se concentrar;
- Sensação de inferioridade e culpa excessiva;
- Isolamento social;
- Pensamentos extremamente negativos.

IDENTIFICANDO OS SINAIS DE ALERTA[2-5] – VOCÊ É CORRESPONSÁVEL PELO SEU TRATAMENTO!

1. Monitore suas alterações de humor – Gráfico do humor;
2. Faça uma lista pessoal de sinais de alerta;
3. Verifique possíveis eventos desencadeadores dos sintomas.

MONITORE SUAS ALTERAÇÕES DE HUMOR – GRÁFICO DO HUMOR[3]
Ver Figura 4.3.

FAÇA UMA LISTA PESSOAL DE SINAIS DE ALERTA[2-5]
Os sinais de alerta são alterações no comportamento da pessoa, na forma como pensa ou sente; são muito mais rápidos do que os sintomas reais e indicam se ela está desenvolvendo um episódio bipolar. O doente pode ter os seus próprios sinais individuais e percebê-los, prevenindo, assim, a ocorrência de um novo episódio. Se a pessoa não conseguir perceber esses sinais de alerta, a família e os amigos podem ajudar a reconhecê-los e evitar o risco de recaídas e recorrências. Seguem exemplos.

LISTA PESSOAL DE SINAIS DE ALERTA DE DEPRESSÃO[2,5]
Descreva mudanças em sua atividade e sua energia quando está começando a ficar deprimido: _____

- Sente-se mais moroso, mais devagar.
- Começa a afastar-se das pessoas.
- Não atende mais os telefonemas.
- Conversa mais devagar do que o normal.

Semana:								
	Plano	Seg	Ter	Qua	Qui	Sex	Sáb	Dom
Maníaco								
+ 5 Sem dormir, psicótico	Ir para o hospital	•	•	•	•	•	•	•
+ 4 Maníaco, julgamento prejudicado		•	•	•	•	•	•	•
+ 3 Hipomaníaco	Ligar para o médico	•	•	•	•	•	•	•
+ 2 Energizado	Tomar uma atitude	•	•	•	•	•	•	•
+ 1 Feliz, ativo	Monitorar mais de perto	•	•	•	•	•	•	•
0 Normal		•	•	•	•	•	•	•
- 1 Devagar, para baixo	Monitorar mais de perto	•	•	•	•	•	•	•
- 2 Triste	Tomar uma atitude	•	•	•	•	•	•	•
- 3 Deprimido	Ligar para o médico	•	•	•	•	•	•	•
- 4 Paralisado		•	•	•	•	•	•	•
- 5 Suicida	Ir para o hospital	•	•	•	•	•	•	•
Deprimido								
O que causou a mudança no humor?								

FIGURA 4.3 → GRÁFICO DE MONITORAMENTO DO HUMOR.
Fonte: Basco e Rusch.[3]

- Faz menos coisas do que habitualmente fazia, não consegue fazer suas tarefas.
- Sente-se mais cansado do que de costume.
- Sente dores físicas.
- Tem pouco ou nenhum desejo sexual.

Descreva mudanças em seus padrões de sono quando está começando a ficar deprimido: _____

- Sente mais necessidade de dormir do que o habitual.
- Excede em duas ou mais horas seu padrão de sono.
- Levanta-se no meio da noite.
- Demora para conseguir dormir.
- Não consegue ter um sono reparador; parece que não dormiu.

Descreva mudanças em seus pensamentos e sua percepção _____

- Os pensamentos ficam mais lentos; percebe que esquece das coisas.
- Fica remoendo pensamentos de acontecimentos que já passaram.

- Não consegue se interessar por nada.
- Não consegue tomar decisões.
- Não consegue se concentrar.
- Não acredita na sua capacidade, fica se criticando o tempo todo.
- Sente-se sem esperança.
- Sente-se culpado.
- As cores parecem mais apagadas.
- A comida parece sem gosto.
- As pessoas parecem mais apressadas.
- Começa a pensar em se ferir ou se matar, etc.

Faça uma lista de adjetivos que descrevam como está o seu humor: _____

- Triste ou muito triste.
- Ansioso ou extremamente ansioso.
- Irritado ou extremamente irritado.
- Arredio e agressivo.
- Apático.
- Amedrontado.
- Desencorajado.
- Chateado.

Descreva qualquer coisa que pareça diferente quando você percebe que está ficando deprimido e em que contexto (qualquer mudança, evento ou circunstância): _____

- Conflitos ou dificuldade de relacionamento no trabalho.
- Perda do emprego.
- Conflito ou dificuldades no relacionamento amoroso.
- Início ou término de um relacionamento.
- Conflitos familiares.
- Mudanças em sua condição financeira, dívidas.
- Luto, perda de um ente querido ou de algo importante.

LISTA PESSOAL DE SINAIS DE ALERTA DE HIPOMANIA OU MANIA[2,5]
Descreva mudanças em sua atividade e sua energia quando está começando a ficar em mania: _____

- Você ou alguém do seu convívio nota que suas atitudes mudaram de maneira drástica.
- Inicia vários projetos ou várias tarefas ao mesmo tempo e não consegue terminá-las.
- Liga para muitas pessoas.
- Faz muitos amigos rapidamente.
- Fala mais do que o habitual.

- Conversa mais e cada vez mais rápido, e as pessoas não conseguem entender.
- Critica muito as outras pessoas.
- Começa a gastar exagerada e impulsivamente.
- Sente-se excitado ou com desejo sexual intensificado.
- Sente-se muito agitado, com energia em excesso.
- Não consegue ficar parado.
- Está agitado ou em desassossego.
- Muda a cor do cabelo, usa roupas mais sedutoras do que de costume, usa mais maquiagem.
- Sente necessidade de chamar atenção.
- Dirige com imprudência, faz apostas valendo dinheiro, passa a frequentar lugares que normalmente não frequentaria.
- Começa a beber, fuma mais ou usa drogas.

Descreva mudanças em seus padrões de sono quando está começando a ficar em mania: _____

- Não sente necessidade de dormir e não sente cansaço no dia seguinte.
- Dorme menos que o habitual.
- Fica acordado até tarde da noite e cochila durante o dia.
- Levanta-se pelo menos duas horas mais cedo do que o normal.
- Acorda muitas vezes durante à noite.
- Considera dormir uma perda de tempo.

Descreva mudanças em seus pensamentos e sua percepção: _____

- Os pensamentos começam a ficar mais acelerados, pensa mais rápido que o normal.
- Gera mais ideias e planos.
- Os sentidos ficam mais apurados, fazendo os sons parecerem mais altos, as cores mais vibrantes e os cheiros mais intensos.

Faça uma lista de adjetivos que descrevam como está o seu humor: _____

- Fica eufórico rapidamente sem motivos aparentes.
- Ansioso ou extremamente ansioso.
- Irritável e impaciente.
- Sente-se extremamente autoconfiante, presunçoso ou otimista demais, etc.

Descreva qualquer atividade que pareça diferente quando você percebe que está entrando em hipomania ou mania e em que contexto (qualquer mudança, evento ou circunstância): _____

- Aumento de atribuições no trabalho.
- Mudanças em seu horário de trabalho.
- Viagens e mudanças no fuso horário.
- Relacionamento amoroso conflituoso (desentendimentos, discussões, brigas).
- Início ou término de um relacionamento.
- Conflitos familiares (desentendimentos, discussões, brigas).
- Mudanças em sua condição financeira (começa a fazer dívidas).
- Outras mudanças que você mesmo percebe.

VERIFIQUE POSSÍVEIS EVENTOS DESENCADEADORES DOS SINTOMAS[2-5]
Exemplos de fatores de tensão que aumentam o risco de a pessoa desenvolver sintomas bipolares:

- Acontecimentos positivos ou negativos de grande tensão. Por exemplo, o nascimento de um bebê, uma promoção ou perda do emprego, o fim de um relacionamento ou mudança de residência.
- Ruptura de padrões do sono. Por exemplo, em razão de fadigas causadas por viagem ou de eventos sociais. Reduções no tempo de sono podem contribuir para desenvolver sintomas maníacos ou hipomaníacos, e aumento no tempo de sono ou de descanso podem, por vezes, levar a sintomas depressivos.
- Ruptura da rotina: um plano estruturado, como horas determinadas para deitar-se e acordar-se, atividades regulares e contatos sociais, pode ajudar a manter tanto os padrões de sono como os níveis habituais de energia.

PONTOS IMPORTANTES

A psicoeducação ou a psicoterapia deve ajudar você a:[20,21,22]
- Entender o que é o TB e qual o curso da doença;
- Ajudar a aceitar e se adaptar a um programa de medicamento de longo prazo;
- Identificar fatores desencadeantes e sinais de alerta iniciais da doença;
- Identificar e controlar as distorções cognitivas (pensamentos automáticos extremamente negativos);
- Recuperar-se de um episódio da doença, como lidar com suas consequências e entender os episódios atuais e/ou anteriores à doença;
- Como lidar com o preconceito em relação ao transtorno e melhorar o desempenho na escola ou no ambiente de trabalho;
- Desenvolver planos de prevenção de recaídas e recorrências;
- Aprender maneiras mais positivas de lidar com a doença, como estilo de vida saudável, rotina adequada e ritmo biológico.
- Melhorar a autoestima e a aceitação de si mesmo e da doença, melhorando a qualidade de vida.

- Estimulação excessiva do exterior. Por exemplo, desorganização, trânsito, barulho, luz, multidões, prazos no trabalho ou atividades sociais.
- Estimulação excessiva pela própria pessoa. Por exemplo, estimulação de muitas atividades e excitação quando a pessoa tenta alcançar objetivos desafiantes ou consumo de substâncias excitantes como cafeína, no café ou nos refrigerantes de cola, ou nicotina, em cigarros ou adesivos de nicotina.
- Abuso de álcool ou de drogas.
- Interações pessoais conflituosas e estressantes.

> "Uma das coisas que fizeram muita diferença no meu transtorno bipolar foi ter aprendido a reconhecer os sinais quando estou ficando doente para poder buscar tratamento. Assim, quando tenho flutuações de humor, elas são menos radicais e provocam menos perturbação em minha vida" (Frank).[4]

PERGUNTAS FREQUENTES

NO TB, COMO DIFERENCIAR AS CARACTERÍSTICAS QUE SÃO DA DOENÇA E AS QUE SÃO DA PERSONALIDADE?
Quando o paciente recebe o diagnóstico de TB, muitas vezes ele já apresenta os sintomas da doença há anos. Dessa forma, é comum existir essa dificuldade em saber o que são características da personalidade e o que são sintomas da patologia. Nesse momento, é importante se informar a respeito da doença e de todos os seus sintomas, conversando com o seu médico e lendo livros sobre o assunto. Após conhecer claramente os sintomas, procure avaliar como são os seus comportamentos quando a doença está estável e compare-os com aqueles presentes durante a crise. Isso ajudará você a identificar as diferenças entre a sua personalidade e a doença.

ALTERAÇÕES DE COMPORTAMENTO CAUSADAS PELOS SINTOMAS COMPROMETEM O CARÁTER OU A PERSONALIDADE DA PESSOA?
Vale retomar brevemente a definição de três conceitos básicos envolvidos nessa questão. Temperamento é a natureza emocional herdada geneticamente. Caráter é aprendido pelas vivências, pelas experiências e pelas relações que estabelecemos no ambiente. Personalidade é a manifestação do temperamento e do caráter de uma pessoa. Dessa forma, consideramos que quando o início dos sintomas acontece na infância e não existem diagnóstico e tratamento adequados, é possível que as alterações de comportamento causadas pelos sintomas tenham impacto na personalidade da criança que ainda está em formação.

SE SOU BIPOLAR, HÁ POSSIBILIDADE DE EU VOLTAR A SER COMO ANTES?
O tratamento do transtorno tem como objetivo a remissão dos sintomas e a recuperação funcional. Dessa forma, quando o paciente recebe o diagnóstico de TB, ele será acompanhado por um

PERGUNTAS FREQUENTES

psiquiatra e fará um tratamento medicamentoso para que os sintomas sejam controlados e ele possa recuperar seu funcionamento anterior ao início da doença. Quando necessário, o paciente poderá fazer também um acompanhamento psicoterápico para auxiliá-lo.

O QUE É FALTA DE CRÍTICA DO BIPOLAR?
No TB, quando o paciente está em um episódio da doença, seja depressão ou hipomania/mania, ele pode ter o seu julgamento da realidade distorcido. Muitas vezes, quando está deprimido, devido ao pessimismo, ele tende a avaliar todas as situações que enfrenta como mais graves do que de fato são e com consequências piores do que realmente serão. Ao mesmo tempo, quando o paciente está em mania, ele pode acreditar que é melhor ou mais capaz do que é e, ainda, não perceber a possibilidade de algo terminar mal. Por isso, quando o paciente está em um episódio da doença, ele pode não estar apto a tomar decisões sozinho.

O QUE FAZER QUANDO O PACIENTE NÃO ACEITA A DOENÇA?
Em geral, o paciente só irá aderir ao tratamento após aceitar que é portador de uma doença. Os familiares, ao perceberem que algo não está bem com um ente querido e desconfiarem que ele pode estar deprimido ou ter TB, precisam conversar com a pessoa e apontar suas preocupações e as situações/consequências que lhes levaram a pensar que buscar a ajuda de um médico poderia diminuir o sofrimento e esclarecer se existe de fato algo que precise ser tratado. Conversar com a pessoa ou até indicar material para que ela leia pode ajudar bastante, principalmente se isso acontecer de forma tranquila e em um momento em que não existam brigas, desentendimentos ou ânimos exaltados.

QUAL A DIFERENÇA ENTRE TEMPERAMENTO FORTE E BIPOLARIDADE?
O temperamento está ligado às sensações e motivações básicas e automáticas da pessoa no âmbito emocional; é herdado geneticamente e regulado biologicamente, sendo o alicerce do nosso humor. Assim, os temperamentos podem ser entendidos como padrões predominantes de humor. Para alguns autores, os pacientes com TB apresentariam com maior frequência os temperamentos fortes hipertímicos, ciclotímicos ou de intensa busca de novidades. No entanto, nem todas as pessoas que têm esses tipos de temperamentos serão bipolares.

O QUE FAZER PARA A MINHA MÃE ENTENDER QUE EU GOSTO DE ME DIVERTIR E ISSO NÃO QUER DIZER QUE ESTOU EM MANIA?
Na maior parte das vezes, incluir um familiar próximo no tratamento do TB pode ajudar muito, porque quando a família compreende melhor a doença, os sintomas e o tratamento, diminui o número de ideias errôneas e a família será capaz de ajudar o paciente a identificar melhor quando os comportamentos podem levar a uma nova crise ou quando os comportamentos são o sinal de que uma nova crise está começando. O importante é saber se divertir sem ter comportamentos que possam levar a uma nova crise (p. ex., uso de álcool ou drogas ou desrespeitar o ciclo do sono-vigília).

EU PRECISO MUDAR O MEU JEITO DE SER PARA CONVIVER COM O MEU TB?
Em geral, quem tem TB não precisa mudar o seu jeito de ser para conviver com a doença, apenas modificar alguns hábitos, como praticar atividades físicas, respeitar o ciclo do sono-vigília e aprender a lidar com o estresse, para diminuir a chance de ter novos episódios.

PERGUNTAS FREQUENTES

QUEM TEM TB TAMBÉM PODE TER DIAS ALEGRES E TRISTES SEM NECESSARIAMENTE ESTAR EM CRISE?
Todas as pessoas têm sentimentos de alegria e de tristeza, no entanto esses sentimentos estão relacionados a acontecimentos da vida e são proporcionais ao fato que os desencadeiam. Nos pacientes com diagnóstico de TB, é necessário estar atento a mudanças de humor que ocorram sem nenhum evento desencadeante ou a reações emocionais desproporcionais ao fato que as desencadeou, pois, nesses casos, essa alteração pode indicar que um novo episódio da doença está em curso.

ANTES DE INICIAR O TRATAMENTO COM OS MEDICAMENTOS, EU SEMPRE ERA O FUNCIONÁRIO DESTAQUE, POIS BATIA TODAS AS METAS, MAS AGORA SINTO QUE ESTOU MAIS DEVAGAR. O FÁRMACO MUDOU MINHA PERSONALIDADE?
Como discutido anteriormente, a personalidade é formada pelo temperamento e pelo caráter, ou seja, por uma parte herdada geneticamente e por outra desenvolvida a partir dos aprendizados vivenciados no ambiente em que estamos inseridos, formada no início da vida adulta. Os medicamentos não são capazes de alterar a personalidade de uma pessoa, pois apenas controlam os sintomas da doença. Os sintomas de aceleração (mania) podem trazer a sensação de que a pessoa tem melhor rendimento, e quando esses sintomas estão controlados, o paciente pode se sentir mais lento.

QUAL A DIFERENÇA ENTRE PERSONALIDADE *BORDERLINE* E TB?
O transtorno da personalidade emocionalmente instável (ou transtorno de personalidade com instabilidade emocional) é um diagnóstico psiquiátrico equivalente ao transtorno da personalidade *borderline* pertencente ao manual de classificação CID-10 da Organização Mundial da Saúde (OMS). É caracterizado por tendência nítida a agir de modo imprevisível, sem consideração pelas consequências; humor imprevisível e caprichoso; tendência a acessos de cólera e incapacidade de controlar os comportamentos impulsivos; e tendência a adotar comportamento briguento e a entrar em conflito com os outros, particularmente quando os atos impulsivos são contrariados ou censurados.

Dois tipos podem ser distintos: o tipo impulsivo, caracterizado principalmente por instabilidade emocional e falta de controle dos impulsos; e o tipo borderline, caracterizado, além disso, por perturbações da autoimagem, do estabelecimento de projetos e das preferências pessoais, por uma sensação crônica de vacuidade, por relações interpessoais intensas e instáveis e pela tendência a adotar um comportamento autodestrutivo, compreendendo tentativas de suicídio e gestos suicidas.

HÁ DOENÇAS QUE POSSUEM GANHO SECUNDÁRIO, COMO SER MANIPULADOR OU SER DEPRESSIVO?
Em algumas doenças, é possível observar que o paciente tem ganhos secundários, como, quando se está doente, ganhar mais atenção da família ou não ter que se responsabilizar por suas atitudes ou tarefas. No entanto, é importante ressaltar que os pacientes não adoecem por opção. O TB é uma doença com aspectos genéticos e ambientais, que acarreta grande sofrimento e não depende da vontade do indivíduo. Dessa forma, o paciente deve ser tratado por um médico psiquiatra para que seus sintomas sejam controlados e, se necessário, os ganhos secundários que parecem estar presentes possam ser trabalhos em psicoterapia, individual ou familiar.

PERGUNTAS FREQUENTES

POR QUE PRIMEIRO EU RECEBI DIAGNÓSTICO DE TRANSTORNO DA PERSONALIDADE E SÓ DEPOIS DE TB?
Algumas patologias podem ter sintomas similares, e, no momento da crise, pode ser difícil identificar claramente os sintomas necessários para preencher critérios para um transtorno ou outro. Assim, é importante que o paciente leve às consultas com o psiquiatra outra pessoa da família que possa ajudar a descrever o atual quadro do indivíduo e sua história ao longo da vida, auxiliando, assim, o profissional a realizar o diagnóstico com maior precisão.

REFERÊNCIAS

1. Jamison KR. Uma mente inquieta. São Paulo: Martins Fontes; 2006.

2. Miklowitz DJ. Transtorno bipolar o que é preciso saber. São Paulo: M. Books do Brasil; 2009.

3. Basco MR, Rush AJ. Terapia cognitivo-comportamental para transtorno bipolar. 2. ed. Porto Alegre: Artmed; 2009.

4. Berk L, Berk M, Castle D, Lauder S. Vivendo com o transtorno bipolar: Um guia para entender e manejar o transtorno. Porto Alegre: Artmed; 2010.

5. Berk L, Soeiro de Souza MG, Moreno RA, Vasco VD. Guia para cuidadores de pessoas com transtorno bipolar. São Paulo: Segmento Farma; 2011.

6. Pellegrinelli KB, Roso M, Moreno RA. A relação entre a não adesão ao tratamento e falsas crenças de pacientes bipolares e seus familiares. Rev Psiq Clínica. 2010;37(4):183-4.

7. Kaplan HJ, Sadock BJ. Compêndio de psiquiatria. Porto Alegre: Artes Médicas; 1990.

8. Colom F, Vieta E, Sánchez-Moreno J, Martínez-Arán A, Torrent C, Reinares M, et al. Psychoeducation in bipolar patients with comorbid personality disorders. Bipolar Disord. 2004;6(4):294-8.

9. American Psychiatric Association. Manual diagnóstico e estatístico de transtornos mentais: DSM-5. 5. ed. Porto alegre: Artmed; 2014.

10. Goodwin FK, Jamison KR. Manic-depressive illness: bipolar disorders and recurrent depression. 2nd ed. New York: Oxford University; 2007.

11. Lara D. Temperamento forte e bipolaridade: dominando os altos e baixos do humor. Porto Alegre: Revolução de Idéias; 2004.

12. Tung CT. Enigma bipolar consequências, diagnóstico e tratamento do transtorno bipolar. São Paulo: MG; 2007.

13. Zimbardo PG, Gerrig RJ. A psicologia e a vida. Porto Alegre: Artmed; 2005.

14. Friedman HS, Schustack M. Teorias da personalidade. São Paulo: Prentice Hall Brasil; 2003.

15. Organização Mundial da Saúde. Classificação de transtornos mentais e de comportamento da CID-10. Porto Alegre: Artmed; 1993.

16. Cloninger SC. Teorias da personalidade. São Paulo: Martins Fontes; 1999.

17. Kapczinski F, Quevedo J, organizadores. Transtorno bipolar: teoria e clínica. Porto Alegre: Artmed; 2009. p. 267-283.

18. Colom F, Vieta E. Melhorando o desfecho do transtorno bipolar usando estratégias não farmacológicas: o papel da psicoeducação. Rev Bras Psiquiatr. 2004;26 Supl 3:47-50.

19. Andrade ACF. Abordagem psicoeducacional no tratamento do transtorno afetivo bipolar. Rev Bras Psiquiatr. 1999;26(6):1-8.

20. Colom F, Lam D. Psychoeducation: improving outcomes in bipolar disorder. Eur Psychiatry. 2005;20(5-6):359-64.

21. Knapp P, Isolan, L. Abordagens psicoterápicas no transtorno bipolar. Rev Bras Psiquiatr. 2005;32 Supl 1:98-104.

22. Justo LP, Calil HM. Intervenções psicossociais no transtorno bipolar. Rev Bras Psiquiatr. 2004;31(2):91-9.

PREJUÍZOS PESSOAIS E SOCIOECONÔMICOS DO TRANSTORNO BIPOLAR

Luis Felipe Costa
Rodolfo Nunes Campos

O transtorno bipolar (TB) é uma condição crônica e recorrente, que se caracteriza por variações frequentes de humor, isto é, episódios depressivos e/ou maníacos ou a combinação de ambos, que se manifestam por alterações psicológicas, comportamentais e físicas.[1] Tais episódios alternam-se com períodos de estabilidade e bem-estar, entretanto, esses estados de "normalidade" podem passar a ser cada vez menores à medida que a doença bipolar evolui quando os pacientes enfrentam dificuldades em suas vidas, como, por exemplo, na relação com outras pessoas da família, com amigos, no trabalho, na escola ou em outras atividades do seu cotidiano. Quando não tratada adequadamente, a doença bipolar pode comprometer de forma significativa a qualidade de vida da pessoa e sua eficiência no trabalho, causando também mau funcionamento ocupacional que pode ser crônico e se estender por longos períodos, até de forma mais grave que doenças cardiovasculares,[2] por exemplo.

Há 15 anos, em seu relatório anual, os transtornos afetivos (que incluem o TB) já eram considerados pela Organização Mundial da Saúde (OMS) as maiores causas de morbidade e mortalidade em países desenvolvidos.[1] Além dos evidentes efeitos no funcionamento psicológico, social e físico, o TB apresenta custos indiretos, que incluem despesas atribuídas às maiores taxas de desemprego e menor produtividade. Portanto, o planejamento terapêutico precoce e adequado é fundamental para que possíveis consequências devastadoras sejam amenizadas nos portadores de TB.

RECUPERAÇÃO FUNCIONAL

O objetivo principal no tratamento do TB é a recuperação funcional, ou seja, o desaparecimento completo dos sintomas e o retorno ao padrão "normal" ou habitual de funcionamento e desempenho do indivíduo. Diversos fatores estão associados à dificuldade nesse processo, entre eles a presença de outros transtornos psiquiátricos (especialmente relacionados ao uso, abuso ou dependência de álcool e/ou outras drogas), a demora no diagnóstico correto da doença, a presença de sintomas residuais e a má adesão ao tratamento.[3]

A má adesão ao tratamento consiste na falha em seguir o planejamento medicamentoso determinado pelo médico, por esquecimento ou utilização incorreta (dose e horário), faltas às consultas médicas e até mesmo deixar de seguir as orientações quanto às mudanças saudáveis nos hábitos de vida. Pacientes com esse perfil apresentam episódios depressivos e maníacos mais recorrentes, pior recuperação funcional e, consequentemente, mais problemas na família, na vida social e no trabalho (ver Cap. 9).[4,5]

Uma maneira eficaz de melhorar a adesão e a recuperação funcional do paciente é por meio das intervenções psicossociais sobre o TB. Os portadores aprendem de forma ampla sobre as características da doença, além de possíveis estratégias medicamentosas e comportamentais para lidar com a doença e evitar piores consequências. Diversos estudos demonstram de forma clara os benefícios da psicoeducação associada às medicações no tratamento do TB, reduzindo o número de episódios de depressão ou euforia e as respectivas internações, além de aumentar o período de estabilidade entre as recaídas.[6]

IMPACTO SOCIAL E FAMILIAR

Compreende-se por funcionamento social a capacidade que cada indivíduo tem de relacionar-se com a família, os colegas de trabalho e os amigos, bem como desenvolver adequadamente suas atividades diárias. A gravidade dos sintomas determina o grau de comprometimento funcional da pessoa, que se torna pior durante as fases depressivas. Apesar da grande necessidade de assistência, os portadores de TB têm, comparativamente, menor suporte social. Os sintomas prejudicam os relacionamentos, aumentando a chance de divórcios em comparação a indivíduos saudáveis, e os cuidadores de portadores de TB também sofrem o impacto da doença, bem como apresentam mais sintomas depressivos e utilização de serviços de saúde mental.[3,7]

Curiosamente, familiares próximos de indivíduos com TB podem apresentar uma predisposição genética para morbidade psiquiátrica, a qual é manifestada como resultado do estresse induzido pelo seu cuidado com os parentes afetados pela doença.[1,8] Além dos sintomas próprios do TB, surgem também as dificuldades decorrentes da reação da sociedade e até mesmo do próprio paciente, que decorrem em boa parte do preconceito.

O estigma tem como características fundamentais a falta de autoconfiança, o medo e a exclusão, sendo muitas vezes fruto de falta de informação adequada do paciente e dos familiares. Podem também afetar a adaptação social, resultando em pior qualidade de vida e maior risco de recaída. A psicoeducação é fundamental para diminuir os efeitos negativos no desempenho das relações sociais dos pacientes e seus familiares, evitando que o desconhecimento resulte em conflitos.

IMPACTO ECONÔMICO

De acordo com o recente estudo nomeado *Global Burden of Disease* (Prejuízos Globais das Doenças), publicado em 2010, os transtornos mentais (TM) lideravam como a primeira causa – entre todas as doenças estudadas – no número de anos durante a vida em que houve disfunção sócio-ocupacional. Entre todos os TM, o TB teve participação de 7% nesse quesito.[9] Há também descrição de que houve, entre 1990 e 2010, um aumento de 37,6% nas taxas relativas aos prejuízos causados pelos TM e, embora esse número seja justificado pela elevação do número populacional e de seu respectivo envelhecimento, isso se torna particularmente importante no caso do TB, uma vez que seu curso é crônico, assim como em outras doenças como hipertensão e diabetes.[9]

Gastos anuais com seguros de saúde foram maiores para indivíduos com TB em relação a pacientes com outros TM.[7] A taxa de internação de sujeitos bipolares (39,1%) foi maior que os 4,5% que representam todos os outros pacientes com TM. O TB foi considerado o diagnóstico mais oneroso dos TM, custando mais que o dobro se comparado à depressão. Os custos totais, em grande parte decorrentes de custos indiretos, são atribuíveis à perda de produtividade devida a faltas ao trabalho.[7] A sobrecarga econômica do TB não vem apenas da doença em si, mas também das altas taxas de comorbidades psiquiátricas e de outras

PONTOS IMPORTANTES

- O TB é uma doença médica séria.
- A adesão ao tratamento é fundamental para a recuperação funcional.
- O impacto da doença ocorre no paciente e na família.
- Portadores de TB e suas famílias apresentam importantes perdas na funcionalidade e na qualidade de vida, o que pode levar a conflitos nas relações pessoais.
- Desemprego, dificuldade em voltar ao mercado de trabalho, dias perdidos de trabalho e possíveis pendências judiciais contribuem para a incapacidade associada ao TB.
- O TB é uma das doenças mais onerosas no mundo.
- A disfunção ocupacional causada pelo TB incrementa a sobrecarga financeira dos cuidadores.
- Família, médico e paciente devem manter constante contato presencial e telefônico.
- Internações aumentam significativamente os custos da doença.
- Estigma e preconceito retardam o diagnóstico e comprometem o tratamento.

condições médicas. Por exemplo, cerca de 60% dos pacientes com TB têm problemas com álcool e/ou drogas, mas o atraso ou erro no diagnóstico também contribuem para o aumento de gastos com a doença, pela demora em iniciar o tratamento adequado.[3] Contudo, se não houver adesão por parte do paciente, os custos também aumentam.[4]

CONSIDERAÇÕES FINAIS

Como vimos até agora, prejuízos pessoais e socioeconômicos são importantes no TB e se relacionam com aspectos éticos e médico legais que descrevemos a seguir:[10]

- A perda na capacidade de funcionamento do paciente ao longo da doença pode acarretar aposentadoria precoce e perda da capacidade produtiva.
- Pensamento suicida ou homicida na depressão grave, bem como o risco de suicídio durante as crises.
- Necessidade do tratamento de manutenção para a vida toda, no qual a educação do paciente e de sua família é fundamental, além da escolha por parte do médico de tratamentos comprovadamente eficazes e de acordo com as diretrizes internacionalmente aceitas para tratamento da doença bipolar.
- Preservação de hábitos saudáveis de vida como medida de proteção.
- Evitar comportamentos impulsivos e de risco nos casos de crises de mania/hipomania, como se expor a doenças sexualmente transmissíveis ou gravidez em casos de hipersexualidade, comprometimento no orçamento familiar, consumo de drogas lícitas ou ilícitas.
- Aconselhamento genético e orientação quanto ao risco dos filhos de portadores da doença.
- Orientação em caso de necessidade de internação involuntária ou compulsória como medida de proteção do paciente acometido por uma crise da doença.
- Aconselhamento quanto à interdição judicial do paciente quando sua situação se torna insustentável.
- Situações em que a justiça solicita parecer do médico do paciente que acompanha o caso ou quando há necessidade de cópia do prontuário médico para efeitos legais ou para encaminhá-lo a outro médico.

PERGUNTAS FREQUENTES

O PACIENTE BIPOLAR TEM O ESTIGMA DE DOENTE MENTAL? O QUE POSSO FAZER EM RELAÇÃO À ISSO?

O desconhecimento é a origem do preconceito. As pessoas temem o que não lhes é familiar e muitas vezes tentam justificar isso com informações que não são baseadas na verdade. Sim, o paciente bipolar tem o estigma de doente mental e geralmente cai na armadilha de sentir-se diferente dos outros, sentindo-se estigmatizado.

É importante ter em mente que a doença é apenas uma parte do indivíduo, e jamais o todo. A pessoa, desde que adequadamente tratada, tem condições de ter uma vida normal ou no mínimo muito próxima disso.

COMO LIDAR COM O MEDO E O PRECONCEITO?

Ter informações claras acerca da doença, de suas características e de seu tratamento ajuda muito a pessoa a conseguir organizar suas ideias e lidar melhor com o medo e o preconceito. Participar de associações de familiares e pacientes como a ABRATA (wwww.abrata.org.br) também pode ser proveitoso.

COMO LIDAR COM O PRECONCEITO NO TRABALHO?

Nem todos entenderão o que significa ser portador de uma doença psiquiátrica, mas você não precisa contar a todos sobre seu problema. Divida e confidencie essas informações com pessoas que você perceba que lhe serão úteis e o apoiarão. Sua atitude no trabalho deve ser a mesma de uma pessoa comum. A doença, desde que adequadamente tratada, não o limita em nada.

COMO FAZER PARA QUE ENTENDAM O TB E EU NÃO TENHA PREJUÍZOS NO TRABALHO?

A informação adequada sobre o que é o TB pode ajudar a aliviar o preconceito no ambiente de trabalho. Entretanto, cada paciente deve avaliar e decidir sobre a comunicação do seu diagnóstico nesse ambiente, pois as pessoas podem reagir de formas diferentes, e isso não garante que a aceitação seja boa por parte de todos. Além disso, o paciente não é obrigado a informar ser portador de nenhuma doença.

FICO MUITO PREOCUPADO COM O FATO DE TODOS JÁ SABEREM DO MEU DIAGNÓSTICO NO MEU TRABALHO, COMO AGIR?

As pessoas notam e estranham as alterações comportamentais, mas o mais importante é tratar-se corretamente para evitar que os sintomas reapareçam e afetem o comportamento, pois assim eles não ficam tão evidentes.

COMO DEVO EXPLICAR AO MEU CHEFE QUE SOU PORTADOR DE TB?

Se for necessário, explique que sofre de depressão e que já está em tratamento, cuidando para que o impacto seja o menor possível, pois o trabalho é muito importante na sua vida. Apenas fale do seu problema com pessoas que possam ajudá-lo ou entendê-lo.

QUANDO ESTOU DEPRIMIDO, MUITAS PESSOAS DIZEM QUE PRECISO ME ESFORÇAR PARA FAZER AS COISAS. O QUE POSSO FAZER?

A depressão é um problema médico e não depende da força de vontade do indivíduo. A pessoa depressiva perde a capacidade de reagir a estímulos ou de se esforçar para alcançar objetivos, e, em geral, as pessoas não entendem isso. Por isso, é importante que você tenha conhecimento sobre sua doença para não sentir-se magoado com a opinião dos outros.

PERGUNTAS FREQUENTES

SEI QUE MINHA FAMÍLIA PENSA QUE SOU PREGUIÇOSO E NÃO FAÇO AS COISAS PORQUE NÃO QUERO. ISSO ACONTECE COM TODOS OS BIPOLARES?
A preguiça é uma característica do modo de ser de algumas pessoas, e de fato existem pacientes "preguiçosos", mas a depressão é uma doença, e não preguiça ou "frescura", como dizem alguns. Quem está deprimido perde o ânimo e a vontade, fica com menos energia e não consegue mais sentir prazer nas coisas, mas é importante ter em mente que isso não é culpa ou uma falha da pessoa. O desconhecimento dos colegas, dos amigos e dos familiares leva a crer que o deprimido poderia mudar esse estado simplesmente pela sua força de vontade e que o tratamento é desnecessário, mas ele perdeu a capacidade de ter "força de vontade". Nesses casos, surgem o preconceito, a cobrança e os atritos. Como nem sempre podemos mudar a opinião de terceiros, o mais importante é que o próprio paciente saiba o que realmente significa esse desânimo e busque auxílio para não se sentir mais culpado e desamimado.

ESTOU DEPRIMIDO E TENHO FALTADO AO TRABALHO, MAS TENHO MEDO DE DIZER QUE TENHO TB E SER DEMITIDA. ELES PODEM ME DEMITIR SE EU ESTOU DOENTE? HÁ ALGUMA LEGISLAÇÃO QUE AJUDE OS PACIENTES COM TB A PEDIR APOSENTADORIA POR INVALIDEZ?
A aposentadoria precoce pode condenar o indivíduo a perder seu potencial de trabalho, ou seja, de atividade útil, que é fundamental para melhorar sua autoestima. O afastamento do trabalho por depressão e/ou euforia ou por estar motivado por qualquer aspecto da doença bipolar é valido do ponto de vista legal-trabalhista. É um direito do cidadão e tem amparo legal. A demissão do trabalho jamais pode ser justificada pela doença em si.

Se você precisa de tempo para se estabilizar, solicite ao seu médico um atestado de afastamento. Lembre-se de que, para poder funcionar bem, é necessário estar bem e com a doença controlada.

DEPOIS QUE FUI INTERNADO, MINHA FAMÍLIA ME TRATA COMO UM INCAPAZ E NÃO POSSO TOMAR NENHUMA DECISÃO SOZINHO. ELES NÃO PERCEBEM QUE EU SOU CAPAZ DE FAZER AS MINHAS COISAS? POR CAUSA DO TB, PRECISEI TRANCAR A FACULDADE E AGORA ESTOU COM MEDO DE VOLTAR E NÃO CONSEGUIR ME RELACIONAR COM NOVAS PESSOAS PORQUE TODOS FICARAM SABENDO DAS COISAS QUE FIZ DURANTE A MANIA. O QUE DEVO FAZER?
O impacto de um episódio eufórico grave é tão grande que paciente e sua família ficam com medo de que volte a acontecer. Muitas vezes, o próprio paciente nem lembra do que fez, e isso pode dificultar a aceitação dos medicamentos. Ter consciência dos sintomas e das suas possíveis consequências ajuda a manter a adesão ao tratamento. Uma das características das crises de mania é a impulsividade, e, nessas situações, a pessoa pode ter atitudes e comportamentos diferentes do seu habitual, o que a faz sentir-se envergonhada ao voltar para seu estado normal. Isso pode ou não se refletir no relacionamento com as pessoas, pois cada uma delas entenderá o que ocorreu de uma forma diferente. Na medida em que o paciente demonstra que readquiriu lucidez, retoma suas atividades e permanece estável, e tanto a sua confiança como a das demais pessoas de sua convivência também se recupera com o tempo. É preciso muito diálogo e paciência.

ESTOU BEM MELHOR DA DEPRESSÃO, MAS AINDA NÃO CONSIGO RETOMAR MINHA VIDA. SERÁ QUE AINDA NÃO ESTOU 100% BEM OU NUNCA MAIS VOU SER COMO ANTES? PARECE QUE A VIDA É DIFÍCIL, E REALIZAR AS COISAS MAIS BANAIS PARECE SEMPRE DESESTIMULANTE? POSSO CRIAR METAS DE VIDA SE NÃO ME MANTENHO EQUILIBRADA?
O objetivo do tratamento do TB é que o paciente se recupere e se estabilize. Muitas vezes, percebe-se a melhora dos sintomas, mas ainda não há uma retomada plena das atividades e do

PERGUNTAS FREQUENTES

funcionamento. Apesar de sentir-se bem melhor com o tratamento, os sintomas ainda não desapareceram por completo, e, por isso, você percebe que ainda está desestimulada ou confusa, portanto, deve-se explicar ao médico sua situação. Quando os sintomas desaparecem por completo, o paciente deve se manter assim para continuar se estabilizando e perceber que está 100% bem.

ONDE POSSO OBTER TRATAMENTO GRATUITO? EXISTEM LOCAIS GRATUITOS OU OUTROS EM QUE A TERAPIA CUSTE MENOS?
No Brasil, o Sistema Único de Saúde (SUS) prevê que todo cidadão deve ter acesso à saúde de forma gratuita e integral. O atendimento ambulatorial, a psicoterapia, as consultas de emergência, a internação e os medicamentos fazem parte dos recursos que podem ser utilizados pelos pacientes, mas muitas vezes não estão disponíveis de forma adequada, e o cidadão pode deixar de usufruir de seu direito. Dessa forma, cada paciente pode mobilizar-se e exigir que tenha seu tratamento da melhor forma possível, como foi orientado pelo seu médico. Ademais, existem diversas faculdades de psicologia, ainda que particulares, que oferecem serviços de atendimento gratuito em cidades selecionadas.

REFERÊNCIAS

1. Pompili M, Harnic D, Gonda X, Forte A, Dominici G, Innamorati M, et al. Impact of living with bipolar patients: making sense of caregivers' burden. World J Psychiatry. 2014;4(1):1-12.

2. Steele A, Maruyama N, Galynker I. Psychiatric symptoms in caregivers of patients with bipolar disorder: a review. J Affect Disord. 2010;121(1-2):10-21.

3. Perlis RH. Misdiagnosis of bipolar disorder. Am J Manag Care. 2005 Oct;11(9 Suppl):S271-4.

4. Gutiérrez-Rojas L, Jurado D, Martínez-Ortega JM, Gurpegui M. Poor adherence to treatment associated with a high recurrence in a bipolar disorder outpatient sample. J Affect Disord. 2010;127(1-3):77-83.

5. Hong J, Reed C, Novick D, Haro JM, Aguado J. Clinical and economic consequences of medication non-adherence in the treatment of patients with a manic/mixed episode of bipolar disorder: Results from the European Mania in Bipolar Longitudinal Evaluation of Medication (EMBLEM) Study. Psychiatry Res. 2011;190(1):110-4.

6. Vieta E. Improving treatment adherence in bipolar disorder through psychoeducation. J Clin Psychiatry. 2005;66 Suppl 1:24-9.

7. Peele PB, Xu Y, Kupfer DJ. Insurance expenditures on bipolar disorder: clinical and parity concerns. Am J Psychiatry. 2003;160(7):1286-90.

8. Moreno DH, Bio DS, Petresco S, Petresco D, Gutt EK, Soerio-deSouza MG, Moreno RA. Burden of maternal bipolar disorder on at-risk offspring: A controlled study on family planning and maternal care. J Affect Disord. 2012;143(1-3):172-8.

9. Whiteford HA, Degenhardt L, Rehm J, Baxter AJ, Ferrari AJ, Erskine HE, et al. Global burden of disease attributable to mental and substance use disorders: findings from the Global Burden of Disease Study 2010. Lancet. 2013;382(9904):1575-86.

10. Moreno RA, da Costa VV. Transtornos do humor. In: Barros DM, Castellana GB, organizadores. Psiquiatria forense: interfaces jurídicas, éticas e clínicas. Rio Janeiro: Elsevier; 2015. p.145-51.

TRATAMENTO MEDICAMENTOSO

Cilly Issler
Carla Renata Garcia Rodrigues dos Santos

A prevalência estimada do transtorno bipolar (TB) em todo o seu espectro é de 3 a 10% e compreende indivíduos com diagnósticos de transtorno bipolar tipo I e II, bem como aqueles com depressão que apresentam tendência à bipolaridade, o que pode justificar o uso de estabilizadores do humor associados ao antidepressivo para seu tratamento. Nesse sentido, entre os fatores associados à depressão, incluem-se:

- História de TB em familiares de primeiro grau.
- Desenvolvimento de hipomania na vigência de antidepressivos.
- Depressão pós-parto.
- Depressão psicótica.
- Depressão atípica (isto é, com aumento de sono e de apetite).
- Transtorno ciclotímico ou personalidade hipertímica.
- Má resposta a tratamento com três antidepressivos diferentes. Contudo, nenhum desses fatores isoladamente tem caráter diagnóstico.[1]

Sendo uma doença crônica, para toda a vida, assim como diabetes ou hipertensão arterial, o TB necessita de medicamento e supervisão constantes. Não se trata, porém, de loucura. Embora existam casos graves, geralmente o tratamento regular possibilita a volta do indivíduo às suas características pré-mórbidas.

É importante ter em mente que o tratamento, até o momento, é preconizado para toda a vida e feito de acordo com as características tanto do indivíduo (como a presença ou não de outras doenças) como da patologia (gravidade do quadro atual, predomínio de fases, história de internações ou tentativas de suicídio, sintomatologia psicótica, uso de substância ou presença de sintomas residuais). A completa resolução dos sintomas é chamada de remissão, e a meta de todo tratamento é a recuperação funcional, visando a retomada das características anteriores, o retorno ao trabalho, a restauração de relacionamentos pessoais e a retomada de *hobbies* e interesses.

O TB apresenta recorrência de episódios em 90% dos pacientes, e a recuperação funcional, muitas vezes, vem muito tempo depois da recuperação sintomática. Episódios recorrentes podem levar a deterioração progressiva do funcionamento e sequelas, assim como episódios subsequentes podem afetar a resposta ao tratamento e piorar o prognóstico da doença.[2,3]

A base do tratamento do TB são os estabilizadores do humor, e o estabilizador ideal tem por característica atuar tanto na fase aguda, tratando episódios de depressão, hipomania, mania e estados mistos, como na fase de manutenção, impedindo que o indivíduo passe da fase depressiva para a maníaca e vice-versa. O medicamento mais adequado a essa definição é o lítio.

Além do uso do lítio como estabilizador, são utilizados os chamados anticonvulsivantes e os antipsicóticos atípicos. Os anticonvulsivantes são representados pelo valproato (VPX), ácido valproico, valproato de sódio e divalproato de sódio, carbamazepina (CBZ), oxcarbazepina (OXCB) e lamotrigina (LMT). Os critérios de indicação desses fármacos encontram-se no Quadro 6.1.

QUADRO 6.1 ESTABILIZADORES DO HUMOR

ESTABILIZADOR DO HUMOR	CRITÉRIOS DE INDICAÇÃO
Lítio	• Efeito tanto na mania como na depressão, sendo eficaz também em hipomanias e na profilaxia do TB • Menos eficaz na profilaxia de cicladores rápidos • Toxicidade: requer monitoração periódica de nível sanguíneo (litemia) • Funções renal e tireoidiana precisam ser monitoradas
Ácido valproico/ Valproato/Divalproato	• Efeito em mania, hipomania, estados mistos e cicladores rápidos • Efeito antidepressivo mínimo (ansiolítico) • Possível escolha em casos de estados mistos, hipomanias ou espectro bipolar; associação com uso, abuso e dependência de álcool e drogas em cicladores rápidos • Monitorização hepática e sanguínea • Atenção: cuidado com ovários policísticos
Carbamazepina	• Mania e hipomania agudas e na profilaxia de pacientes bipolares • Manias secundárias a lesões estruturais do cérebro • Efeito antidepressivo superior ao do valproato, embora inferior ao do lítio • Múltiplas interações medicamentosas • Relação desconhecida entre nível sérico e efeito clínico estabilizador do humor • Monitorização hematológica e hepática • Risco de alergia

Os antipsicóticos atípicos são representados pela risperidona, olanzapina, quetiapina, ziprasidona, aripiprazol e asenapina (a clozapina é reservada a casos resistentes ao tratamento). Eles são empregados com estabilizadores do humor e para tratamento de outros sintomas, como delírios, alucinações, agitação, pensamentos acelerados, entre outros.

Tratamentos combinados são frequentemente utilizados com antipsicóticos típicos, como haloperidol, clorpromazina, trifluoperazina; antidepressivos; hormônios tireoidianos; e benzodiazepínicos (diazepam, clonazepam, nitrazepam, etc.), tendo uma indicação de uso bem definida pelo médico.

O abandono de qualquer tratamento de patologias crônicas, como é o caso do TB, acontece pela falta de conhecimento, pelo preconceito ou pela ocorrência de efeitos colaterais. Nas tabelas seguintes, são abordados os principais efeitos colaterais dos estabilizadores do humor e dos antipsicóticos atípicos, bem como as condutas para atenuá-los. A maioria dos eventos adversos melhora com o tempo de uso.

QUADRO 6.2 LÍTIO – EFEITOS COLATERAIS MAIS COMUNS E ESTRATÉGIAS DE ABORDAGEM

EFEITO COLATERAL	ESTRATÉGIA
Tremores	↓ dose, β-bloqueadores em dose baixa.
Distúrbios gastrointestinais (náuseas, dores de estômago, diarreia, gosto metálico)	↓ dose, administrar às refeições, mudar para preparações "CR" (liberação lenta). Em caso de diarreia, incluir obstipantes leves como os de origem vegetal (folha de goiabeira).
Poliúria (urinar em grande quantidade)/Polidipsia (beber água em grande quantidade)	Descartar diabetes insípido nefrogênico (para o qual seria indicado o uso de diuréticos tiazídicos em dose baixa); ↓ dose, ↓ ingestão de proteínas.
Aumento de peso	Dieta e exercício. Cuidado com a função da tireoide.
Dificuldade de atenção, concentração, memória	↓ dose pode melhorar com o uso continuado (neuroadaptação). Cuidado com a função da tireoide.
Letargia, sedação	↓ dose pode melhorar com o uso continuado (neuroadaptação). Cuidado com a função da tireoide.
Perda de cabelos	Uso de selênio (25 μg/dia) e de zinco (50 mg/dia) associados ao lítio.
Acne	Antibióticos tópicos ou sistêmicos.
Edema (inchaço)	Verificar outras causas; eventualmente, uso de diuréticos específicos, apenas quando indicados pelo médico.
Psoríase	↓ dose, cuidados dermatológicos; frequentemente exige troca do EH.
Hipotireoidismo	Suplementação com hormônio tireoidiano.

EH = estabilizador do humor.

QUADRO 6.3 VALPROATO, ÁCIDO VALPROICO, DIVALPROATO DE SÓDIO – EFEITOS COLATERAIS MAIS COMUNS E ESTRATÉGIAS DE ABORDAGEM

EFEITO COLATERAL	ESTRATÉGIA
Tremores	↓ dose, β-bloqueadores em dose baixa
Distúrbios gastrintestinais (náuseas, dor de estômago, diarreia)	↓ dose, trocar ácido pelo sal (mais raramente vice-versa), antiácidos (bloqueadores H2 e de bomba de prótons)
Afinamento ou perda de cabelos	Uso de selênio (25 µg/dia) e de zinco (50 mg/dia) associados
Aumento de peso	Dieta e exercício
Letargia, sedação	↓ dose pode melhorar com o uso continuado (neuroadaptação)

QUADRO 6.4 CARBAMAZEPINA – EFEITOS COLATERAIS MAIS COMUNS E ESTRATÉGIAS DE ABORDAGEM

EFEITO COLATERAL	ESTRATÉGIA
Vermelhidão na pele	Suspender CBZ, substituindo por outro EH
Diminuição dos glóbulos brancos	Suspender CBZ e substituir por outro EH. Em casos de leucopenia leve, ↓ dose e monitorar hemograma. Se o paciente tiver boa resposta clínica e o efeito colateral persistir, considerar troca por OXCB.
Visão borrada	↓ dose
Visão dupla	↓ dose, considerar substituição do EH
Elevação moderada de enzimas do fígado	↓ dose, monitorar mais amiúde, considerar substituição do EH se maior que o dobro do limite indicado

CBZ = carbamazepina; EH = estabilizador do humor; OXCB = oxcarbazepina.

APRENDENDO A VIVER COM O TRANSTORNO BIPOLAR

QUADRO 6.5 ANTIPSICÓTICOS ATÍPICOS – EFEITOS COLATERAIS MAIS COMUNS E ESTRATÉGIAS DE ABORDAGEM

ANTIPSICÓTICO ATÍPICO	EFEITO ANTIMANÍACO	EFEITO ANTIDEPRESSIVO	REAÇÕES ADVERSAS SIGNIFICATIVAS
Risperidona	++	-	Galactorreia (aumento dos seios com secreção de leite), sintomas extrapiramidais (movimentos musculares irregulares e involuntários discretos)
Olanzapina	++	++ (associado a fluoxetina)	Aumento de peso, diabetes melito, sonolência
Ziprasidona	++	-	Perda de peso, náuseas, sonolência, sintomas extrapiramidais (movimentos musculares irregulares e involuntários discretos)
Quetiapina	++	++	Sonolência, aumento de peso
Aripiprazol	++	-	Náuseas, acatisia (desassossego, incapacidade de se manter parado)
Clozapina	++	-	Sonolência, convulsões, agranulocitose (problemas sanguíneos graves)
Asenapina	++	-	Sonolência, aumento de peso, sintomas extrapiramidais e prolongamento de QT no eletrocardiograma

++ = evidências claras de ação; - = sem evidências robustas de eficácia.[4-7]

QUADRO 6.6 ANTIDEPRESSIVOS – EFEITOS COLATERAIS MAIS COMUNS E ESTRATÉGIAS DE ABORDAGEM

ANTIDEPRESSIVOS	EFEITOS COLATERAIS
Citalopram, escitalopram, fluvoxamina, paroxetina, fluoxetina, sertralina	Náusea, insônia, ansiedade, sedação, agitação, disfunção sexual, sintomas de descontinuação se suspensos abruptamente (com exceção da fluoxetina)
Bupropiona	Agitação, insônia, ansiedade, dor de cabeça, boca seca; possibilidade de convulsões quando existem fatores específicos de riscos, como história anterior de convulsões, trauma craniano, transtorno alimentar

QUADRO 6.6 ANTIDEPRESSIVOS – EFEITOS COLATERAIS MAIS COMUNS E ESTRATÉGIAS DE ABORDAGEM (continuação)

ANTIDEPRESSIVOS	EFEITOS COLATERAIS
Venlafaxina, desvenlafaxina e duloxetina	Ansiedade, náusea, tontura, sedação, disfunção sexual, sudorese, sintomas de descontinuação se suspensos abruptamente
Mirtazapina	Sonolência, aumento de apetite e de peso, tontura, boca seca, obstipação intestinal
Tranilcipromina, moclobemida	Tontura, boca seca, retenção urinária, insônia, sedação, queda de pressão, ganho de peso, disfunção sexual. A tranilcipromina pode causar aumento abrupto e intenso de pressão se associada a determinados medicamentos ou a ingestão de certos alimentos com os quais interage
Clomipramina, imipramina, nortriptilina, amitriptilina, maprotilina	Sonolência, boca seca, ganho de peso, hipotensão ortostática, visão borrada, tontura, obstipação intestinal
Trazodona	Sonolência, náusea, tontura, boca seca, obstipação intestinal, ganho de peso
Agomelatina	Sonolência, tontura, obstipação intestinal, dor de cabeça, sudorese
Reboxetina	Hesitação urinária, dor de cabeça, constipação intestinal, sudorese, tontura, boca seca, redução da libido, insônia, taquicardia

Fonte: Nardi e Freire[8] e Stahl.[9,10]

A maioria dos efeitos colaterais acontece entre a primeira e a segunda semana e o organismo desenvolve tolerância aos efeitos colaterais, quando passa a se acostumar aos medicamentos. Vale ressaltar que efeitos colaterais mencionados aqui e nas bulas acontecem somente em 5 a 10% dos pacientes, e, se incomodarem demais, há estratégias para amenizá-los (Quadro 6.7).

Todo tratamento implica em relação custo-benefício. Conforme já mencionado, o TB não tratado causa prejuízo significativo ao indivíduo, à sua família e à sociedade. Apesar de dispormos de tratamentos eficazes, muitas vezes demanda tempo para que se encontre o melhor esquema para o paciente. Além disso, todos os medicamentos determinam efeitos colaterais em maior ou menor grau.

Não se deixe desencorajar pelos efeitos colaterais. É possível reduzi-los, por exemplo, com mudança de horário da ingestão, quando há sonolência ou insônia, ou tomando junto com a refeição se houver náuseas. Os sintomas gastrintestinais, inclusive a náusea, tendem a ser passageiros.

QUADRO 6.7 ESTRATÉGIA DE ABORDAGEM DOS ANTIDEPRESSIVOS

EFEITO COLATERAL	ESTRATÉGIA
Insônia	Uso de zolpidem ou trazodona
Constipação intestinal	Uso de laxativos, como ameixa e mamão; beber pelo menos 2 litros de água/dia
Ganho de peso	Dieta e exercícios
Disfunção sexual	Trocar por mirtazapina ou bupropiona; acrescentar agentes dopaminérgicos, por exemplo, amantadina, bromocriptina, metilfenidato, d-anfetamina
Visão borrada	↓ da dose, troca do AD
Sonolência, letargia	↓ da dose, troca do AD
Boca seca	Aumento do aporte de água, água com limão.
Tontura, hipotensão ortostática	↓ da dose, troca do AD

AD = antidepressivo.
Fonte: Nardi e Freire[8] e Stahl.[9,10]

Algumas vezes se prescreve outro medicamento para combater um determinado efeito colateral ou ajusta-se a dose para o nível do desconforto ser mais tolerável. Se necessário, pode-se trocar o fármaco. A decisão de mudar ou suspender algum medicamento deve ser tomada sempre junto ao médico.

 PONTO IMPORTANTE

Nenhum tratamento resultará no efeito desejado se o paciente não respeitar seu ciclo de sono-vigília ou fizer uso de drogas, psicoestimulantes e bebidas alcoólicas. Para tanto, o conhecimento é indispensável.

PERGUNTAS FREQUENTES

OS MEDICAMENTOS VICIAM?
O TB é uma doença crônica, e, portanto, se faz necessário o uso contínuo de medicamento. Ao contrário do que frequentemente se pensa, não são todos os medicamentos psiquiátricos que causam dependência. Isso só ocorre com aqueles identificados na embalagem com uma tarja preta, que são os tranquilizantes ou indutores do sono, e estes costumam ser usados no TB por um limitado período de tempo. Antidepressivos, estabilizadores do humor e antipsicóticos não viciam, mas se você esquecer doses, interromper o uso ou tomar menos do que o médico prescreveu, os sintomas voltam, pois o tratamento terá perdido a eficácia.

NÃO VOU FICAR INTOXICADO SE UTILIZAR OS MEDICAMENTOS PRESCRITOS?
Qualquer fármaco usado em excesso pode intoxicar, inclusive os analgésicos. Felizmente, os diversos tratamentos para o TB, se utilizados de forma responsável e com controle regular do psiquiatra, não oferecem riscos de intoxicação. A única exceção é o lítio, e, por isso, sua dose deve ser ajustada conforme o exame de sangue, a litemia.

NÃO É MELHOR UM TRATAMENTO NATURAL?
O tratamento deve ser baseado em medicamentos cuja eficácia foi demonstrada em pesquisas médicas. Os ditos tratamentos naturais, além de não apresentarem a eficácia adequada, também não são isentos de efeitos colaterais e/ou riscos para saúde. Não se aventure com tratamentos alternativos de eficácia duvidosa (ver Cap. 7). Cuide da sua mente e do seu corpo!

MESMO APÓS 20 ANOS COM TB É PRECISO CONTINUAR O TRATAMENTO?
Por ser uma doença crônica, para a vida toda, com risco de novos episódios próximo dos 100%, mesmo os pacientes estáveis devem manter o uso regular dos medicamentos, evitando a possibilidade de recaídas.

É NORMAL O MEDICAMENTO AINDA NÃO FAZER EFEITO DEPOIS DE QUATRO MESES DE TRATAMENTO?
Não. Os medicamentos, mesmo que não tragam a estabilidade completa, devem proporcionar algum efeito benéfico a curto prazo. O médico geralmente reavalia a eficácia do tratamento nas primeiras 3 a 4 semanas de uso.

O FATO DE TOMAR MEDICAMENTOS PELO RESTO DA VIDA É O QUE MAIS ASSUSTA. O QUE FAZER?
O ideal é não se preocupar, inicialmente, com a necessidade de medicamento pelo resto da vida. Primeiro, é preciso fazer o tratamento de forma regular e avaliar os seus ganhos após a estabilização do humor a médio e longo prazos. Provavelmente, o custo do tratamento vitalício será muito pequeno se comparado aos ganhos na qualidade de vida que ele proporciona.

QUAIS SÃO OS MEDICAMENTOS MAIS ADEQUADOS PARA TRATAR O TB? QUAL A DIFERENÇA ENTRE ELES?
A escolha do medicamento depende de diversos fatores. Ela é guiada por evidências científicas de eficácia, tolerabilidade (efeitos colaterais) e toxicidade, sendo baseada no perfil de cada paciente, no tipo de apresentação dos sintomas bipolares (o predomínio de fases depressivas, maníacas/hipomaníacas ou estados mistos) e na presença de outros diagnósticos psiquiátricos, como o uso

PERGUNTAS FREQUENTES

de drogas, e não psiquiátricos, como cardiológicos, para que, assim, seja escolhido o tratamento mais indicado para cada paciente.

TODOS OS MEDICAMENTOS CAUSAM EFEITOS COLATERAIS? QUAIS SÃO OS EFEITOS COLATERAIS MAIS COMUNS?
Efeitos colaterais nem sempre ocorrem, e a maioria acomete menos de 10% dos pacientes. A frequência e a intensidade podem aumentar e/ou reduzir com associação de dois ou mais medicamentos. Em relação aos efeitos mais frequentes, variam de acordo com o medicamento em uso. De modo geral, todos os medicamentos usados em medicina, psiquiátricos ou não, tem o potencial de provocar efeitos não desejados.

COMO LIDAR COM OS EFEITOS COLATERAIS DOS MEDICAMENTOS?
Primeiro é necessário observar se o efeito colateral é esperado para o medicamento em uso e qual a gravidade e a intensidade. Raramente é preciso procurar um hospital. O melhor a fazer é entrar em contato com o seu psiquiatra.

Para a maior parte dos efeitos colaterais, existe adaptação do organismo e melhora da tolerabilidade ao longo do tempo. Para outros, o médico poderá receitar medicamentos que controlam os efeitos colaterais. Isso é importante quando o estabilizador está fazendo bem para a pessoa e não se quer perder os benefícios. Em último caso, se ainda assim não for tolerado pelo paciente, o médico pode substituir o medicamento.

QUANDO O PACIENTE TOMA MAIS DE UM MEDICAMENTO, COMO SABER QUAL O RESPONSÁVEL PELO EFEITO COLATERAL?
Essa avaliação deve ser feita com o seu psiquiatra, pois ele saberá informar qual medicamento provavelmente está causando tais efeitos, porque eles variam de um fármaco a outro.

COMO FAZER PARA EVITAR O GANHO DE PESO AO INICIAR O TRATAMENTO COM OS MEDICAMENTOS? NÃO QUERO TER DE TOMAR SIBUTRAMINA E TER MAIS COMPORTAMENTOS DE AGRESSIVIDADE.
Antes de achar que seus medicamentos podem causar ganho de peso, vale lembrar que o próprio TB pode causar ansiedade de comer e aumento de peso, e não é possível engordar sem comer. Portanto, fica mais fácil controlar o peso quando o paciente se equilibra, principalmente do estado misto, que pode se associar a ansiedade e agressividade. O controle alimentar, evitando ou suprimindo alimentos mais calóricos e fazendo atividades físicas, auxilia muito na prevenção nos casos em que o fármaco aumenta a fome. Pode-se discutir com o psiquiatra a possibilidade de troca por medicamentos com menor ou sem potencial de ganho de peso.

SE O HOMEM É BIPOLAR E SE TRATA COM MEDICAMENTOS, EXISTE ALGUM RISCO PARA A GRAVIDEZ DA SUA ESPOSA?
Não. Até o momento não existe evidência de que o medicamento utilizado pelo homem possa interferir na gravidez de sua mulher.

ALÉM DO TRATAMENTO DE MANUTENÇÃO, EXISTE ALGUM MEDICAMENTO QUE POSSA TIRAR RAPIDAMENTE UM PACIENTE DA CRISE?
Sim. Existem várias estratégias de tratamento durante as crises, mas devem ser avaliadas conforme o caso. Geralmente, são administradas em serviços de atenção de urgência em psiquiatria.

PERGUNTAS FREQUENTES

POR QUE NÃO DEVEMOS PARAR O TRATAMENTO COM MEDICAMENTOS? ISSO ESTÁ RELACIONADO À RESPOSTA DOS ANTIDEPRESSIVOS?
Porque o tratamento regride e os sintomas voltam, caso interrompa o período determinado pelo médico. Lembre-se que o TB tem controle, mas não cura. O uso contínuo dos medicamentos é necessário para manter-se estável. Em geral, a dose do medicamento eficaz é a que deve ser continuada no período de manutenção, a fim de evitar novas crises. Isso não tem ligação com a resposta dos antidepressivos quando usados em associação com estabilizadores do humor.

HÁ A POSSIBILIDADE DE O EPISÓDIO DE MANIA TER SIDO CAUSADO PELO MEDICAMENTO DE COMBATE À DEPRESSÃO?
É bastante frequente os antidepressivos transformarem depressão em mania, hipomania ou estados mistos em pacientes com TB ou risco aumentado de bipolaridade. Parte dos pacientes bipolares necessita de tratamento com antidepressivos, mas sempre utilizados junto com estabilizadores do humor, para minimizar risco de virada ou ciclagem.

O QUE FAZER QUANDO A PESSOA É BIPOLAR, MORA SOZINHA E NÃO TOMA OS MEDICAMENTOS ADEQUADAMENTE?
A figura do cuidador é importante e, muitas vezes, vital. Ele pode ser um familiar, um amigo ou um vizinho. Na ausência dele, o paciente deve procurar os serviços de saúde disponíveis que possam realizar o seu acompanhamento e/ou avaliar a possibilidade do uso de medicamento de longa duração, como injeções de medicamentos cujo efeito dura 15 a 30 dias, junto ao seu psiquiatra. Em alguns casos, é preciso pedir auxílio para que um juiz nomeie um tutor.

POR QUE OS SINTOMAS NÃO DESAPARECEM SE EU TOMO AS MEDICAÇÕES CORRETAMENTE HÁ 25 ANOS?
Não basta tomar o medicamento corretamente. O tratamento do TB é complexo e exige a mudança de vários hábitos, como respeitar o ritmo de sono e evitar álcool, drogas e estimulantes. Além disso, o médico deve revisar periodicamente o tratamento, analisar condições médicas gerais, indicar acompanhamento psicoterapêutico se preciso, entre várias outras estratégias para maximizar a resposta ao tratamento. Também existem casos mais graves e/ou resistentes ao uso de medicamentos, que tendem a demorar mais para estabilizar, as quais devem ser tratados em centros especializados. Os antidepressivos podem ser necessários, mas também podem fazer a doença não se estabilizar. Por exemplo, se a depressão for mista (veja na parte de quadro clínico), ela tende a ser pior e o médico pode combinar antidepressivos, em vez de ajustar os estabilizadores do humor.

O QUE FAZER QUANDO O PACIENTE TEM DEPRESSÃO DE MANHÃ E EUFORIA À NOITE?
Nesse caso, trata-se de estado misto bipolar, um tipo de episódio mais instável e difícil de estabilizar. Tal condição geralmente exige a combinação de estabilizadores do humor a fim de maximizar a resposta ao tratamento. O paciente deve evitar estímulos à noite e nunca se manter acordado durante a madrugada em busca de estímulos, porque isso é o que os sintomas de mania causam. Ele precisa acertar o horário em que toma as medicações e, por vezes, adiantar o uso dos medicamentos mais sedativos, mas buscar dormir à noite. O sono nesse período é fundamental, e a privação de sono nesse horário costuma fazer os sintomas voltarem a piorar.

EXCESSO DE MEDICAMENTO PODE DEIXAR O PACIENTE "DOPADO"?
Sim. Os medicamentos com efeitos mais sedativos, quando usados em excesso ou em pessoas mais sensíveis, podem provocar sedação e sonolência excessiva, popularmente chamados de "do-

pe". Contudo, a própria depressão pode causar sonolência excessiva e fazer a pessoa ficar lenta e apática. Nesses casos, reduzir as doses dos estabilizadores do humor pode, por vezes, agravar a situação.

TOMAR OS MEDICAMENTOS POR UM PERÍODO LONGO DE TEMPO PODE CAUSAR PREJUÍZO OU DEPENDÊNCIA?

Os estabilizadores do humor são fármacos de uso de longo prazo. O uso de medicamento por longos períodos necessita de controle por meio de exames clínicos, o que reduz os riscos de prejuízos em longo prazo. Os medicamentos psiquiátricos não causam dependência, com exceção dos benzodiazepínicos (medicamentos de tarja preta), que são de uso temporário.

POR QUE O MÉDICO TROCA TANTAS VEZES A MEDICAÇÃO DO PACIENTE?

A troca de medicamentos ocorre em função da ausência de resposta ao tratamento anterior ou porque a pessoa não suportou seus efeitos colaterais. Existem vários medicamentos usados na estabilização do humor, como lítio, anticonvulsivantes e antipsicóticos atípicos, mas não se sabe de antemão qual(is) de fato resolve(m) o TB. É necessário ajustar o melhor tratamento de acordo com o paciente, a fim de individualizá-lo.

O QUE ACONTECE SE DEIXAR DE TOMAR O MEDICAMENTO OU TOMÁ-LO FORA DO HORÁRIO?

A interrupção abrupta do fármaco pode provocar grande desconforto e, muitas vezes, pôr em risco a saúde do paciente. A suspensão do uso dos medicamentos provocará a curto ou médio prazo o retorno dos sintomas, e a resposta ao tratamento não será mais a mesma. Já o uso em horários irregulares pode alterar o ritmo de sono-vigília, provocando uma desestabilização do humor.

O ANTIDEPRESSIVO PODE PASSAR PARA O LEITE MATERNO?

Há antidepressivos que passam muito pouco pelo leite materno, assim, a exposição da criança ao antidepressivo por essa via geralmente é muito baixa. Consideramos que não deve ser aconselhada a interrupção da amamentação durante o uso de antidepressivos, mas uma avaliação de risco-benefício individual sempre deve ser realizada com seu médico.[3]

ESTABILIZADOR DO HUMOR E ANTIDEPRESSIVO SÃO CONFIÁVEIS OU PERIGOSOS?

Depende de cada caso, mas não é recomendado tomar antidepressivo sem estabilizador do humor. Isso é perigoso e contraindicado, porque a pessoa pode voltar a ficar com humor instável, ou seja, entrar em um episódio hipo/maníaco ou misto. A associação de antidepressivo a estabilizadores do humor no tratamento da fase depressiva bipolar por vezes é necessária, porém deve ser avaliada e monitorada devido ao risco mencionado. Atualmente, dispomos de medicamentos que não pertencem ao grupo dos antidepressivos – como a lamotrigina, que é um anticonvulsivante, e a quetiapina, que é um antipsicótico de nova geração –, os quais apresentam ação antidepressiva e, muitas vezes, são prescritos no lugar dos antidepressivos, sempre a critério médico.

O LÍTIO PODE PREJUDICAR O RIM? QUANDO DEVEMOS TOMÁ-LO?

O lítio pode prejudicar a função do rim somente nos casos de intoxicação, quando os níveis da substância estão elevados no sangue, por isso seu uso requer a monitorização da dose. O lítio é considerado a primeira escolha no tratamento do TB, exceto em apresentações específicas que predigam melhor resposta aos outros tratamentos disponíveis ou quando há alguma condição clínica que contraindique o seu uso.

PERGUNTAS FREQUENTES

O QUE FAZER QUANDO A PESSOA NÃO ACEITA A DOENÇA E NÃO QUER TOMAR O MEDICAMENTO?
Em casos graves, com risco ao paciente ou a terceiros, deve ser feita internação hospitalar, mesmo contra a vontade do indivíduo, com autorização do responsável, pois esta, ainda que involuntária, visa proteger o paciente. Nos outros casos, o mais indicado é psicoeducação. Quanto mais informações sobre a doença tiver, mais facilmente ele aceitará o tratamento. Não se esqueça de sempre buscar informações em fontes confiáveis.

APÓS TOMAR TANTOS MEDICAMENTOS, EXISTE UMA CHANCE REAL DE ESTABILIZAÇÃO?
Esse é o objetivo máximo do tratamento, mas algumas vezes, demora de 1 a 2 anos para ser atingido, em sucessivos ajustes e trocas medicamentosas que requerem paciência e confiança.

COMO É A RITALINA NO TRATAMENTO DO TB?
A ritalina é usada principalmente nos casos em que o paciente também apresenta transtorno de déficit de atenção/hiperatividade (TDAH), e não apenas TB. Mas cuidado! Frequentemente os sintomas de TB aparecem ainda na infância, contudo, foi diagnosticado apenas o TDAH, existe o risco de desestabilização e piora dos sintomas de irritabilidade, agitação a distração.

OS MEDICAMENTOS PODEM SER TOMADOS PARA EMAGRECER?
Os estabilizadores do humor não são indicados para emagrecer, e sim para tratamento psiquiátrico.

HÁ ALTERAÇÃO NA EFICÁCIA DO TRATAMENTO SE TOMAR O MEDICAMENTO FORA DO HORÁRIO, MAS NO MESMO DIA?
Sim. Há diferença entre tomar os medicamentos em um horário regular e em horários irregulares, principalmente devido à alteração do ciclo sono-vigília e do período de efeito dos fármacos.

EM CASO DE GRAVIDEZ, POSSO CONTINUAR TOMANDO OS MEDICAMENTOS NORMALMENTE? O QUE FAZER PARA EVITAR RISCO PARA O BEBÊ? E QUANDO ESTIVER AMAMENTANDO?
Essa decisão deve ser avaliada pela paciente e seu cônjuge junto ao psiquiatra, comparando o risco do medicamento para o feto com o risco de recaída do TB. Deve-se lembrar que uma gestante com depressão ou mania não tratadas tem chance maior de abortamento espontâneo, complicações obstétricas, prematuridade, recém-nascido de baixo peso, uso de álcool, nicotina e drogas ilícitas e de comportamentos de autoagressão e suicidas, sem contar que o pós-parto é um período de maior risco para depressão e mania.[14] Alguns medicamentos são totalmente contraindicados na gravidez, enquanto outros podem ser usadas com ressalva. Assim, é importante discutir com o psiquiatra sobre os tratamentos disponíveis com menor risco de má formação fetal e ver se há possibilidade de aderir a medicamentos que possuem baixa excreção pelo leite materno e são mais seguras para o bebê.

POR QUE, NO SERVIÇO PÚBLICO, SÓ SE ACEITA FLUOXETINA COMO MEDICAMENTO PARA DEPRESSÃO?
Porque algumas vezes a prescrição médica é norteada pela disponibilidade do medicamento na rede pública ou pelo seu custo, e não pela evidência de maior efetividade.

PERGUNTAS FREQUENTES

QUAIS SÃO OS RISCOS DO TB SE NÃO FOR TRATADO?
O TB é uma doença que gera muito sofrimento tanto para o paciente como para seus familiares. Sem tratamento, o TB tipo I reduz a expectativa de vida, em média, em 8 anos, afetando tanto a saúde física como a psíquica. Quanto mais crises a pessoa teve, principalmente de mania, maior o risco de desenvolver esses prejuízos cerebrais, que o lítio, por exemplo, consegue prevenir.

De 10 a 15% dos bipolares cometem suicídio, sendo que o risco é maior para aqueles que não se tratam; portanto, a falta de tratamento também traz prejuízos socioeconômicos elevados para a sociedade.

APÓS O PACIENTE NÃO TER MAIS TANTOS SINTOMAS DO TB, É POSSÍVEL TER RECAÍDAS? PODE HAVER RECORRÊNCIA MESMO APÓS A ESTABILIZAÇÃO?
Sim, mas se o tratamento estiver sendo realizado de forma adequada e contínua, o risco é mínimo, e a intensidade dos sintomas é bem menor. Devem ser avaliadas as possíveis causas da desestabilização, a fim de reduzir os riscos de novos episódios no futuro.

REFERÊNCIAS

1. Goodwin FK, Jamison KR. Manic-depressive illness: bipolar disorders and recurrent depression. 2nd ed. New York: Oxford University; 2007.

2. Teng CT, Demetrio FN. Psicofarmacologia do transtorno bipolar. In: Demetrio FN, organizador. Psicofarmacologia aplicada: manejo prático dos transtornos mentais. São Paulo: Atheneu; 2006. p. 121.

3. Ketter TA. Diagnostic features, prevalence, and impact of bipolar disorder. J Clin Psychiatry. 2010;71(6):e14.

4. Tohen M, Strakowski SM, Zarate C Jr, Hennen J, Stoll AL, Suppes T, et al. The McLean-Harvard first-episode project: 6-month symptomatic and functional outcome in affective and nonaffective psychosis. Biol Psychiatry. 2000;48(6):467-76.

5. Leucht S, Cipriani A, Spineli L, Mavridis D, Orey D, Richter F, et al. Comparative efficacy and tolerability of 15 antipsychotic drugs in schizophrenia: a multiple-treatments meta-analysis. Lancet. 2013;382(9896):951-62.

6. Henry JM, Fuller MA. Asenapine: a new antipsychotic option. J Pharm Pract. 201;24(5):447-51.

7. McIntyre RS. Asenapine: a review of acute and extension phase data in bipolar disorder. CNS Neurosci Ther. 2011;17(6):645-8.

8. Nardi AE, Freire RC. Guia prático de medicamentos antidepressivos. São Paulo: Leitura Médica; 2011.

9. Stahl SM. Psychopharmacology of antidepressants. London: Martin Dunitz; 1997.

10. Stahl SM. Stahl's essential psychofarmacology neuroscientific basis and practical applications. New York: Cambridge University; 2013.

11. Forlenza OV, Miguel EC. Compêndio de clínica psiquiátrica (USP-HC-IPQ-USP). Barueri: Manole; 2012.

LEITURAS SUGERIDAS

Dion GL, Tohen M, Anthony WA, Waternaux CS. Symptoms and functioning of patients with bipolar disorder six months after hospitalization. Hosp Community Psychiatry. 1988;39(6):652-7.

Keck PE Jr, McElroy SL, Strakowski SM, West SA, Sax KW, Hawkins JM, et al. 12-month outcome of patients with bipolar disorder following hospitalization for a manic or mixed episode. Am J Psychiatry. 1998;155(5):646-52.

Moreno RA, Moreno DH, organizadores. Da psicose maníaco-depressiva ao espectro bipolar. 2. ed. São Paulo: Segmento Farma; 2008.

7
TRATAMENTOS ALTERNATIVOS

Aline Valente Chaves
Chei Tung Teng

Muitos pacientes não desejam tomar medicamentos convencionais, ou por preconceito ou pela experiência anterior de ter tomado alguma medicação e não se adaptado. Esses pacientes e seus familiares, se desejarem, podem pedir ao médico alternativas mais naturais, na esperança de que tratamentos desse gênero sejam mais facilmente tolerados e apresentem maior eficácia.

Em contrapartida, existem tratamentos não medicamentosos que podem trazer muitas dúvidas e medos e provocar reações de angústia diante de uma proposta que, a princípio, pode parecer assustadora, como a eletroconvulsoterapia, a estimulação magnética transcraniana e até uma internação hospitalar psiquiátrica. Essas questões serão abordadas clara e sucintamente neste capítulo.

MEDICAMENTOS NATURAIS NO TRATAMENTO DO TRANSTORNO BIPOLAR

Um tratamento é considerado natural ou alternativo quando não foi estudado o suficiente para ser indicado de forma segura e consistente para uma doença específica. Alguns exemplos seriam alimentos, alguns fitoterápicos, procedimentos e técnicas como acupuntura, massagens e homeopatia. Às vezes, também é considerado tratamento alternativo quando um medicamento que tinha uma indicação é usado para outra, como, por exemplo, usar remédio para tosse para tratar transtorno bipolar (TB).

Quando um tratamento natural ou considerado alternativo é estudado suficientemente e constata-se que possui eficácia e segurança bem estabelecidos, além de uma indicação clara para o TB, ele deixa de ser alternativo e passa a ser uma possibilidade terapêutica oficial.

Nesse sentido, é importante frisar que nem todo tratamento natural é seguro ou mesmo eficaz. Há alimentos que podem intoxicar em doses excessivas, chás que podem causar anemia por diminuir a absorção de ferro, frutas que podem aumentar perigosamente os níveis de medicamentos que o paciente já estava tomando e vitaminas que são tóxicas em doses muito próximas da dose mínima diária. No caso de fitoterápicos, medicamentos preparados com substâncias ativas presentes em plantas na forma de extratos vegetais, citamos como exemplo o *Hypericum perforatum*, popularmente conhecido como erva-de-são-joão. Seu uso no tratamento da depressão foi bastante investigado, mas pode diminuir os níveis de diversos medicamentos, como aqueles para HIV, além de não ser uma estratégia aprovada pelas diretrizes de tratamento para depressão.

Em relação ao TB, existem pouquíssimos estudos que comprovam eficácia de tratamentos naturais e alternativos. A substância que apresenta melhor evidência é o ômega-3, um tipo de óleo essencial, que o corpo necessita, mas não produz, e, portanto, precisa obter pela alimentação. Se uma pessoa fica absolutamente desprovida de ômega-3, acaba morrendo. Essa substância é encontrada em diversos alimentos, sobretudo no óleo de peixe e em algumas sementes, como a canola. O ômega-3 foi estudado na depressão bipolar somente em associação com o tratamento medicamentoso (nunca como tratamento único), trazendo resultados pouco consistentes. Entretanto, como é um alimento essencial, seu uso pode ser recomendado sem restrições para pacientes com TB.

Alguns complementos alimentares (em geral relacionados a vitaminas e aminoácidos, que compõem as proteínas do corpo), como o inositol, a colina, o 5-hidroxi-1-triptofano e a N-acetil-cisteína, foram estudados e apresentaram eficácia no tratamento do TB, especialmente nas fases depressivas, podendo ser úteis. Eles costumam ser utilizados em doses bem altas e podem ter efeitos adversos, sendo necessária a orientação de um médico para sua utilização no tratamento do TB. Já a desidroepiandrosterona, um tipo de hormônio sexual masculino, também pode ser um tratamento para depressão e TB, mas sempre como medicamento associado e necessitando muito cuidado no seu uso, pois, se aplicado incorretamente, pode levar até à morte ou ao câncer.

No Quadro 7.1 estão listadas algumas terapias que possuem apoio de estudos para seu uso no tratamento dos transtornos do humor. É importante destacar que são apenas coadjuvantes e não devem ser utilizados como tratamentos únicos do TB, podendo ser adicionados aos estabilizadores do humor e a outros fármacos bem estudados. Eles precisam ser indicados e orientados por médicos psiquiatras para que sejam utilizados no momento adequado, em fases específicas da doença.

Podemos afirmar, portanto, que os diversos tratamentos ditos alternativos que não possuem estudos de segurança e eficácia, incluindo homeopatia, florais, massagens e meditações, terapias energéticas ou espirituais ou qualquer nova terapia, devem ser evitados. Além de sua utilidade ser questionável, seu uso pode prejudicar os pacientes devido a eventuais efeitos adversos potencialmente perigosos e postergar o acesso a tratamentos com chances reais de eficácia.

QUADRO 7.1 TRATAMENTOS ALTERNATIVOS COADJUVANTES NOS TRANSTORNOS DO HUMOR

DEPRESSÃO	TRANSTORNO BIPOLAR	DEPRESSÃO E TRANSTORNO BIPOLAR
Fototerapia	Colina	Ômega-3
Hypericum perforatum (erva-de-são-joão)	Inositol	Terapia de mindfulness
Rhodiola rosea	5-hidroxi-1-triptofano	Exercícios físicos
Acupuntura	N-acetil-cisteína	Privação de sono
SAMe (S-adenosil-metionina)		Dehidroepiandrosterona

ELETROCONVULSOTERAPIA

O objetivo de todo médico psiquiatra é garantir a vida dos seus pacientes. Durante esse acompanhamento, muitas vezes diante de uma doença grave, é necessário indicar um tratamento que, com frequência, para o leigo, está ultrapassado ou pode fazer mal. Falaremos aqui da eletroconvulsoterapia (ECT), uma das práticas médicas mais bem indicadas nessas condições, apesar do preconceito e dos mitos que a envolvem.

A ECT surgiu em 1937 como o primeiro método eficaz para o tratamento de doenças mentais. Entrou na psiquiatria antes da descoberta dos primeiros medicamentos psiquiátricos e foi utilizada como tratamento principal para a depressão e a esquizofrenia. Nos anos de 1950, houve um declínio do seu uso tanto pela descoberta de psicofármacos eficazes como pelo desenvolvimento de uma imagem negativa, quando essa prática passou a ser vista como um método desumano e cruel, ideia essa que ainda existe, inclusive por parte de alguns profissionais da área da saúde.

Atualmente, a ECT é considerada um tratamento biológico muito eficaz e bem estabelecido pelo Consenso Internacional de Psiquiatras, com efeitos colaterais parcos e relativamente benignos. Suas indicações são precisas:

- Má resposta ao tratamento medicamentoso.
- Depressão grave com ou sem sintomas psicóticos. Constitui a principal indicação de ECT tanto nos pacientes unipolares como nos bipolares.
- Episódios de mania mais graves, agudos e com delírios, quando ocorre prejuízo da avaliação da realidade, e nos casos em que o lítio e outros estabilizadores do humor funcionam mal ou não funcionam.
- Tratamento de primeira escolha em casos de alto risco de suicídio, estupor grave, gestantes e condições clínicas graves.

Como vantagens dessa técnica, temos a rapidez de resposta e a eficácia comprovada, com pequeno risco de efeitos colaterais. Destes, os mais comuns são alteração transitória da memória e dor de cabeça.

ESTIMULAÇÃO MAGNÉTICA TRANSCRANIANA

A estimulação magnética transcraniana (EMT) é uma técnica de investigação e de tratamento físico de distúrbios neuropsiquiátricos, principalmente o transtorno depressivo maior, que altera a atividade cerebral a partir de um campo elétrico induzido por um outro, magnético, o qual, por sua vez, é gerado por uma bobina colocada na superfície do crânio. Apresenta dois tipos de aplicações: a EMT simples e a EMTr (repetitiva), na qual uma série de estímulos repetidos são aplicados regularmente, tendo vários estudos demonstrado seu efeito antidepressivo. É um método praticamente inócuo que pode ser utilizado com segurança em situações clínicas específicas, como a gravidez, quando o uso de antidepressivos está contraindicado ou, ainda, em deprimidos que não respondem ao tratamento farmacológico.

A maioria dos efeitos colaterais da EMTr é considerada trivial, como cefaleia, zumbidos ou perda transitória da audição (esses últimos totalmente eliminados com o uso de tampão de ouvido). Essa estimulação é contraindicada em casos de presença de objetos metálicos em qualquer região da cabeça, marca-passos cardíacos e bombas de infusão medicamentosa.

A EMTr apresenta vantagens em relação à ECT, uma vez que pode ser realizada em regime ambulatorial, não requer anestesia, e o risco de efeitos cognitivos é baixo. Apesar de ser menos carregada de preconceito, ainda não há evidências claras de que seja mais eficaz que a ECT.

ATIVIDADE FÍSICA

O exercício físico sempre existiu na história da humanidade. Há evidências históricas dessa prática desde a cultura pré-histórica como um componente integral da expressão religiosa e cultural. Sabe-se que um de seus aspectos importantes é a capacidade de atuar no condicionamento físico, aumentando ou mantendo a saúde e aptidão física. Diversos estudos atuais relacionam o exercício físico com a prevenção, a conservação e, consequentemente, a melhora da saúde.

Na última década, foram realizados estudos controlados fundamentando a ideia de que os exercícios físicos têm papel relevante na promoção da saúde mental. A depressão foi a doença mais estudada, e observou-se que indivíduos portadores dessa patologia beneficiavam-se dos efeitos da prática de diferentes modalidades de exercício físico. Resultados têm demonstrado que a atividade aeróbica melhora a aptidão e diminui os sintomas depressivos, principalmente se são aplicados programas prolongados e regulares. Para maiores detalhes, veja o Capítulo 14.

RELAXAMENTO

O relaxamento engloba algumas técnicas como meditação, relaxamento muscular progressivo, hipnose, *biofeedback*, técnicas que preconizam a respiração e a concentração.

Apesar da origem relativamente nova dos procedimentos de relaxamento, seus antecedentes históricos datam de civilizações antigas, que já o praticavam.

Há poucos estudos dessa técnica aplicada nos quadros depressivos, apesar de serem promissores. No entanto, mais pesquisas são necessárias para que claras orientações quanto à eficácia dessa intervenção e a melhor maneira de aplicá-la sejam estabelecidas.

INTERNAÇÃO

O tratamento dos transtornos do humor deve ser dirigido para vários objetivos, mas, em primeiro lugar, vem a garantia da segurança do paciente e daqueles que o cercam. Em situações mais graves, a principal decisão a ser tomada pelo médico é se deve ou não hospitalizar o paciente ou se é possível seguir um tratamento ambulatorial.

Qualquer internação psiquiátrica visa a proteção do paciente, mas também da família e da sociedade. Indicações claras de necessidade de hospitalização são:

- Riscos de suicídio ou homicídio.
- Falta de autocrítica, levando à exposição a risco de vida.
- Riscos de arruinar sua reputação, suas finanças e sua família.
- Incapacidade de prover alimentação, abrigo e vestuário.
- História de rápida progressão sintomatológica.
- Ruptura dos sistemas habituais de suporte.

Pacientes com TB grave ou psicótico nessas condições perderam a capacidade de avaliar a realidade e medir riscos e não acham necessário se tratar. Quando recusam o tratamento e relutam em hospitalizar-se por vontade própria, a internação compulsória pode ser de vital importância. Assim como o médico de pronto-socorro interna um cardiopata infartado, o psiquiatra pode indicar a hospitalização de um paciente com TB grave, pois ele será o responsável pela sua proteção junto com a família. No entanto, por se tratar de um transtorno mental, há diferentes modalidades de internação:

1. Voluntária – quando a pessoa solicita ou consente.
2. Involuntária – acontece sem o consentimento do usuário e a pedido de terceiro. No prazo de 72 horas, o Ministério Público Estadual deverá ser comunicado pelo responsável técnico do estabelecimento no qual ocorreu a internação, devendo o mesmo procedimento ser adotado quando da alta hospitalar.

❸ Compulsória – é determinada pela justiça, sempre levando em consideração as condições de segurança do estabelecimento quanto à salvaguarda do paciente, dos demais internados e dos funcionários.

A internação involuntária terminará de acordo com a alta médica dada pelo psiquiatra responsável pelo tratamento. No entanto, ela poderá ser interrompida mediante solicitação do familiar ou responsável legal, para quem passa a responsabilidade pelas consequências decorrentes do TB do paciente.

A internação deve ocorrer em um ambiente protegido, e a pessoa permanecerá assistida por uma equipe médica pelo tempo necessário. A hospitalização psiquiátrica inúmeras vezes salvou vidas e evitou o agravamento e a cronicidade da doença mental. É oportuno lembrar que muitos pacientes com TB grave e sem tratamento não conseguem mais prover seu próprio sustento e se tornam dependentes da família; assim, se não receberem o apoio necessário, correm o risco de se tornar indigentes. A informação acerca do TB é grande aliada no combate ao preconceito contra o tratamento adequado a cada paciente, propiciando sua recuperação e criando oportunidades para resgatar a qualidade de vida, com dignidade e respeito a si mesmo e às pessoas que o cercam.

PERGUNTAS FREQUENTES

QUAL A DIFERENÇA ENTRE ECT E ELETROCHOQUE? A ECT NÃO PREJUDICA O FUNCIONAMENTO CEREBRAL NEM DEIXA SEQUELAS?
Eletrochoque é um termo pejorativo referente à ECT. Muitos relatos sem fundamento têm aparecido na imprensa acerca de supostas lesões cerebrais permanentes resultantes da ECT, mas estudos modernos confirmam que é segura e eficaz e não deixa sequelas, desde que realizada com técnica adequada, conforme diretrizes internacionalmente aceitas. Sabe-se que durante a realização da ECT há um prejuízo transitório da memória, que se recupera em alguns dias ou semanas gradativamente. Além disso, a ECT é uma alternativa valiosa para tratar tanto a depressão como a mania de pacientes grávidas, sobretudo, levando-se em consideração a possibilidade da terapia medicamentosa oferecer risco ao desenvolvimento fetal.

TRATAMENTOS NATURAIS COMO ÔMEGA-3, HOMEOPATIA, ACUPUNTURA E GINSENG PODEM SUBSTITUIR O MEDICAMENTO?
Todos os tratamentos alternativos são assim chamados porque não há estudos científicos suficientes que fundamentem sua indicação sem restrições em qualquer doença; portanto, não substituem medicamentos de eficácia cientificamente comprovada, podendo ser, no máximo, coadjuvantes. Nada impede a séria investigação dos tratamentos alternativos e, caso sua eficácia seja comprovada, certamente passarão a ser incluídos na lista dos tratamentos já consagrados para o TB. Os estudos com ômega-3 na depressão bipolar sempre o adicionaram a um tratamento

vigente do paciente, mas não há pesquisas que comprovem que possa prevenir futuros episódios no TB. No entanto, como é um alimento, o seu uso não é proibido, e sim recomendado como reposição alimentar fundamental.

ACUPUNTURA AJUDA NO TRATAMENTO BIPOLAR?
Não há estudos que comprovem a eficácia da acupuntura no tratamento do TB, mas alguns trabalhos recentes indicaram eficácia na depressão unipolar. O que se observa é que a acupuntura não provoca efeitos adversos relevantes nos estudos com pacientes deprimidos, podendo ser considerada uma técnica relativamente segura, mas a dúvida ainda é sobre sua real eficácia. Pode ser utilizada em pacientes bipolares, no entanto sempre como coadjuvante.

MEU MÉDICO ME ACONSELHOU A PARAR COM OS MEDICAMENTOS E SEGUIR APENAS COM HOMEOPATIA PARA A DEPRESSÃO. ISSO FUNCIONA?
Não existem estudos que comprovem a eficácia da homeopatia no tratamento do TB, tampouco foi investigado se ela é prejudicial. Também, nesse caso, pode ser utilizada como coadjuvante, nunca como tratamento único. Questione a evidência científica que esse médico possui para tal afirmação.

TER FÉ AJUDA A VENCER O TB?
Ter fé e ser apoiado por uma religião pode ser muito útil no tratamento do TB, assim como no de quaisquer problemas de saúde, desde que a religião não condene o uso de medicamentos indicados pelo médico. Religiões não substituem tratamentos cientificamente comprovados em eficácia e segurança.

DEVO SEGUIR APENAS COM O TRATAMENTO PRESCRITO PELO MÉDICO OU DEVO PROCURAR TRATAMENTOS ALTERNATIVOS COMO O HOLÍSTICO?
Tente seguir prioritariamente os tratamentos comprovados pela ciência, que foram testados por muitos pesquisadores e médicos clínicos e passam pela crítica e avaliação de milhares de profissionais pelo mundo todo. Tratamentos como o holístico não se submetem a esse nível de crítica e de avaliação por outros profissionais confiáveis.

QUEM PODE INTERNAR O PACIENTE? QUANDO É INTERNADO CONTRA A PRÓPRIA VONTADE, ELE NÃO VAI FICAR AINDA MAIS AGRESSIVO E REVOLTADO AO RECEBER ALTA?
Não. A internação é um procedimento médico-psiquiátrico cujo objeto primordial é garantir a segurança e a proteção ao paciente e aos que o cercam. Em geral, uma pessoa com TB precisa ser internada quando oferece risco a si mesma, como ameaça de suicídio, ou a outras pessoas, quando se torna violenta, agressiva ou psicótica. Uma vez que tal paciente não reconhece sua necessidade de cuidados hospitalares, a solicitação de admissão pode ser feita por um parente ou amigo. Existem alguns estudos de seguimento de pacientes que, depois de internados involuntariamente e terem recuperado o discernimento crítico da realidade, mostram-se gratos por ter sido tratados.

O PACIENTE PODE DESENVOLVER TB POR FALTA DE VITAMINAS NO CORPO? REPOSIÇÃO DE VITAMINAS AJUDA A CURAR O TB?
Não há estudos suficientes que comprovem que existe falta de vitaminas nos pacientes com TB. Assim, reposição de vitaminas não seria garantia de cura do TB. Mesmo se o uso de vitaminas causasse melhora do quadro de um indivíduo, ele pode ser atribuído a um efeito psicológico,

PERGUNTAS FREQUENTES

que pode ajudar até 30% dos pacientes, pois, se eles acreditarem que uma pílula de farinha, por exemplo, pode ajudar, ela ajudará, mas geralmente por pouco tempo.

SE EU FIZER TRATAMENTO COM O ORTOMOLECULAR TERÁ O MESMO EFEITO DO TRATAMENTO COM O PSIQUIATRA?
Não existem estudos conhecidos que comprovem que a técnica ortomolecular pode auxiliar no tratamento do TB. Se um médico ortomolecular não utilizar medicamentos cientificamente estudados e comprovadamente úteis para o TB, então estará praticando medicina de forma incorreta.

LEITURAS SUGERIDAS

Andreescu C, Mulsant BH, Emanuel JE. Complementary and alternative medicine in the treatment of bipolar disorder--a review of the evidence. J Affect Disord. 2008;110(1-2):16-26.

Kaplan HI, Sadock BJ, Grebb JA. Compêndio de psiquiatria: ciências do comportamento e psiquiatria clínica. 7. ed. Porto Alegre: Artes Médicas;1997.

Kaplan HI, Sadock, BJ. Tratado de psiquiatria. 6. ed. Porto Alegre: Artes Médicas; 1999.

Lin PY, Su KP. A meta-analytic review of double-blind, placebo-controlled trials of antidepressant efficacy of omega-3 fatty acids. J Clin Psychiatry. 2007;68(7):1056-61.

Montgomery P, Richardson AJ. Omega-3 fatty acids for bipolar disorder. Cochrane Database Syst Rev. 2008;(2):CD005169.

Qureshi NA, Al-Bedah AM. Mood disorders and complementary and alternative medicine: a literature review. Neuropsychiatr Dis Treat. 2013;9:639-58.

TRATAMENTO PSICOLÓGICO

Mireia Roso
Karina de Barros Pellegrinelli

A importância dos tratamentos psicológicos para a melhora do transtorno bipolar (TB) vem sendo reconhecida cientificamente há poucos anos. Os prejuízos causados pela doença, que afetam a qualidade de vida do paciente e da sua família, mesmo quando a diminuição ou a extinção dos sintomas foi atingida, mostram que o tratamento medicamentoso não recupera necessariamente a funcionalidade do indivíduo. Assim, o foco do tratamento deixou de ser apenas o sintoma (tratado com medicamentos pelo médico psiquiatra) e passou a englobar também a recuperação do desempenho cognitivo e da qualidade de vida nas suas diferentes esferas – social, ocupacional, familiar, amorosa – por meio da mais ampla utilização de abordagens psicossociais, enquanto que vários estudos demonstraram sua eficácia.[1-3]

Qualquer tipo de abordagem utilizada no tratamento psicológico do TB tem como principais objetivos: o controle de fatores de risco associados à ocorrência e à recorrência de episódios, bem como a diminuição dos prejuízos e consequências psicossociais causados pelo transtorno, que não melhoram apenas com a redução da sintomatologia.

As abordagens mais utilizadas no tratamento de bipolares são psicoeducação e psicoterapias interpessoal, familiar e cognitivo-comportamental. Já é possível observar em estudos disponíveis na literatura científica[4] que essas abordagens são efetivas associadas à farmacoterapia na prevenção de recaídas e na estabilização do humor desses pacientes. Além disso, essas intervenções psicossociais melhoraram a qualidade de vida dos sujeitos que não as receberam no período de dois anos após o término do processo. Tratamentos estruturados com 12 ou mais sessões tiveram um desempenho melhor se comparados aos com três ou menos sessões.[5] No entanto, não existem estudos que comprovem a eficácia da psicanálise e outras formas de psicoterapia no TB.

Descreveremos brevemente as abordagens psicossociais para que você, leitor, tenha uma ideia de como se aplicam ao TB. Focaremos nas informações fundamentais que o paciente bipolar, seus familiares e seus amigos não podem deixar de saber.

O QUE É PSICOEDUCAÇÃO?

É um programa educativo oferecido a grupos de pacientes e seus familiares que pode ser associado ao tratamento farmacológico pelo próprio médico. Visa oferecer ao paciente e à sua família informações sobre o transtorno e o tratamento, bem como tratar do impacto psicológico desse conhecimento na vida da pessoa. O Programa de Transtornos Afetivos (PROGRUDA),[6] do Instituto de Psiquiatria do Hospital das Clínicas da Faculdade de Medicina da Universidade de São Paulo (IPq-HC-FMUSP), iniciou, em 1997, a implantação de intervenções educacionais como parte do programa de atendimento ambulatorial para pacientes bipolares. Atualmente, os encontros são abertos à comunidade e atendem, em cada encontro mensal, cerca de 200 pessoas, entre elas pacientes, familiares, amigos e profissionais. Essa experiência é descrita mais adiante.

O QUE É TERAPIA INTERPESSOAL E DO RITMO SOCIAL?

Utilizada no tratamento da depressão (terapia interpessoal – TIP), foi adaptada para o tratamento do TB. Ocorre em duas fases: estratégia para regulação do ciclo circadiano e estabilidade de hábitos sociais; e psicoeducação com estratégias para manejo e resolução de conflitos interpessoais.

O controle do ritmo biológico e social é feito por meio de um diário no qual o paciente registra as principais atividades do dia, como os horários em que acorda, faz as refeições e outras ações que possam ajudá-lo a manter uma rotina estável. Além disso, documenta a presença de outras pessoas nessas atividades e avalia o quanto elas foram estimulantes.

O QUE É TERAPIA FOCADA NA FAMÍLIA?

A terapia focada na família (TFF)[2] ocorre basicamente em três fases com sessões direcionadas ao paciente e a seus familiares. Na primeira fase, são trabalhados tópicos de educação sobre a doença, sua evolução e tratamento; na segunda, são utilizadas técnicas de melhora da comunicação interpessoal; e, na terceira, técnica para resolução de problemas interpessoais.

O QUE É TERAPIA COGNITIVO-COMPORTAMENTAL?

A terapia cognitivo-comportamental (TCC), que teve sua eficácia comprovada no tratamento de diversos transtornos psiquiátricos, há pouco tempo começou a desenvolver técnicas específicas para o tratamento do TB. Semelhantemente à técnica adotada na depressão, visa a identificação e o manejo de pensamentos disfuncionais, o planejamento das atividades cotidianas e o desenvolvimento de habilidades sociais para melhorar a capacidade de obter os reforços de que necessita, bem como de lidar com experiências aversivas ou estressantes que possam manter o quadro clínico. Entretanto, em psicoterapia de bipolares, o planejamento de atividades e o treino de habilidades focam-se no controle dos ritmos biológicos e sociais do paciente, que são importantes fatores de risco para a ocorrência de novos episódios. Portanto, inclui treino para a identificação de sinais prodrômicos de recaídas e o desenvolvimento de estratégias para lidar com eles.

POR QUE ENFATIZAR A PSICOEDUCAÇÃO?

A abordagem educacional tem as seguintes vantagens sobre as demais: além de utilizar técnicas das outras abordagens, é de fácil aplicação, possui baixo custo e amplos benefícios,[7] e tem o objetivo de melhorar o conhecimento da doença (*insight*), evitar a estigmatização, melhorar a adesão ao tratamento, educar os pacientes e suas famílias sobre o rápido reconhecimento dos sinais precoces do TB, promover hábitos saudáveis e estilo de vida regular, além de educar sobre a importância de evitar o uso excessivo de substâncias químicas. A psicoeducação permite que os pacientes gerenciem desespero, medo e baixa autoestima crônica associada aos transtornos psiquiátricos.

Além disso, a psicoeducação de grupo focada na família é considerada uma das melhores intervenções psicossociais no tratamento do TB.[7] Um estudo que avaliou crenças inadequadas de pacientes e seus familiares mostrou a necessidade de incorporar novos temas na psicoeducação, tais como a natureza biológica do TB; a possibilidade de controle semelhante a outras doenças, apesar de seu caráter crônico; a importância do envolvimento da família e do tratamento farmacológico; e as estratégias para lidar com os eventos adversos para maior adesão ao tratamento e melhores resultados.[8] Quanto mais bem informados estiverem, melhor o paciente e a sua família aceitarão o caráter crônico do transtorno, o tratamento de longo prazo, os medicamentos utilizados e os efeitos colaterais, facilitando a prevenção de recorrências e diminuindo tanto o sofrimento como a necessidade de hospitalização.

O PROGRUDA iniciou o estudo e a implantação de intervenções educacionais em 1997, e seus resultados foram tão positivos que a necessidade de dar continuidade a essa experiência levou os participantes a criarem uma associação que reunisse familiares e portadores de transtornos afetivos, a Associação Brasileira de Transtornos Afetivos (ABRATA).[9] Essa associação vem realizando um importante trabalho ao divulgar informações sobre os transtornos do humor, ao oferecer ajuda no encaminhamento do tratamento quando necessário e ao organizar grupos educacionais e de autoajuda, de modo a possibilitar a troca de experiências e diminuir o estigma social causado pela doença.

Em 2002, as intervenções educacionais foram reimplantadas como parte do atendimento ambulatorial de pacientes bipolares do PROGRUDA. Baseados na experiência de 1997, 10 encontros mensais foram planejados abordando os seguintes temas:

- O que é e como é o TB? As fases de euforia e as fases de depressão.
- Quais são os tratamentos mais eficazes para o TB? Eles causam dependência ou efeitos colaterais?
- A psicoterapia é útil no tratamento de pacientes bipolares?
- Como a família afeta e é afetada pelo paciente bipolar?
- É possível encontrar em uma única família mais de um portador do TB? Como identificá-lo e o que fazer com isso?
- Existe apenas um tipo de TB?
- O que é a ciclagem rápida?
- Quais são os fatores que aumentam o risco de recorrências de episódios em pacientes bipolares? Como preveni-las?
- Como lidar com os prejuízos sociais e econômicos causados pelo TB?
- Como identificar crianças com TB? Como tratá-las?
- Uma doença para a vida toda: como viver melhor com o TB?

Em 2014, modificamos alguns temas em função da observação da participação dos frequentadores, e os encontros foram reduzidos conforme programação apresentada na Figura 8.1.

Todos os encontros obedecem ao mesmo formato: o tema é apresentado por um psiquiatra e um psicólogo do grupo durante uma hora e, em seguida, é iniciada uma sessão de perguntas e respostas que permite tirar dúvidas, contar experiências e ter um contato mais informal entre todos os participantes.

Essa experiência tem sido extremamente gratificante. Os depoimentos e a discussão geral não possibilitaram apenas o esclarecimento de dúvidas a respeito do transtorno e do tratamento, mas também têm propiciado a troca de experiências de pacientes, familiares e profissionais a respeito das dificuldades em reconhecer e manejar sintomas, suportar os efeitos colaterais da farmacoterapia e prevenir recorrências ou prejuízos psicossociais acarretados pela doença. Observamos que grande parte dos participantes tem vindo a todos os encontros, e o número de inscritos tem sido cada vez maior, indicando indiretamente o impacto positivo desse trabalho.

Se você ou algum familiar é portador do TB, informe-se sobre os locais que oferecem esses programas. O PROGRUDA[6] e a ABRATA[9] podem ser uma opção e, ao final deste livro, você encontrará outros *sites* para participar. Se o acesso a esses programas for difícil, fale com o seu médico e organize encontros desse tipo no local onde mora. Trocar experiências com outros portadores e seus familiares

APRENDENDO A VIVER COM O TRANSTORNO BIPOLAR

FIGURA 8.1 → ENCONTROS PSICOEDUCACIONAIS 2014.
Fonte: Programa de Transtornos Afetivos (PROGRUDA).[6]

e aprender sobre a sua doença e o tratamento serão sempre recursos benéficos para o sucesso da terapia.

PSICOTERAPIAS

O QUE SE PERDE POR NÃO FAZER PSICOTERAPIA QUANDO O TRATAMENTO FARMACOLÓGICO ESTÁ DANDO CERTO?

Na verdade, o tratamento do TB é fundamentalmente farmacológico, assim, a psicoterapia não é imprescindível para seu sucesso. Fazer ou não psicoterapia é uma decisão que deve considerar outros motivos, já que ela se torna um complemento do tratamento farmacológico quando o paciente e sua família não estão conseguindo administrar a doença adequadamente.

NO QUE A PSICOTERAPIA PODE AJUDAR VOCÊ E SUA FAMÍLIA?

Um dos principais objetivos da psicoterapia é ajudar na identificação dos fatores que facilitam a recorrência de episódios maníacos ou depressivos. Veja o exemplo a seguir.

> Maria, uma mulher de 36 anos com TB, estava sendo tratada há pelo menos dez anos. Apesar de ter se submetido a vários estabilizadores do humor e ser atendida por profissionais competentes, suas recaídas eram frequentes. Passava dias em estado de euforia sem sequer perceber sua gravidade, pois se sentia mais disposta do que nunca, cheia de planos e ideias. Passadas algumas semanas, o final era sempre infeliz. Por vezes, só se dava conta da gravidade de seu estado após vários encontros sexuais promíscuos, dos quais obviamente se arrependia mais tarde. Outras vezes, entrava em estado depressivo profundo do qual demorava a sair. Nem é necessário dizer que sua recuperação só era possível após a intervenção médica, que frequentemente implicava substituição ou introdução de medicamentos que demoravam mais algum tempo para agir. Então, Maria começou a psicoterapia contrariada, mas só aceitou procurar o terapeuta porque foi a condição colocada por seu médico para a continuidade do tratamento. Após os primeiros meses de terapia, a paciente foi confiando cada vez mais em seu terapeuta, o que facilitou o esclarecimento de dúvidas e a tomada de algumas decisões importantes para o seu tratamento. Apesar de tratar-se há anos e sempre ter sido bem informada pelos médicos sobre a doença, Maria ainda acreditava que um dia poderia viver bem sem o medicamento. Nas fases em que se sentia estável, ia paulatinamente diminuindo as doses de seus medicamentos, e fazia isso de forma tão sutil que nem se dava conta. Um dia, esquecia a tomada da manhã e, uma vez que continuava bem, no dia seguinte deixava para "tomar mais tarde", e como o "mais tarde" coincidia com a dose noturna, "deixava pra lá". Na verdade, Maria possuía uma crença de que um dia viveria bem sem o medicamento, e isso a impulsionava a fazer tais experiências sutis, mas extremamente perigosas. Foi em sua psicoterapia que aprendeu a aceitar a doença como uma condição de vida e percebeu que só seria suportável se fosse bem administrada, o que só seria possível com a tomada correta do medicamento.

Sabemos que o maior fator de risco de recaídas é não seguir o tratamento da maneira como ele foi planejado. Como já dissemos, quando você e sua família realmente compreendem como e por que o tratamento deve ser seguido, suas chances de recair diminuem muito. Os programas psicoeducacionais de que falamos anteriormente já cumprem parte desse objetivo, mas, muitas vezes, é necessário oferecer essas informações em um contexto individual ou grupal no qual haja maior proximidade e confiança. A psicoterapia pode oferecer esse espaço de confiança e intimidade para que todas as dúvidas ou dificuldades de compreensão do transtorno e do tratamento sejam abordadas e o significado dessas informações seja amplamente compreendido.

Além do risco de não seguir corretamente o tratamento, outros fatores podem provocar ou facilitar recaídas. A seguir estão listados os mais importantes:

- Conflitos nos relacionamentos familiares.
- Problemas sociais ou profissionais.
- Estresse.
- Alterações dos ritmos biológicos, como mudanças no horário de dormir ou efeitos de fuso horário.
- Uso de álcool, café ou drogas.

É função da psicoterapia ajudar o portador de TB a administrar esses fatores. O texto a seguir mostra resumidamente de que maneira a psicoterapia pode fazer isso.

CONFLITOS NOS RELACIONAMENTOS FAMILIARES. Orientar o parceiro ou a família em relação a possíveis dificuldades com o familiar portador do transtorno, muitas vezes, ajuda a resolver alguns conflitos. Quando isso não é suficiente, indica-se a psicoterapia familiar, da qual falaremos mais adiante.

PROBLEMAS SOCIAIS OU PROFISSIONAIS. Discutir maneiras de lidar com o estigma da doença também é parte da terapia. O que dizer ao chefe ou aos colegas pode ser planejado e até mesmo "treinado" em algumas sessões.

ESTRESSE. Apesar de o estresse não ser um problema apenas para quem é bipolar, incluir atividades que ajudem a combatê-lo pode ser particularmente necessário para evitar recaídas. Além de discutir problemas que possam ser fontes de estresse, o terapeuta deve sugerir atividades como esporte, massagem, yoga, etc. como complemento da terapia.

ALTERAÇÕES DOS RITMOS BIOLÓGICOS. O TB está associado a alterações dos ritmos biológicos. O principal indicador do ritmo biológico das pessoas é o ciclo sono-vigília; por isso, manter rotinas estáveis, evitar programas sociais que se estendam durante a madrugada ou trabalhos noturnos é importante para manter o equilíbrio. Uma vez que decidir abrir mão dessas atividades pode não ser fácil, a terapia deve ajudar a encontrar a maneira menos dolorosa de fazer isso.

USO DE ÁLCOOL, CAFÉ OU DROGAS. Quando não há dependência de álcool ou drogas, o terapeuta pode simplesmente orientar a diminuição do uso dessas substâncias. Se a dependência for caracterizada, é necessário comunicar o médico e iniciar o tratamento adequado.

QUAIS SÃO AS ALTERNATIVAS ADEQUADAS PARA LIDAR COM OS EFEITOS COLATERAIS DOS MEDICAMENTOS?

O lítio, por exemplo, pode causar tremores, por isso evite substâncias que pioram o tremor, como refrigerantes de cola, chá, café e chocolate em excesso; o fármaco também causa fezes amolecidas (evite alimentos que "soltam o intestino"), náuseas ou estômago irritado.

Já os antidepressivos tricíclicos – Amitriptilina (Neurotrypt®, Amytril®, Tryptanol®), Imipramina (Tofranil®), Clomipramina (Anafranil®, Clo®), Nortriptilina (Pamelor®), Maprotilina (Ludiomil®) – podem causar boca seca. Para isso, pode ser útil dar pequenos goles de água durante o dia e usar balas cítricas e chicletes sem açúcar, que estimulam a salivação, além de caprichar na higiene bucal.

Antidepressivos seletivos de recaptação de serotonina, como fluoxetina (Prozac®, Daforin®, Verotina®), sertralina (Zoloft®, Assert®, Serenata®, Tolrest®), citalopram (Cipramil®, Alcytam®, Città®, Procimax®, Denyl®), paroxetina (Aropax®, Paxil®, Benepax®, Pondera®, Cebrilin®, Paxan®), venlafaxina (Efexor®, Venlift®, Venlaxin®), mirtazapina (Remeron®), fluvoxamina (Luvox®), trazodona (Donaren®), duloxetina (Cymbalta®), escitalopram (Lexapro®) e bupropiona (Wellbutrin®, Zyban®, Bup®, Zetron®), podem causar sonolência matinal. Como isso é incomum, nesse caso é recomendado tomar a medicação logo após o jantar, e não antes de deitar-se.

É importante lembrar que nada substitui uma conversa franca com seu médico para avaliarem em conjunto a relação risco-benefício de um medicamento. Por exemplo, se o fármaco o fez engordar, mas estabilizou o humor, o que pesa mais? Será que não seria possível controlar o ganho de peso com uma dieta e exercícios físicos regulares e manter o humor com o uso do medicamento?

Para mais detalhes ver Cap. 6.

COMO É POSSÍVEL FAZER TERAPIA QUANDO SE ESTÁ EM FASE DE MANIA OU DEPRESSÃO?

Diferentes intervenções são indicadas nas diversas etapas do tratamento, respeitando as limitações impostas pela sintomatologia. Segundo David Miklowitz,[2] um psicólogo norte-americano estudioso do TB, a psicoterapia pode ser dividida em três etapas:

❶ Estágio agudo. A terapia fica limitada à avaliação, ao desenvolvimento da aliança terapêutica, ao suporte e ao reasseguramento. Muitas vezes, a orientação familiar já está indicada nessa etapa a fim de minimizar o impacto causado pelo episódio no relacionamento e facilitar o suporte social necessário ao portador de TB.

❷ Estágio de estabilização. Nessa etapa, podem ser indicadas intervenções mais estruturadas e orientadas para tarefas específicas, como a regularização da rotina, atividades antiestressantes, treino de habilidades para lidar com

problemas familiares ou profissionais e outras. O enfoque psicoeducacional também pode ser feito nessa etapa de maneira a facilitar a adesão ao medicamento e aumentar a autoconfiança do portador de TB.
❸ Estágio de manutenção. Terapias mais intensivas, que propiciem o autoconhecimento, são apropriadas nessa etapa.

QUAL O MELHOR TIPO DE TERAPIA PARA QUEM É BIPOLAR?

Antes de mais nada, você deve escolher um psicoterapeuta que lhe inspire confiança e, principalmente, que entenda sobre TB. A linha de trabalho que ele segue pode ser mais indicada para determinados problemas e menos para outros. Dificilmente a psicoterapia será suficiente para resolver **todos** os seus problemas, mas com certeza lhe ajudará a encontrar melhores maneiras de compreendê-los e manejá-los, mesmo que cada linha faça isso por um caminho diferente.

Seja qual for a abordagem seguida pelo seu psicoterapeuta, duas condições são fundamentais para que você possa se beneficiar:

❶ Ele deve conhecer a natureza biológica do TB e dar prioridade ao tratamento farmacológico no controle dessa doença.
❷ Ele deve ter disponibilidade para conversar com o seu psiquiatra sempre que necessário, pois a troca de informações e a sintonia entre os profissionais é importante para que você não se sinta ainda mais confuso.

Você já deve ter ouvido casos de pessoas que passaram anos em processos psicoterápicos e nunca foram adequadamente diagnosticadas como bipolares e muito menos orientadas a consultar um psiquiatra e iniciar o tratamento farmacológico. Se esse tiver sido o seu caso, você conhece bem as consequências desastrosas desse tipo de conduta "irresponsável" que, infelizmente, muitos colegas ainda adotam. Preconceitos em relação aos diagnósticos e aos tratamentos psiquiátricos ainda existem, e costumam resultar de pura ignorância, mesmo quando se trata de profissionais da área.

Se essa fosse apenas uma questão de diferenças ideológicas, não haveria o menor problema em você ouvir as diversas opiniões e concordar com a que lhe parecesse a mais convincente, mas o que está em jogo é muito mais do que uma simples questão de opinião. Quando o portador de TB não é tratado de modo adequado, ou seja, demora para conhecer o seu diagnóstico e, por isso, inicia o tratamento tardiamente, os episódios de mania e de depressão tendem a tornar-se cada vez mais graves e crônicos, e a resposta ao tratamento fica mais difícil. Como todas as doenças médicas, o diagnóstico e o tratamento precoces evitam o agravamento do problema e, no caso do TB, ainda somam-se às consequências psicossociais que cada fase depressiva ou maníaca acarretam.

Ana, uma mulher de 46 anos, somente aos 43 anos foi diagnosticada como bipolar, mas lembra de sua primeira fase de euforia ocorrida aos 15 anos. Três anos depois de iniciar o tratamento adequado, ela conseguiu certa estabilidade de seus sintomas, mas manter-se totalmente estável, sem resíduos depressivos, ainda lhe era muito difícil. Como não havia sido diagnosticada, apesar de fazer diversos tratamentos alternativos, Ana perdeu dois empregos, divorciou-se do marido depois de cinco anos casada e perdeu a guarda dos filhos por não parecer emocionalmente equilibrada para cuidar deles. Após o tratamento correto, mesmo com alguns sintomas depressivos residuais, ela trabalha como educadora de crianças em uma ONG e mantém um relacionamento amoroso que já dura um ano e meio. Se Ana tivesse recebido o diagnóstico e o tratamento corretos antes dos 20 anos, certamente não teria de conviver com as perdas acarretadas pela doença não tratada, que inclusive colaboram para manter sua depressão.

SUICÍDIO: O QUE FAZER COM ESSA TERRÍVEL AMEAÇA?

Pensar na morte como uma maneira de encontrar alívio para o sofrimento é mais comum do que se imagina. Pensamentos de morte como "Eu preferia estar morto a me sentir desse jeito..." e "Tenho vontade de morrer para acabar logo com tudo isso..." já passaram pela cabeça de todos nós pelo menos uma vez em um período de grande sofrimento (ver Cap. 11). Ser portador de uma doença bipolar é motivo de muito sofrimento. Quando se está em fase depressiva,

DICAS

→ O estresse pode causar ou piorar sintomas de mania ou depressão. Aprenda a identificar quais acontecimentos (emprego, relacionamentos, etc.) mais lhe afetam. Aprenda a lidar melhor com eles e a enfrentar e resolver conflitos.

→ Dedique parte do seu tempo para relaxamento. Experimente diferentes técnicas e escolha a que mais se adapta a você, como caminhar, ouvir música, andar de bicicleta, praticar exercícios de relaxamento muscular, yoga, etc.

→ Desenvolva maneiras de se preparar para estressores que não possam ser evitados. Separe um tempo para ficar sozinho após acontecimentos estressantes ou faça um intervalo de descanso durante o dia.

→ Frequente encontros psicoeducacionais. É neles que você terá oportunidade de se informar mais sobre a doença, tirar dúvidas com especialistas e encontrar outros portadores e familiares.

→ Conviver com o TB, muitas vezes, torna difícil manter amizades, relações familiares e conjugais. Educação, comunicação e conhecimento são fundamentais para reconstruir seus relacionamentos e afastar o preconceito sobre a doença.

esse sofrimento parece tão insuportável que a ideia de acabar com a própria vida passa a ser ainda mais frequente. Aliás, ter pensamentos suicidas é um dos sintomas dessa doença e deve ser encarado como tal. Não tenha vergonha de falar sobre isso, pois muitos bipolares pensam ou já consideraram seriamente a possibilidade de deixar de existir por conta do sofrimento. O risco de suicídio é 15 vezes mais frequente entre bipolares do que na população geral. Por isso, a melhor forma de evitar a morte é encarar tais pensamentos como sintomas da doença, e não sinais de fraqueza ou de covardia. Somente assim você poderá tomar uma atitude efetiva em relação ao risco de matar-se.

COMO VOCÊ PODE SE PROTEGER DO RISCO DE SUICÍDIO

Assim que perceber que pensamentos suicidas estão se tornando mais frequentes do que de hábito, comunique imediatamente alguém em quem você confia e peça ajuda para esconder todos os instrumentos que poderiam facilitar uma tentativa (medicamentos, armas ou outros objetos desse tipo).

Comunique imediatamente o seu psiquiatra e o seu terapeuta. Eles saberão reconhecer a gravidade do risco que você corre e só indicarão uma internação se for a melhor forma de protegê-lo. Nunca acredite que você estará decepcionando as pessoas que cuidam de você se lhes contar que tem tido pensamentos desse tipo. Isso é apenas um sinal de piora dos seus sintomas, e não um fracasso seu ou do seu tratamento. Seu medicamento deverá ser ajustado para que esses sintomas melhorem o mais rápido possível, e é fundamental que se lembre disso e saiba esperar por essa melhora, confiando em quem cuida de você.

Procure pessoas próximas e conte a elas abertamente o que está acontecendo. Peça ajuda para que lhe façam companhia e deem apoio até que esses pensamentos e sintomas melhorem, mas saiba reconhecer que nem sempre todas as pessoas, por mais que lhe queiram bem, estarão disponíveis para ajudá-lo da maneira que você imagina. Respeite as limitações dos outros e lembre-se que sua tendência nesses momentos é sentir-se ainda mais sozinho e deprimido diante de qualquer frustração, portanto não caia nessa armadilha. Se seus amigos e parentes não puderam ajudá-lo, lembre-se que quando estiver menos deprimido, você entenderá melhor as razões que eles tiveram para isso e certamente não interpretará qualquer atitude deles como desafeto.

Lembre-se também das razões que tem para continuar vivo: sua família, seus projetos, sua religião, suas lembranças de dias felizes, etc. Se preferir, faça uma lista, desde já, de todas as razões que tem para gostar da vida e para querer viver. Deixe essa lista em um local de fácil acesso para que você possa usá-la como lembrete nos momentos em que estiver mais deprimido.

PERGUNTAS FREQUENTES

COMO FAZER PARA NÃO DESENVOLVER CRENÇAS OU PENSAMENTOS NEGATIVOS?
Os pensamentos ou crenças negativos são decorrentes do estado depressivo e devem ser ignorados, na medida do possível, porque não levam ao crescimento espiritual nem ao amadurecimento, pois são patológicos. É importante lembrar que o conteúdo negativo e pessimista desses pensamentos e crenças decorre dos sintomas depressivos e, por esse motivo, é distorcido; contudo, muitos pacientes percebem que é possível se distrair deles com trabalho, atividade física, etc. Questionar a lógica desses pensamentos e crenças muitas vezes ajuda a piorar a visão da situação que os originou. Por isso, ao perceber que o humor mudou em função de pensamentos ou crenças desse tipo, é importante questioná-los e buscar soluções positivas para interpretar a situação que os ocasionou. Imagine o que você diria se outra pessoa revelasse tais pensamentos ou crenças ou quais outras alternativas para interpretar a mesma situação poderiam ser consideradas. Quando a depressão não é grave, aderir alternativas mais positivas permite atenuar e mudar a percepção negativa da situação.

O QUE FAZER QUANDO O TERAPEUTA NÃO ACEITA CRÍTICAS OU O DIAGNÓSTICO MÉDICO?
É fundamental que o terapeuta entenda e reconheça os sintomas do TB, portanto, se ele não conhece o transtorno ou é resistente ao seu tratamento medicamentoso, mude de terapeuta. O TB é uma doença e, como tal, precisa ser tratado não apenas com psicoterapia, mas com medicamentos que já se mostraram eficientes para a estabilização do humor. O tratamento é prioritariamente farmacológico, e a psicoterapia tem, entre outros objetivos, de ajudar o paciente a entender isso e fazer uso adequado do medicamento.

COMO CONVENCER UMA PESSOA COM TB DE QUE ELA PRECISA A COMEÇAR O TRATAMENTO?
Quanto mais informações a pessoa obtiver sobre o TB, como suas causas e seu tratamento, melhor. Oferecer folhetos informativos, livros sobre o assunto ou a participação em encontros psicoeducacionais que forneçam essas informações, maior é a chance de o portador reconhecer a doença e aceitar o tratamento.

O QUE FAZER QUANDO O PSIQUIATRA E O PSICÓLOGO DÃO DIAGNÓSTICOS DIFERENTES?
O diagnóstico do TB é da competência do psiquiatra. Muitos psicoterapeutas não conhecem o transtorno e não estão devidamente informados sobre como tratá-lo. Se você é portador ou familiar de alguém com TB, procure profissionais que conheçam o diagnóstico e saibam como tratá-lo adequadamente.

COMO LIDAR COM OS PSICÓLOGOS QUE SÃO DA OPINIÃO DE QUE PACIENTES COM TB SÃO MIMADOS E NÃO PRECISAM DE TRATAMENTO, APENAS CONHECER MELHOR A SI MESMOS?
O tratamento do TB é prioritariamente farmacológico, e a psicoterapia é fundamental, mas complementar. O objetivo dela é ajudar o paciente a conhecer seus sintomas e administrá-los, e o uso adequado do medicamento é fundamental para que isso ocorra. Por isso, psicólogos que não conhecem o transtorno e não sabem disso devem ser evitados.

POR QUE A PSICOTERAPIA AJUDA NO TRATAMENTO DO TB?
A função da psicoterapia no tratamento do TB é ajudar o paciente a entender seus sintomas e aprender a administrá-los. Além disso, a psicoterapia é fundamental no auxílio da aceitação do diagnóstico e na orientação da família com relação a ele. Administrar o TB significa prevenir a ocorrência de novos episódios e melhorar a manutenção da estabilidade.

PERGUNTAS FREQUENTES

COMO O MEIO EXTERNO PODE INFLUENCIAR O PACIENTE BIPOLAR? COMO LIDAR COM O ESTRESSE SEM TER RECAÍDAS?
O estresse causado por fatores externos, como conflitos familiares ou profissionais, é um fator de risco importante para recaídas, principalmente quando ainda existem sintomas. Por isso, a psicoterapia ajuda a lidar com conflitos desse tipo promovendo a adoção de hábitos saudáveis (como os descritos no tópico dicas fundamentais no final deste capítulo), diminuindo assim a chance de recorrências dos sintomas.

TERAPIA EM GRUPO AJUDA NO TRATAMENTO DO TB?
A psicoterapia em grupo pode ser tão eficiente quanto a individual. Quando for possível fazer psicoterapia em grupo com outros portadores, a oportunidade de compartilhar experiências e dificuldades fortalece a sensação de pertencimento e a diminuição do preconceito em relação ao diagnóstico.

CASO O PACIENTE COM TB PERCEBA QUE ESTÁ ENTRANDO EM MANIA, O QUE ELE PODE FAZER PARA EVITAR QUE ISSO OCORRA?
A identificação de sinais prodrômicos, ou seja, de sintomas que indiquem a ocorrência de uma recaída maníaca, propicia a sua prevenção. Se você observa sinais de uma recorrência maníaca, entre em contato com o seu psicoterapeuta e/ou psiquiatra para ajustar o seu medicamento e reforçar a orientação em relação às medidas terapêuticas descritas no capítulo e, com isso, diminuir a probabilidade de recaída e dos estragos que ela pode ocasionar.

QUAL A DIFERENÇA ENTRE TRATAMENTO PSICOLÓGICO E TRATAMENTO PSIQUIÁTRICO?
O tratamento psiquiátrico consiste não apenas na realização do diagnóstico adequado, mas na prescrição do tratamento medicamentoso apropriado. O tratamento psicológico (psicoterapia) é complementar e feito em sessões de, no mínimo, uma vez por semana, auxiliando na aceitação do problema, na prevenção de recaídas e na manutenção da estabilidade, bem como fornecendo ao paciente informações essenciais para entender melhor os seus limites e o tratamento.

QUAL É O MELHOR TIPO DE TERAPIA PARA O PACIENTE COM TB? O TRATAMENTO PSICOLÓGICO DÁ EQUILÍBRIO DE VERDADE?
A melhor psicoterapia para o tratamento do TB é a que auxilia na compreensão do problema, na manutenção da estabilidade e na prevenção de recaídas. Qualquer psicoterapia que se proponha a isso pode ser benéfica, mas, de acordo com estudos científicos, a psicoterapia cognitivo-comportamental tem demonstrado maior eficácia para atingir esses objetivos.

É VERDADE QUE A PSICANÁLISE NÃO AJUDA NO TRATAMENTO DO PACIENTE COM TB? VALE A PENA FAZER TERAPIA COGNITIVO-COMPORTAMENTAL?
A psicanálise é uma abordagem psicoterapêutica que visa o autoconhecimento e pode ser muito útil, mas deve ser evitada quando o terapeuta não aceita nem tem conhecimento sobre TB, pois pode até piorar os sintomas. Não há evidências de que ela seja eficaz no tratamento do TB. As terapias cognitivo-comportamental, interpessoal ou do ritmo social têm demonstrado maior eficácia nesse tipo de tratamento.

OS GRUPOS DE AUTOAJUDA TAMBÉM SÃO FORMAS DE TERAPIA? ELES AJUDAM DE ALGUMA FORMA O PACIENTE COM TB?
Uma parte importante do tratamento do TB é aceitar e compreender o problema e a sua desestigmatização, portanto, grupos de autoajuda são extremamente benéficos para isso. Na medida em

PERGUNTAS FREQUENTES

que os portadores e seus familiares entram em contato com pessoas que sofrem do mesmo problema, a troca de experiências e dificuldades auxilia muito no tratamento.

COMO CONVENÇO MINHA MÃE DE QUE ELA PRECISA IR NA TERAPIA SE ELA ESTÁ DEPRIMIDA E SÓ QUER FICAR NA CAMA?

A falta de energia para sair da cama e enfrentar o dia é parte dos sintomas depressivos. Muitas vezes, incentivar a pessoa a enfrentar tais sintomas para superá-los é benéfico e deve ser incentivado. No entanto, quando os sintomas depressivos são intensos e a pessoa não se sente capaz de superá-los, é importante que a família compreenda e entre em contato com o terapeuta para que ele os oriente em relação a isso. Muitas vezes, é necessário o ajuste do medicamento para que esses sintomas se tornem menos intensos e a pessoa possa se esforçar mais para retomar suas atividades. Isso leva algum tempo, e o apoio da família para compreender isso é fundamental para o paciente.

MINHA FILHA DIZ QUE A PSICÓLOGA DÁ LIÇÃO DE CASA E, POR ISSO, NÃO QUER MAIS IR À TERAPIA. É VERDADE?

A psicoterapia cognitivo-comportamental tem como parte da técnica sugerir tarefas de casa que possibilitem a experiência de comportamentos que estão sendo trabalhados na psicoterapia. Muitas pessoas têm dificuldades para realizar tais tarefas, mas essa dificuldade deve ser discutida com o psicoterapeuta e não pode ser um motivo para o abandono do tratamento.

A PSICÓLOGA DO MEU FILHO NÃO QUER ME CONTAR SOBRE O QUE ELES CONVERSAM, MAS EU PRECISO SABER SE ESTÁ TUDO BEM. ELA PODE FAZER ISSO? EU TENHO O COSTUME DE LIGAR PARA CONTAR AS COISAS ERRADAS QUE ELE FEZ E PARA DIZER O QUE ELA DEVE FALAR PARA ELE, E QUE NÃO PODE FAZER ISSO. EU NÃO ENTENDO O MOTIVO.

Um dos principais critérios para o bom desempenho da psicoterapia é o vínculo do paciente com o terapeuta, e, para que isso ocorra, a confiança entre eles é de suma importância. Por isso, qualquer informação a respeito da psicoterapia de alguém é sigilosa, e isso deve ser respeitado. A família se preocupa e quer receber ou fornecer informações sobre o paciente, e isso é compreensível e deve ser considerado, mas sempre com o consentimento do paciente. A psicoterapia deve incluir a orientação familiar, e, nessa ocasião, o terapeuta combina previamente com todos que o limite desse sigilo é a segurança do paciente. Como o tratamento sempre é orientado pelo médico, este deve ser informado imediatamente quando o paciente ou terceiros estiverem correndo risco de morte ou agressão, por exemplo. Em primeiro lugar, vem a proteção e a segurança, levando em conta que o bipolar pode não responder por seus atos se estiver gravemente doente, situação em que cabe aos profissionais e à família a responsabilidade sobre as consequências de seus comportamentos. Pode-se sugerir psicoterapia familiar para lidar com essas questões, mas sempre de forma explícita e com o consentimento do paciente.

A PSIQUIATRA DA MINHA FILHA NOS SUGERIU TERAPIA FAMILIAR, MAS EU NÃO SEI POR QUE DEVO FAZER ISSO SE NÃO TENHO NENHUM TRANSTORNO.

A terapia familiar pode ser indicada no tratamento do TB por várias razões. O estresse familiar pode ser um dos principais fatores de risco para recaídas, e, por isso, se a família aprende a lidar melhor com suas dificuldades e com sua comunicação, a estabilidade do humor do paciente será mais fácil. Além disso, a compreensão da família sobre o diagnóstico, os sintomas e as dificuldades do paciente ajudam muito no tratamento, e a terapia familiar favorece isso.

PERGUNTAS FREQUENTES

É POSSÍVEL SAIR DE UMA CRISE DE DEPRESSÃO AO TER FEITO TRATAMENTO APENAS COM TERAPIA?
Nos transtornos do humor, os sintomas depressivos têm habitualmente uma gênese biológica, ou seja, decorrem da alteração de neurotransmissores, e sua melhora depende da regularização deles. Isso é feito de maneira mais eficaz e rápida com tratamentos medicamentosos. A psicoterapia pode ter efeito no funcionamento cerebral, mas isso ocorre a longo prazo, e ainda faltam estudos que comprovem a eficácia desse método. Por isso, apesar de a psicoterapia ser parte importante do tratamento, a farmacoterapia ainda é a prioridade na garantia de melhora dos sintomas bipolares ou depressivos.

REFERÊNCIAS

1. Michalak EE1, Yatham LN, Wan DD, Lam RW. Perceived quality of life in patients with bipolar disorder. Does group psychoeducation have an impact? Can J Psychiatry. 2005;50(2):95-100.

2. Miklowitz DJ. Adjunctive psychotherapy for bipolar disorder: state of the evidence. Am J Psychiatry. 2008;165(11):1408-19.

3. Colom F, Vieta E, Sánchez-Moreno J, Palomino-Otiniano R, Reinares M, Goikolea JM, et al. Group psychoeducation for stabilised bipolar disorders: 5-year outcome of a randomised clinical trial. Br J Psychiatry. 2009;194(3):260-5.

4. Roso MC, Moreno RA, Moreno DH. Aspectos psicossociais da terapêutica. In: Moreno RA, Moreno DH, organizadores. Da psicose maníaco-depressiva ao espectro bipolar. 2. ed. São Paulo: Segmento Farma; 2008. p. 383-405.

5. Jones S. Psychotherapy of bipolar disorder: a review. J Affect Disord. 2004;80(2-3):101-14.

6. Programa de Transtornos Afetivos (PROGRUDA) [Internet]. São Paulo: HCFMUSP; c2011 [capturado em 10 jan 2015]. Disponível em: www.progruda.com.

7. Fountoulakis KN, Vieta E. Treatment of bipolar disorder: a systematic review of available data and clinical perspectives. Int J Neuropsychopharmacol. 2008;11(7):999-1029.

8. Pellegrinelli KB, Roso MC, Moreno RA. A relação entre a não adesão ao tratamento e falsas crenças de pacientes bipolares e seus familiares: carta ao editor. Rev Psiquiatr Clín. 2010;37(4):183-4.

9. Associação Brasileira de Familiares, Amigos e Portadores de Transtornos Afetivos (ABRATA)[Internet]. São Paulo: ABRATA; c2012 [capturado em 10 jan 2015]. Disponível em: www.abrata.org.br.

LEITURA SUGERIDA

de Barros Pellegrinelli K, de O Costa LF, Silval KI, Dias VV, Roso MC, et al. Efficacy of psychoeducation on symptomatic and functional recovery in bipolar disorder. Acta Psychiatr Scand. 2013;127(2):153-8.

9
ADESÃO *VERSUS* DESISTÊNCIA DO TRATAMENTO

Karina de Barros Pellegrinelli
Rosilda Antonio

A adesão ao tratamento é um dos temas mais importantes e complexos a serem abordados com portadores de transtorno bipolar (TB). A maioria deles não gosta de tomar medicamentos regularmente, mas isso não é exclusividade dos bipolares. Em geral, pacientes com doenças crônicas, que necessitam tomar medicamentos de controle ao longo da vida, tendem a falhar com o tratamento. Ocorre que, no caso dos portadores de TB, é muito comum haver preconceitos com relação à ideia de ser portador de um transtorno psiquiátrico, e, assim, torna-se difícil aceitar o diagnóstico e o tratamento proposto.

Muitas vezes, o portador de TB "negocia" seu tratamento, decidindo tomar apenas um dos medicamentos e não outro; aceita apenas uma dose menor do que a proposta; ou quer um medicamento que não o faça se sentir tão lento. São muitas as possibilidades de quebrar o esquema prescrito pelo médico, desde a recusa total em aceitar o tratamento até o esquecimento eventual de uma dose ou outra (descritos mais adiante neste capítulo, no item Tipos de baixa adesão ao tratamento).

ADESÃO E CORRESPONSABILIDADE

As falhas no esquema medicamentoso são tão frequentes que se considera a adesão ao tratamento como um acordo entre o médico e o portador de TB, no qual cada uma das partes tem diferentes responsabilidades. O portador de TB pode e deve levantar dúvidas, solicitar questionamentos e informar o profissional a respeito de suas reações aos diferentes esquemas de tratamento; o médico, por sua vez, escuta, responde, considera os diferentes aspectos envolvidos na situação (como as vantagens e as desvantagens dos diferentes medicamentos que podem ser utilizados em cada caso) e os compartilha com o portador.

Podemos ver, então, que aderir ao tratamento não significa apenas "engolir comprimidos", mas também o envolvimento ativo do paciente no seu tratamento, no qual ele se reconhece corresponsável, mais participativo e com a função de colaborar para que o médico o ajude.[1]

A Figura 9.1 esquematiza alguns dos significados da adesão ao tratamento. Tente ver quais significados você pode adicionar aos que estão colocados. Dessa maneira, você já começa a desenvolver e praticar uma atitude pró-ativa em relação ao seu tratamento.

Os medicamentos se constituem na peça-chave do tratamento do TB. Isso é importante para que você, leitor, saiba que seguir regularmente a prescrição médica é fundamental para o controle da doença. Ocorre que saber, muitas vezes, é insuficiente para conseguir a adesão plena ao tratamento por parte dos pacientes, e, para que isso ocorra, é importante aceitar o fato de ser portador do TB.

Embora ter todas as informações sobre o quadro clínico seja fundamental, pois fornece os conhecimentos necessários sobre como compreender e cooperar com o tratamento,[2] a aceitação tende a ser um processo lento, de assimilação de uma realidade difícil e normalmente dolorosa de lidar. A aceitação pressupõe não só que o paciente aprenda sobre a doença, mas também que aprenda a lidar com os sentimentos que ela evoca. É importante, portanto, que o próprio indivíduo descubra o que significa "ser doente" em sua opinião, pois, com certeza, esses significados terão papel poderoso sobre a forma como ele lidará com seu tratamento.

A aceitação da doença não é um fenômeno instantâneo. É processo que acontece em fases,[3] como está esquematizado na Figura 9.2.

FIGURA 9.1 → SIGNIFICADOS DA ADESÃO AO TRATAMENTO.

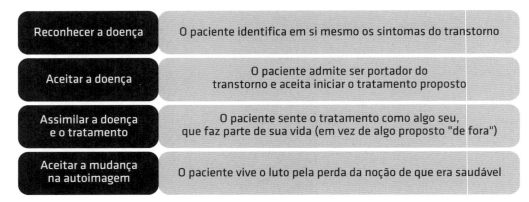

FIGURA 9.2 ➔ PROCESSOS ENVOLVIDOS NO DESENVOLVIMENTO DA ACEITAÇÃO DA DOENÇA E DO TRATAMENTO.

Como você pode observar, para aceitar a condição de portador, é necessário reconhecer em si mesmo os sintomas da doença. No começo, é difícil, o paciente pode negar a doença e atribuir os sintomas a problemas do seu contexto de vida ou do seu "jeito de ser", mas, com o tempo, com a busca de informações e por meio de leituras como esta, com a participação em encontros psicoeducacionais e grupos de autoajuda, ele aprenderá a diferenciar o que é normal e saudável daquilo que está fora da sua capacidade de controle.

O reconhecimento da doença é o primeiro passo para a aceitação da doença. Aos poucos, ele vai percebendo os prejuízos que o transtorno lhe trouxe e traz e começa a encarar o tratamento como algo seu, que faz parte da sua vida para cooperar com o seu bem-estar, embora seja trabalhoso. Durante esse processo, é muito provável que sinta tristeza e luto por se dar conta de que não era saudável como pensava. Talvez também sinta revolta e se pergunte "por que isso acontece justamente comigo?". Não pense que é só com você. O TB é uma doença muito prevalente e, se você participar de organizações de portadores como a ABRATA, verá que outras pessoas vivenciam coisas muito parecidas com as suas e que conviver com elas pode ser de grande ajuda para você e para o grupo.

A IMPORTÂNCIA DO TRATAMENTO

A importância do tratamento fica evidente quando observamos o seguinte quadro: sem tratamento, o sofrimento do paciente (e frequentemente de seus familiares) dura de semanas a meses, em geral anos, e, com tratamento, já é possível observar o início da melhora em duas ou três semanas. Porém, muitas vezes o paciente faz o tratamento corretamente e, ainda assim, apresenta crises, o que acaba sendo desanimador. Nesse momento, cabe ao psicólogo ou psiquiatra lembrá-lo de como eram as crises antes do tratamento, muito mais intensas e duradouras e, portanto, com piores consequências. O tratamento torna os episódios menos graves e mais curtos, além de evitar novas crises[4] (Fig. 9.3).

RISCOS POR INTERROMPER O MEDICAMENTO

A interrupção da medicação sem consulta ao médico é a causa mais comum de recaída, corresponde a mais de 50%. Isso aumenta o risco de internação em quatro vezes, além de aumentar o risco de suicídio. A rápida retirada de alguns medicamentos pode claramente causar problemas, como favorecer uma nova crise, além de possibilitar que a medicação perca sua eficácia.[4]

TIPOS DE BAIXA ADESÃO AO TRATAMENTO[4]

- **Baixa adesão absoluta**: o paciente não adere à medicação, nem à mudança de hábitos e de comportamento que pode favorecer o prognóstico.

FIGURA 9.3 ➔ A IMPORTÂNCIA DA ADESÃO AO TRATAMENTO.

- **Adesão seletiva parcial**: o paciente seleciona parte do tratamento proposto para colocar em prática. Exemplo: decide tomar apenas parte da medicação prescrita ou toma toda a medicação, mas altera a dosagem; ou muda de hábitos e de comportamento conforme foi orientado, mas não toma a devida medicação.
- **Adesão intermitente**: ocorre quando oscilam períodos de adesão e não adesão.
- **Adesão tardia**: o paciente apresenta resistência inicial ao tratamento, o que é bastante comum, como falaremos adiante. Porém, passada essa fase inicial, melhorando a compreensão do quadro, começa a aderir.
- **Baixa adesão tardia**: o paciente, após determinado longo período, decide fazer apenas parte do tratamento.
- **Abuso**: o paciente faz uso inadequado da medicação, tomando dosagens muito maiores do que as prescritas, muitas vezes para aliviar um sintoma indesejado, o que aumenta o risco de desenvolver dependência.
- **Medicamentos que podem causar dependência** são "tarja preta" – os tranquilizantes ou benzodiazepínicos e os hipnóticos. Estabilizadores do humor e antidepressivos são medicamentos de "tarja vermelha" – remédios controlados, mas que não causam dependência.
- **Baixa adesão comportamental**: o paciente adere plenamente à medicação, mas o mesmo não acontece em relação à mudança de hábitos e de comportamento.

"OS TRÊS PORQUINHOS"

Costumamos utilizar a história infantil dos três porquinhos para ilustrar que, diante do tratamento, diferentes posturas trazem diferentes níveis de eficácia. Assim como o porquinho que construiu sua casa com tijolos, bem alicerçada, e o lobo mau (no caso, a doença) não conseguiu derrubá-la, pacientes que aderem melhor ao tratamento têm menor risco de recaídas e melhoram mais, se comparados aos que aderem pior. Em contrapartida, os porquinhos que construíram suas casas mais rápido e utilizaram materiais mais frágeis (adesão parcial ao tratamento), o que permitiu que o lobo as derrubasse, são análogos aos bipolares que aderem de modo pobre ao tratamento. A utilização de todos os instrumentos disponíveis para lidar com a doença (medicamentoso e comportamental) aumenta a eficácia do tratamento![4]

FATORES QUE INFLUENCIAM NA ADESÃO AO TRATAMENTO

- O suporte familiar é fundamental. Se a família não compreende a doença, não apoia, é contra o tratamento, ignora ou hostiliza o paciente, colocando-o como "bode expiatório" da situação (emoção expressa),[5] acaba dificultando a adesão ao tratamento. Dizer ao paciente: "Não tome isso (medicação!), é

veneno. Vai lhe fazer mal!" ou "Você é o doente e é culpado por tudo que estamos passando!" são exemplos de como a família pode influenciar negativamente no tratamento. Estar bem informado e participar do tratamento são formas de apoio ao paciente.
- Homens e mulheres têm o mesmo padrão de adesão. Não há diferença entre os sexos nesse sentido.
- Pacientes bem informados aderem melhor ao tratamento.
- Pacientes com piores sociabilidade, funcionamento e impressão clínica global estão correlacionados à baixa adesão ao tratamento.[6]

RAZÕES MAIS COMUNS PARA UMA PESSOA QUE TEM O TRANSTORNO BIPOLAR ABANDONAR O TRATAMENTO OU NÃO ADERIR A ELE COMPLETAMENTE[7]

- **Efeitos colaterais reais**. Todo medicamento tem potenciais efeitos colaterais. Quando o paciente apresenta efeitos colaterais indesejados, é preciso conversar com seu médico para que avaliem juntos a relação risco *versus* benefício do medicamento.
- **Medo dos efeitos colaterais**. A possibilidade de apresentar efeitos colaterais já é suficiente para fazer o paciente evitar o tratamento.
- **Uso de álcool e drogas**. Pode fazer o paciente esquecer de tomar a medicação ou deixar de tomá-la propositalmente por medo da interação entre álcool/droga e fármaco.
- **Disfunções na cognição e memória**. São causadas pelo próprio quadro da doença.
- **Não querer perder a sensação de euforia**. O paciente sente prazer com essa sensação.
- **Negação da doença**. A busca de informações e a participação em encontros psicoeducacionais, incluindo, ainda, grupos de autoajuda, são fundamentais para o reconhecimento e a aceitação da doença.
- **Gravidez**. A mãe tende a suspender a medicação sem falar com o médico por medo dos possíveis efeitos no feto. Deve-se conversar com o profissional antes, a fim de evitar consequências negativas, como o desencadear de uma crise.
- **Crenças**. Pensamentos negativos, como "Posso controlar meu humor sozinho"; "Tenho vergonha"; "Cria dependência"; "Não é saudável"; "Não preciso de tratamento"; "O tratamento não funciona", devem ser evitados.

É UMA DOENÇA PARA A VIDA TODA

O TB é uma doença para vida toda, que não tem cura, somente controle, assim como a diabetes e a hipertensão arterial. Com o tratamento, é possível ter uma vida normal em todas as áreas: trabalho, família, relações, amor e social. O médico psiquiatra e o psicólogo são parceiros do portador de TB e de seus familiares na luta contra a doença!

RISCOS E CONSEQUÊNCIAS NEGATIVAS DA BAIXA ADESÃO[4]

- Perda da estabilidade do humor
- Instabilidade emocional
- Prejuízos afetivos
- Prejuízos profissionais
- Prejuízos financeiros
- Problemas familiares
- Prejuízos interpessoais
- Maior risco de internações
- Maior risco de resistência aos medicamentos (não ter mais o efeito desejado antes obtido)
- Aumento do número de crises
- Aumento da gravidade das crises

PERGUNTAS FREQUENTES

HÁ A POSSIBILIDADE DE EU VOLTAR A SER COMO ERA ANTES DE TER SIDO DIAGNOSTICADO COM TB?
O objetivo do tratamento do TB é tirar a pessoa de uma crise de humor alterado, seja um episódio depressivo, maníaco ou misto, e mantê-la estável dentro da normalidade e com plena capacidade funcional e qualidade de vida. Normalidade, para um bipolar, significa ter equilíbrio (voltar a ter jogo de cintura, a lidar com adversidades sem se estressar, se irritar ou se desesperar desproporcionalmente) e voltar a sentir paz de espírito e felicidade. Isso é possível, mas muitas vezes a pessoa se sente diferente do que era porque é comum que ela não se conheça dentro da estabilidade se o problema começou na infância ou na adolescência. Muitos pacientes, mesmo antes da completa manifestação da doença, já apresentavam sintomas subclínicos que passavam despercebidos ou eram atribuídos ao seu "jeito de ser". Em vez de tentar "ser como antes", é importante aprender a ser estável e a construir um ritmo de vida estável também.

É POR CAUSA DO TRATAMENTO OU DOS SINTOMAS QUE MINHAS SENSAÇÕES ESTÃO ANESTESIADAS? DEVO PARAR DE TOMAR OS MEDICAMENTOS?
A sensação de anestesia dos sentimentos pode ser um sintoma depressivo (apatia) ou um efeito colateral de alguns medicamentos antidepressivos. Você deve conversar com o seu médico sobre isso e jamais parar com a medicação por conta própria.

PERGUNTAS FREQUENTES

POR QUE EU DEVO CONTINUAR A TOMAR OS MEDICAMENTOS MESMO APÓS SAIR DA CRISE?
Porque a doença não se restringe às crises. O TB se manifesta nas crises depressivas, maníacas ou hipomaníacas e/ou mistas e apresenta altíssima taxa de recorrência. Uma pessoa com TB tem entre 90 e 95% de chance de apresentar um novo episódio da doença se não estiver em tratamento, portanto o tratamento é indispensável para manter o portador fora de crise. Lembre-se: você está bem porque está se tratando!

SEMPRE QUE FICO MUITO TEMPO SEM NENHUM SINTOMA DE TB, ME QUESTIONO SE REALMENTE TENHO A DOENÇA E SE NÃO DEVERIA PARAR DE TOMAR OS MEDICAMENTOS A FIM DE TESTAR SE NÃO PRECISO MAIS DELES. ISSO É NORMAL?
Sim, e é uma grande ameaça ao sucesso do tratamento. Para lidar com essa tendência a abandonar o tratamento e colocar em risco a própria saúde, o paciente deve conversar com o seu médico e o terapeuta, participar de grupos de autoajuda e manter-se sempre bem informado sobre as consequências que o TB teve na sua vida.

LOGO APÓS SER DIAGNOSTICADO COM A DOENÇA, MUDEI DE MÉDICO VÁRIAS VEZES POR NÃO CONCORDAR COM O DIAGNÓSTICO OU COM A MEDICAÇÃO. MINHA DOENÇA PODE TER SE AGRAVADO POR CAUSA DISSO?
O que agrava a doença não é mudar de médico, mas não tratá-la ou fazer um tratamento inadequado. A confiança e o bom relacionamento com o médico são fundamentais para que o paciente consiga realizar o tratamento, que é longo e complexo. Enquanto o portador não estiver seguro do diagnóstico, ele pode procurar outro profissional para ouvir outra opinião, além de buscar informações em centros especializados (veja no final deste capítulo). O que ele não deve fazer é adiar indefinidamente o início do tratamento, pois isso pode prejudicar sua saúde e ter consequências irreversíveis na sua vida.

DEPOIS QUE COMECEI O TRATAMENTO, NÃO TIVE MAIS CRISES, MAS ESTOU CADA VEZ MAIS ACIMA DO PESO E TENHO VONTADE DE PARAR COM TODAS AS MEDICAÇÕES. É POSSÍVEL FAZER O TRATAMENTO E NÃO ENGORDAR?
O ganho de peso pode ser decorrente tanto do uso de medicamentos como da presença de sintomas do próprio transtorno ou de suas comorbidades (outras doenças concomitantes). É fundamental que você não aja impulsivamente, interrompendo um tratamento bem-sucedido, e converse com o seu médico para que seja feita uma investigação cuidadosa. Você pode necessitar de orientação nutricional e de atividades físicas para cuidar do excesso de peso de maneira segura e efetiva.

EU NUNCA VOU PODER PARAR DE TOMAR OS MEDICAMENTOS? MESMO APÓS CINCO ANOS SEM NENHUMA CRISE?
O TB é uma doença altamente recorrente, e apenas o tratamento correto e continuado pode garantir o controle das crises. Se você estiver estável por cinco anos, significa que o tratamento está funcionando muito bem e deve ser mantido. Lembre-se que o tratamento é para a vida toda porque o transtorno também é.

EU SEI QUE PRECISO DOS MEDICAMENTOS PARA FICAR BEM, MAS NÃO AGUENTO MAIS OS EFEITOS COLATERAIS. O QUE EU FAÇO?
Converse com o seu psiquiatra para avaliar os medicamentos, as doses e os efeitos colaterais. Qualquer ajuste deve ser feito com o profissional especializado. Não há tratamento perfeito, e,

PERGUNTAS FREQUENTES

muitas vezes, pode ser necessário escolher o esquema mais tolerável, sem prejuízo da eficácia. Atualmente, há muitos medicamentos diferentes, e com certeza seu médico encontrará a combinação ideal para você.

TENHO A IMPRESSÃO DE QUE MINHA MULHER E MEU MÉDICO ACHAM MELHOR QUANDO ESTOU DEPRIMIDO PORQUE ASSIM DOU MENOS TRABALHO. SE EU TOMAR UMA DOSE MAIOR DE ANTIDEPRESSIVOS SEM AVISÁ-LOS, VOU ME SENTIR MELHOR?
Você não deve modificar a dose dos seus medicamentos sem orientação médica, pois somente o profissional sabe avaliar os possíveis efeitos desse tipo de alteração. Se você fica depressivo durante a maior parte do tempo, isso não significa, necessariamente, que sua família prefira a depressão à mania. O médico busca a remissão dos sintomas, e, para tanto, você precisa explicar-lhe exatamente o que sente, para que ele indique o tratamento adequado. Todos preferem o equilíbrio, mas provavelmente o impacto das suas manias foi tão grave que a família ficou com medo de que voltassem. A estabilização do TB demora para ser alcançada, e em geral os pacientes ficam mais tempo deprimidos do que hipomaníacos/maníacos. Além disso, se sua esposa realmente prefere você deprimido, talvez seja necessário fazer orientação ou psicoterapia de casal para vocês aprenderem a lidar com as várias circunstâncias do seu transtorno.

ÀS VEZES SINTO VONTADE DE DESISTIR DE TODOS OS TRATAMENTOS DE UMA VEZ SÓ. O QUE PODE ACONTECER?
Isso é muito grave! Estudos apontam que interromper abruptamente os medicamentos aumenta a chance de ter uma recaída ainda mais rápida do que a interrupção gradativa. Além disso, quando um paciente interrompe uma medicação que está trazendo resultados positivos, ao retornar com o mesmo medicamento, este pode não ter a mesma eficácia de antes.

O QUE FAZER QUANDO O PACIENTE ESTÁ EM DEPRESSÃO PROFUNDA E NÃO QUER PROCURAR O PSIQUIATRA?
Em um primeiro momento, uma pessoa próxima e bem aceita pelo paciente deve tentar convencê-lo a ser avaliado. No entanto, se ele estiver correndo risco de vida, com ideias suicidas ou sem alimentar-se, por exemplo, pode estar indicada a internação psiquiátrica à revelia. Nesse caso, deve-se solicitar uma avaliação psiquiátrica e, mediante à conduta proposta pelo profissional, tomam-se as providências necessárias.

MEU MÉDICO ACHA QUE ESTOU BEM, MAS NÃO ME SINTO MAIS COMO ANTES, E SIM MAIS LENTO E MENOS PRODUTIVO. DEVO MUDAR DE MÉDICO?
Mudar de médico pode ser feito, mas é uma conduta radical e deve ser tentada somente depois de ter explorado todas as possibilidades do tratamento atual. Converse com seu psiquiatra sobre como se sente e sobre o estranhamento em relação ao seu estado atual. Saiba que muitos pacientes bipolares não têm um "normal" a resgatar. São pessoas que sempre apresentaram algum tipo de instabilidade e, com o tratamento, começam a ter uma estabilidade inédita que precisa ser conhecida e com a qual devem aprender a se adaptar.

QUANDO EU QUERO SAIR COM OS MEUS AMIGOS, NÃO TOMO O MEDICAMENTO PORQUE FICO COM SONO E NÃO CONSIGO ME DIVERTIR, MAS TENHO MEDO DE CONTAR ISSO AO MEU MÉDICO. O QUE EU FAÇO?
Invista na relação com seu psiquiatra, dê a ele chance de orientá-lo e de ajudá-lo a enfrentar as batalhas contra o seu transtorno. Interromper a medicação sem orientação é sempre prejudicial, e

PERGUNTAS FREQUENTES

quem sofre é você. Se contar isso ao seu médico, ele pode ajudá-lo a pensar em como aproveitar esses momentos sem prejuízo de sua saúde.

GOSTO DE TOMAR UMA TAÇA DE VINHO DE VEZ EM QUANDO COM MINHA FAMÍLIA, MAS COMO O MÉDICO DISSE QUE NÃO POSSO BEBER ÁLCOOL, EU NÃO TOMO O MEDICAMENTO NESSES DIAS. ISSO PODE ME FAZER MAL?
Sim. A interrupção da medicação altera a sua dosagem no sangue e compromete a proteção que o medicamento lhe proporciona. É como perguntar se deixar de tomar o anti-hipertensivo pode favorecer o aumento da pressão arterial. Além disso, não é só a associação da bebida alcoólica com os medicamentos que acarreta riscos. As bebidas alcoólicas podem desencadear oscilações do humor e, consequentemente, aumentam o risco do aparecimento de novos sintomas nos dias seguintes.

REFERÊNCIAS

1. Newman CF, Leahy RL, Beck A, Reilly-Harrington NA, Gyulai L. Transtorno bipolar: tratamento pela terapia cognitiva. São Paulo: Roca: 2006.

2. Roso MC, Moreno RA, Sene-Costa E. Psychoeducational intervention on mood disorders: the experience of GRUDA. J Bras Psiquiatr. 2005;27(2):165.

3. Basco MR, Rush AJ. Terapia cognitivo-comportamental para o transtorno bipolar: guia do terapeuta. 2. ed. Porto Alegre: Artmed; 2009.

4. Colom F, Vieta E. Psychoeducation manual for bipolar disorder. New York: Cambridge University; 2006.

5. Miklowitz DJ. The bipolar survival guide: what you and your family need to know. New York: Guilford; 2002.

6. de Barros Pellegrinelli K, de O Costa LF, Silval KI, Dias VV, Roso MC, Bandeira M, et al. Efficacy of psychoeducation on symptomatic and functional recovery in bipolar disorder. Acta Psychiatr Scand. 2013;127(2):153-8.

7. Pellegrinelli KB, Roso MD, Moreno RA. A relação entre a não adesão ao tratamento e as falsas crenças de pacientes bipolares e seus familiares. Rev Psiq Clin. 2009;37(4)195-6.

COMO AGIR EM RELAÇÃO AO MÉDICO E AO TRATAMENTO?

Ricardo Alberto Moreno
Elizabeth Sene-Costa

MÉDICO

O transtorno bipolar (TB) é uma doença diagnosticada e cuidada pelo médico psiquiatra, que é o principal profissional na equipe de tratamento. O paciente deve escolher o médico que vai lhe acompanhar – talvez pela vida toda – com muito cuidado, e este deve ser uma pessoa idônea, que tenha disponibilidade, conheça a fundo a doença e transmita confiança e segurança.

O médico, por sua vez, deve se interessar pelo paciente, não simplesmente como um portador de uma doença, mas como uma pessoa que está em sofrimento, que necessita de todo o apoio possível e que espera dele uma atitude acolhedora e afetiva.

Portanto, o monitoramento psiquiátrico do tratamento do paciente bipolar deve levar em conta duas dimensões:

- Tratamento clínico propriamente dito (administração de medicamentos).
- Intervenções de apoio que incluem todo tipo de orientação ao paciente, como orientação para lidar com a doença e com o consequente estigma, a superação dos sintomas, o conhecimento acerca do transtorno (além das informações prestadas pelo médico, quais os outros meios de informação), a tomada de medicamentos, os efeitos colaterais, as questões familiares, sociais e de trabalho etc.

Ao mesmo tempo, o paciente deve saber que também é responsável pelo sucesso de seu tratamento; isto é, é um ativo colaborador[1] e, por isso, deve ser franco ao relatar tudo o que diz respeito à sua pessoa (p. ex., como está a sua adesão ao tratamento, os seus sintomas, as falhas na medicação, os efeitos colaterais, o desempenho em atividades, os hábitos alimentares e de sono, os comportamentos inadequados, percebidos por ele mesmo ou relatados por terceiros, etc.).

Dessa maneira, paciente e médico estabelecerão uma comunicação clara e cooperativa, formando uma aliança terapêutica[2] fundamental para que o indivíduo consiga aderir ao tratamento e vencer os prováveis obstáculos decorrentes do TB.

TRATAMENTO

É de extrema importância que o paciente aprenda a lidar e a se relacionar com o TB da maneira menos conflituosa possível.

Em geral, quando o paciente recebe o diagnóstico de TB, ele sofre um impacto emocional[3] muito grande, e a sua primeira reação é não aceitá-lo. Isso o leva, às vezes, a inúmeros psiquiatras, na tentativa de ouvir outras opiniões. Se o diagnóstico for confirmado por aqueles que procurou, sua decepção aumenta e, muitas vezes, ao invés de aceitar o diagnóstico e a proposta de tratamento, o que aliviará seu sofrimento, tenta ignorá-las, e somente retorna à consulta quando seus sintomas pioram muito ou quando a família resolve tomar a iniciativa de cuidar do paciente.

Quando os sintomas se agravam, por exemplo, em uma crise de euforia com sintomas psicóticos, o paciente é levado pela família diretamente à internação psiquiátrica. Portanto, por mais difícil que seja aceitar a doença, isso é fundamental para evitar que situações desse tipo ocorram e que o paciente seja negligente consigo mesmo ou fique com medo do diagnóstico, negando o tratamento.

O psiquiatra irá passar uma prescrição médica ao paciente, a qual deverá ser seguida regularmente, pois, caso contrário, correrá o risco de apresentar, com maior constância, novos episódios da doença. Infelizmente, a maioria dos portadores de TB não adere à medicação, o que lhes traz consequências graves.[2]

A psicoterapia[4] também é um aspecto importante do tratamento; caso o médico não seja psicoterapeuta, o paciente poderá lhe pedir uma indicação. O tratamento psicoterápico ajuda a assimilar, a elaborar e a aceitar os sentimentos desencadeados pela constatação dessa dolorosa realidade. Assim como os medicamentos podem estabilizar o humor, a psicoterapia funciona como uma força estabilizadora das emoções, do pensamento, do comportamento e dos problemas do paciente, reestruturando sua vida pessoal.

Existem três outros caminhos que poderão auxiliar o portador a aceitar o tratamento e a diminuir seu preconceito em relação à doença:

❶ Participação em encontros psicoeducacionais[1,5,6] de algumas instituições (p. ex., PROGRUDA e ABRATA): constituem a base das informações e dos esclarecimentos a respeito da doença.
❷ Participação em grupos de autoajuda:[3,7] representam um dos pilares da recuperação, e neles o paciente terá a possibilidade de trocar experiências com outros portadores do TB que já passaram pela mesma situação e vence-

ram os obstáculos da aceitação. A ABRATA possui duas atividades para os familiares: o grupo de apoio mútuo (GAM), que acontece toda semana, no mesmo dia e horário, apenas para portadores, e a vivência mensal, para familiares e portadores juntos.

❸ Solicitação de apoio familiar e de amigos:[3] a participação da família e dos amigos do paciente no processo do tratamento é essencial. Muitos familiares notam alterações no humor ou no comportamento da pessoa e imediatamente providenciam uma consulta com o psiquiatra. Dedicam-se integralmente ao tratamento desse familiar (com recente diagnóstico) e se propõem a ajudar de todas as formas possíveis. Outros não percebem nada de diferente e acham que as mudanças de comportamento e/ou de humor do familiar se devem a algum capricho ou teimosia. Além disso, há outras famílias que, ao serem informadas sobre o diagnóstico, reagem de diversas formas, seja ignorando, negando, duvidando ou ficando aflitas, ansiosas, irritadas, temerosas, agressivas, etc. Independentemente da reação, é muito importante que a família seja convencida pelo médico ou pelo próprio paciente a cooperar com a proposta terapêutica e a auxiliar seu familiar a vencer o impacto funcional e social gerado pela doença. Em algumas situações mais raras, por exemplo, é o amigo que acha estranha a atitude do seu companheiro de balada e chama atenção dos pais deste para o fato. De qualquer maneira, é imprescindível que a família, os amigos próximos e a comunidade como um todo se aliem para encontrar soluções aos problemas práticos do paciente bipolar, diminuindo seu sofrimento e o estigma da enfermidade.

TOMADA DE MEDICAMENTOS

A partir do momento em que o portador concordar com a proposta terapêutica e iniciar o tratamento medicamentoso e psicoterápico, ele deverá entrar em contato com o seu médico toda vez que tiver dúvidas.

A seguir estão alguns princípios fundamentais em relação ao tratamento:

❶ Sempre discuta com seu médico tudo o que estiver lhe incomodando.
❷ Os medicamentos apropriados para os sintomas do TB (estabilizadores do humor) não causam dependência.
❸ Não tome a iniciativa de trocar de medicação porque alguém lhe disse que outra é melhor nem faça modificações no tratamento medicamentoso por conta própria, como mudar os horários dos medicamentos.
❹ Não interrompa o tratamento, pois isso pode levar a consequências graves, como a recorrência dos episódios depressivos ou de mania e a aumento do risco de suicídio (20% dos pacientes que não se tratam ou se medicam inadequadamente se suicidam).[7] Em relação à medicação, tomando como exemplo o carbonato de lítio, ele poderá não ser tão potente como no início, caso volte a tomá-lo, e necessitará da associação de outros medicamentos. Além disso, os episódios da doença poderão se tornar cada vez mais fre-

quentes, e os períodos de normalidade, cada vez menores (denominado efeito *kindling*).[7]

❺ Às vezes, é necessário que seu médico troque sua medicação ou acrescente outra ao tratamento. A mudança ou a tomada de mais um medicamento não significam, necessariamente, que seu caso esteja muito grave. Mais da metade dos bipolares faz uso de mais de uma medicação.

❻ Não falte às consultas nem às sessões psicoterápicas. Seu médico e seu psicoterapeuta não devem ficar sem contato com você por muito tempo, pois os sintomas podem voltar e você pode não perceber até entrar em nova crise. Portanto, isso pode prejudicar a evolução de seu tratamento.

❼ Não suspenda o tratamento caso permaneça estável por muito tempo, isto é, sem apresentar sintomas. O paciente hipertenso, por exemplo, quando toma sua medicação diária de forma adequada, não apresenta pressão alta porque seu organismo está sob o efeito do anti-hipertensivo. Se ele suspender o medicamento, provavelmente sua pressão voltará a subir. Assim ocorre também com o paciente bipolar. Várias pessoas passam muito tempo estáveis, sentem-se bem e começam a questionar o diagnóstico, supondo que a bipolaridade não pode ter estabilidade, então fazem o teste, parando com a medicação. Esse é um grande risco, pois geralmente os sintomas voltam depois de um período de tempo e a enfermidade tende a se agravar.

DICAS

→ Siga corretamente o seu tratamento. Não o interrompa, não o abandone e não o suspenda, assim você poderá ter ma vida mais estabilizada e com mais qualidade.

→ Sempre que sair de casa, leve sua medicação com você e escolha o modo mais prático de fazer isso, como colocá-la em uma *necessaire*.

→ Verifique constantemente a quantidade de medicamentos que você ainda tem. Não deixe para depois a solicitação de receitas, assim não haverá imprevistos e você não ficará sem tomar o medicamento.

→ Sempre deixe sua medicação guardada em uma caixa que a proteja da umidade e do calor.

→ Sempre verifique o prazo de validade de seus medicamentos, pois eles não devem ser ingeridos após a data determinada.

→ Associe a tomada do medicamento a alguma atividade rotineira, como refeições, hora da ida ao trabalho, hora de se deitar, etc.

→ Tome sua medicação regularmente para evitar recaídas.

→ Tenha paciência com os efeitos colaterais dos medicamentos. Em geral, eles desaparecem em pouco tempo.

→ Há várias medicações estabilizadoras do humor para lhe ajudar no tratamento, porém cuide-se! Não exagere na alimentação, não use drogas e pratique esportes moderadamente.

❽ Se tomar os medicamentos de modo adequado, seus sintomas serão controlados, e você poderá retornar às suas atividades normalmente.

ESQUECIMENTO DA DOSE

A adesão[2,7] ao tratamento é um dos fatores importantes que auxiliam a lembrança da ingestão diária de medicamentos, pois o paciente bipolar, consciente de sua doença, valoriza os efeitos positivos da medicação sobre seu organismo.

No entanto, ainda assim, existe a possibilidade de esquecer um ou outro horário das doses, principalmente se a pessoa faz uso de mais de um medicamento. Se o paciente estiver estável e o esquecimento não ocorrer com frequência, uma dose ou outra da medicação não trará graves problemas. Contudo, é importante lembrar que, se isso se repetir com constância, provavelmente as recaídas acontecerão.

Embora não exista uma fórmula mágica para evitar os esquecimentos, cada indivíduo deve se responsabilizar pela rotina medicamentosa e criar um método próprio para se lembrar de cada tomada. Se, em razão dos seus sintomas, isso for difícil – por exemplo, quando estiver muito deprimido ou em um episódio hipomaníaco/maníaco –, é melhor solicitar a ajuda de familiares.

EFEITOS COLATERAIS

O tratamento medicamentoso para o TB é realizado, fundamentalmente, por meio dos estabilizadores do humor, e todos eles causam algum efeito colateral, variando a intensidade de pessoa para pessoa. Algumas são mais sensíveis e não tem paciência de aguardar a diminuição desses efeitos, suspendendo imediatamente a medicação e se negando a reiniciá-la; outras diminuem as doses sem consultar o médico, e há ainda as que fingem estar tomando toda a prescrição quando, na realidade, mantiveram apenas aqueles fármacos que causam menos sensações ruins ou que possuem apenas efeito imediato, como os tranquilizantes (tarja preta).

As diferentes reações a cada medicamento dependem de diversos fatores, como padrões de sintomas, tolerância, metabolismo das substâncias, capacidade de resposta e outros.

O fundamental é que os pacientes conheçam os efeitos colaterais de cada medicação, para não tomar providências por conta própria. É muito importante eles que discutam com seus médicos a respeito de um programa de tratamento e ambos se proponham a monitorar cuidadosamente cada uma delas, evitando assim o fator surpresa quando surgir algum efeito adverso.

O psiquiatra tem por finalidade receitar os medicamentos mais apropriados para cada paciente, isto é, obter a maior eficácia possível com o mínimo de efeitos colaterais. Todavia, às vezes, isso não é alcançado logo de início, e o esquema terapêutico precisa ser trocado por outro, surgindo, assim, a necessidade de compreensão e de tolerância da parte do paciente. Ademais, é necessário enfatizar que as pessoas não apresentam, simultaneamente, todos os efeitos colaterais produzidos pelos medicamentos e que eles não perduram para sempre, pois se tornaria insuportável tomar qualquer um dos estabilizadores. Além disso, o álcool e várias outras drogas, como maconha, anfetaminas, cocaína, *crack*, narcóticos e alucinógenos, podem intensificar os efeitos colaterais do medicamento.

Se o paciente seguir de modo adequado a orientação médica e suportar por algum tempo os efeitos colaterais (caso os apresente), provavelmente logo sentirá o benefício terapêutico e terá maior possibilidade de manter-se estável por mais tempo.

OUTROS MEDICAMENTOS E DOENÇAS

Como já foi dito, o lítio é o estabilizador do humor mais antigo e popular no tratamento do TB. Todavia, às vezes, essa medicação causa efeitos colaterais desagradáveis, os quais desestimulam a continuidade de seu uso ou não promove a esperada remissão dos sintomas. Nesses casos, é necessária a utilização de nova prescrição, o que pode levar a insegurança ou temor do paciente, pois os outros medicamentos mais comumente utilizados para a bipolaridade, por apresentarem propriedades estabilizadoras do humor, também servem para outras enfermidades. Por exemplo: os denominados antiepilépticos são indicados primeiramente no tratamento da epilepsia, e os antipsicóticos, na esquizofrenia e em outros transtornos psicóticos. Além desses, também podem ser usados os ansiolíticos, os hipnóticos e os antidepressivos, esses últimos com cautela na depressão bipolar, porque podem desencadear um episódio hipomaníaco, misto ou maníaco. É importante, ainda, lembrar que o paciente, se tiver dúvidas a respeito da prescrição, deve solicitar ao seu médico explicações sobre a mudança do medicamento.

O TB é uma enfermidade que, não raro, aparece junto com outras doenças, tanto clínicas como psiquiátricas (Ver Cap. 12). Pesquisadores descobriram, por exemplo, que as doenças clínicas mais comuns entre os bipolares são as cardiovasculares, o diabetes, a obesidade, o tabagismo e a tireoidite.[7] Entre os transtornos psiquiátricos estão os de ansiedade, o abuso de substâncias psicoativas (álcool, maconha, solventes, cocaína, *crack*, *ecstasy*, etc.) e os alimentares.[7]

A comorbidade do TB com transtornos de ansiedade é bastante alta, e o tratamento é complexo, pois o sintoma diminui o tempo de estabilidade e aumenta o risco de suicídio. Além disso, às vezes, o médico necessita prescrever um antidepressivo com características ansiolíticas para diminuir a ansiedade do paciente, e isso pode desencadear instabilidade do humor, levando a episódios de hipomania ou mania.

É de extrema importância que o paciente seja cuidadoso com sua rotina alimentar, pois um dos efeitos colaterais dos medicamentos é o desenvolvimento da obesidade, que pode levar a diabetes e outras síndromes graves. Para evitar o excessivo ganho de peso, o paciente deve manter uma dieta saudável, sem exagero nas calorias, e praticar regularmente exercícios físicos. Convém enfatizar que os esportes não devem ser realizados poucas horas antes de dormir, porque podem alterar o sono, e devem ser suspensos caso o paciente perceba que está iniciando uma fase hipomaníaca ou mista.

Outro aspecto fundamental diz respeito à rotina social, uma vez que, em geral, os jovens não bipolares costumam ter intensa atividade noturna (baladas, *shows* de música, etc.), e os bipolares pensam que podem continuar com esse mesmo hábito. Muitos deles acham que não há problema algum, mesmo sendo comunicado pelo seu médico, em fazer uso de álcool ou de alguma droga ilícita. É necessário que tomem consciência de que o uso indevido dessas substâncias prejudica demasiadamente o tratamento, a recuperação e a estabilidade. O *ecstasy*, por exemplo, muito utilizado nas baladas, costuma ocasionar, entre outros sintomas, aumento na comunicação, expansividade do humor, euforia e autoestima elevada, podendo desencadear uma crise séria de mania.

GRAVIDEZ, PARTO E AMAMENTAÇÃO

É natural que a paciente bipolar, ao começar a planejar a gravidez, sinta medo e tenha dúvidas como:

❶ Meu filho também será bipolar?
❷ Se eu suspender a medicação, terei uma recaída?
❸ Se eu continuar tomando o medicamento durante a gravidez, meu filho terá alguma malformação?

Diante dessas perguntas, é essencial apontar que cada caso deve ser analisado cuidadosamente pelos envolvidos – o médico, a paciente, o marido, a família e o obstetra –, tanto no que diz respeito ao período do parto como depois dele, e também em relação ao recém-nascido.

Geralmente, não é aconselhável ingerir medicamentos durante a gravidez, porém as pesquisas atuais têm demonstrado que os riscos de certos medicamentos para o feto são bem menores do que se supunha antigamente.[7] É o caso do carbonato de lítio, dos antidepressivos, dos ansiolíticos e dos antipsicóticos; porém, o ácido valproico já é uma medicação que exige mais cuidado, pois pode causar malformação ao feto. Por isso, é recomendável evitá-lo, assim como aos demais antiepilépticos. A carbamazepina e a oxcarbamazepina também devem ser evitadas devido ao mesmo tipo de risco para o feto.

Se a paciente que está planejando a gravidez tiver apresentado um único episódio da doença, é recomendado que suspenda gradualmente o medicamento antes e retorne a ela após o terceiro mês de gestação.

Se houver a recomendação para a retirada de algum medicamento, isso deverá ocorrer de forma extremamente lenta, pois se o lítio, por exemplo, for suspenso de modo abrupto, a chance de recaída é bastante alta. Nos casos mais graves – com recaídas frequentes, tentativas de suicídio, condutas perigosas e

PONTOS IMPORTANTES

- A aliança terapêutica (paciente e médico) é fundamental para o sucesso do tratamento.
- Três caminhos para auxiliar a aceitação da doença:
  ❶ Participação em encontros psicoeducacionais (PROGRUDA e ABRATA).
  ❷ Participação em grupos de auto-ajuda (GAM da ABRATA).
  ❸ Apoio da família e de amigos.
- A paciente bipolar pode ter filhos, mas deve discutir e analisar com seu médico, seu marido e o obstetra o melhor momento para engravidar e os cuidados que deve tomar.

dificuldade de estabilização –, os medicamentos deverão ser mantidos, mas a paciente deverá estar sob controle ecográfico e fazer uso contínuo de uma dieta rica em ácido fólico para proteger o feto.

O parto pode ser o desencadeante de um episódio bipolar devido a mudanças no ciclo sono-vigília que ocorrem nesse período, pois o risco também é aumentado no pai bipolar. O episódio mais comum é a depressão pós-parto, embora também exista a chamada psicose pós-parto. O risco de recaída nas semanas seguintes ao parto é superior a 50%,[8] e a psicose puerperal pode ocorrer de forma abrupta entre 48 a 72 horas após o parto ou depois de duas a quatro semanas.

Durante o período da amamentação, o risco de recaídas é bem grande, abrangendo cerca de 30 a 50% das mulheres.[8] Se a mãe estiver sendo medicada com o lítio, por exemplo, é recomendável que ela não amamente seu filho, pois o medicamento passa para o leite materno e tem efeito tóxico para o bebê.

É importante destacar que a enfermidade não impede a mulher de ter filhos, mas é essencial tomar todos os cuidados inerentes à gravidez, ao parto e ao recém-nascido. Além disso, a psicoterapia e a psicoeducação podem ajudar a esclarecer e diminuir os temores e as fantasias relacionadas à situação.

PERGUNTAS FREQUENTES

O QUE FAZER QUANDO O MÉDICO NÃO ACEITA CRÍTICAS E NÃO ESCUTA O PACIENTE NEM OS FAMILIARES?

Todas as pessoas gostam de receber elogios, porém críticas sempre são mais difíceis, principalmente se elas vierem carregadas de agressividade verbal ou frases indelicadas de cunho depreciativo. Caso queira fazer algum comentário crítico à pessoa ou ao trabalho do seu médico, faça-o de forma delicada, pois ele provavelmente aceitará suas colocações, mas lembre-se de que ele também tem o direito de colocar suas próprias ideias, afinal ele tem o conhecimento clínico a respeito de sua doença. No entanto, o diálogo aberto, franco e educado sempre é a melhor solução para esclarecer dificuldades na relação médico-paciente.

Seria importante saber o que o médico "não escutou" do paciente e de sua família para poder responder claramente à pergunta. Como já foi dito, um dos principais objetivos do psiquiatra é justamente preservar a relação médico-paciente, bem como estabelecer um diálogo colaborativo entre paciente e família, para que possam ter a melhor compreensão da enfermidade e interagir de maneira mais afetiva e responsável, trabalhando os estigmas e as dificuldades gerais. No entanto, o impacto inicial em relação ao diagnóstico poderá levar o paciente e seus familiares a muitos questionamentos, não aceitação do que foi mencionado e discussões com o médico, que provavelmente manterá sua opinião e conduta.

COMO POSSO CONTAR AO NOVO PSIQUIATRA QUE JÁ FUI DIAGNOSTICADA COM TB PELO MÉDICO ANTERIOR?

O TB leva, em média, de 8 a 10 anos para ser diagnosticado e passagem por 3 a 4 médicos, embora seja uma doença muito frequente, atingindo cerca de 5% da população mundial. No entanto, os comportamentos e os sintomas podem variar muito de uma pessoa para outra, o que pode dificultar o diagnóstico. Se o médico não estiver atualizado e se basear apenas nos seus sintomas atuais, e não nos antigos também, ele poderá confundir o seu diagnóstico. Por exemplo: se você estiver deprimido e sofrendo muito, talvez você mesmo não se refira (e ele talvez não lhe pergunte) sobre outros momentos de euforia, de excitabilidade, de irritabilidade, de aceleração do pensamento, etc., que o alertariam para o TB. Contudo, é importante mencionar que os psiquiatras estão cada vez mais atualizados e atentos aos sintomas dos pacientes, e o fato de você ter recebido o diagnóstico de TB não implica necessariamente que este seja mesmo o correto.

O QUE FAZER QUANDO O DIAGNÓSTICO ESTÁ ERRADO?

Se a pessoa acabou de receber um diagnóstico, é plenamente admissível que pense que ele esteja errado, até porque, em geral, ela ainda não tem nenhum conhecimento a respeito da doença mencionada. A melhor maneira de esclarecê-lo é conversar abertamente com o médico, pois ele tem condições de tirar as dúvidas e enfatizar as razões que o levaram a esse diagnóstico.

COMO FAÇO PARA CONVERSAR COM O MÉDICO QUANDO O ATENDIMENTO É PELO SUS? PARA ONDE DEVO LIGAR?

Infelizmente, nesse caso, será muito difícil você ter acesso ao médico. Se você estiver precisando de um atendimento de emergência, deverá procurar uma das unidades de pronto-socorro do SUS.

ÀS VEZES, QUANDO NÃO ESTOU BEM, SINTO VONTADE DE LIGAR PARA O MEU PSIQUIATRA, MAS TENHO MEDO DE INCOMODÁ-LO. EU POSSO LIGAR? OS PSIQUIATRAS ESTÃO DISPONÍVEIS A QUALQUER HORA?

Os psiquiatras também precisam descansar para poder atender bem seus pacientes no dia seguinte; assim, não estão disponíveis a qualquer hora. Entretanto, a maioria fornece seu telefone celular

PERGUNTAS FREQUENTES

ou residencial, para que o paciente se sinta mais confiante e possa tirar dúvidas emergenciais, de necessidades maiores.

UM MÉDICO ME DIAGNOSTICOU COM DEPRESSÃO E OUTRO COM TB. COMO TRATO MEU PROBLEMA?

Você deverá tomar por base o atendimento em que o médico realizou uma minuciosa entrevista psiquiátrica, pois esse é o melhor método diagnóstico. Quase sempre também é necessário, caso o paciente não apresente dados claros e objetivos, entrevistar alguns familiares e amigos para obter mais informações. Se o médico se basear exclusivamente nos sintomas apresentados no momento da consulta, como sintomas depressivos, por exemplo, e não averiguar outros relacionados com a euforia, correrá o risco de fazer um diagnóstico errado.

MUDEI TANTAS VEZES DE PSIQUIATRA QUE AGORA NÃO CONFIO EM MAIS NENHUM. O QUE EU FAÇO?

Uma das características que os pacientes bipolares podem apresentar quando estão sintomáticos é a inconstância, isto é, estão sempre insatisfeitos com todos e/ou com tudo o que fazem. Isso os leva a mudar constantemente suas atividades e seus relacionamentos, por exemplo, de faculdade, de trabalho, de namorado(a) ou esposo(a), de médico, etc., pois, para eles, nada é bom. Você só conseguirá acreditar em algum médico – e gostar de ser atendido por ele – quando tiver consciência de seu estado, tomar de modo adequado seu medicamento e perceber que o médico quer, fundamentalmente, lhe ajudar.

COMO SUPERAR A IDEIA DE QUE NÃO ESTOU ME CONSULTANDO COM UM MÉDICO QUE TRATA LOUCOS?

A palavra louco, na nossa sociedade, tem uma conotação bastante pejorativa e preconceituosa, pois a ideia, em geral, é de que a pessoa louca tenha comportamentos agressivos e esquisitos, que não saiba o que faz ou o que fala e que seja alguém muito perigoso. A maioria das pessoas desconhece ou possui conhecimento distorcido acerca das doenças mentais, e isso leva a medo ou superstição em relação ao doente mental. Loucura não é um termo formalmente utilizado pela medicina. O médico psiquiatra cuida de pacientes com transtornos mentais, tanto daqueles que apresentam sintomas graves – por exemplo, agitação psicomotora, alucinações e delírios – como dos que apresentam sintomas depressivos, hipomaníacos, obsessivo-compulsivos e vários outros, como as dependências de álcool e drogas.

OS PSIQUIATRAS DEVEM SER AFETIVOS COM OS PACIENTES?

A relação médico-paciente é um dos pontos importantes para o sucesso do tratamento, e o seu médico provavelmente terá uma atitude acolhedora e cooperativa com você. Alguns psiquiatras são mais espontâneos e mais afetivos do que outros, porém isso não deve ser tomado como medida de sua capacidade para tratá-lo. O essencial é que você tenha certeza de que ele está empenhado em lhe ajudar e disponível para orientá-lo sempre que precisar.

TODOS OS MEUS AMIGOS DIZEM QUE NÃO SOU LOUCO E NÃO PRECISO DE PSIQUIATRA DEVO PARAR O TRATAMENTO?

Jamais faça isso. O TB é uma doença recorrente e crônica, e você pode vir a apresentar novos episódios da doença s*e parar com o medicamento. Infelizmente, muitos amigos dos pacientes agem como se estivessem ajudando, mas só atrapalham. Convide-os para ir com você aos encontros

PERGUNTAS FREQUENTES

psicoeducacionais do PROGRUDA ou da ABRATA a fim de que conheçam melhor o transtorno e deixem de ter opiniões erradas em relação a você e à doença.

MINHA FAMÍLIA QUER IR COMIGO ÀS CONSULTAS, MAS TENHO VERGONHA DE FALAR ALGUMAS COISAS NA FRENTE DELES. O MÉDICO NÃO PODE ME ATENDER SOZINHO?
Sim. Você tem todo o direito de ser atendido sozinho, mas lembre-se de que é muito importante o contato dos seus familiares com o psiquiatra caso eles ou o próprio médico sintam necessidade de esclarecimentos em relação ao seu tratamento, informações sobre sua vida e demais dúvidas.

POR QUE O MEDICO DÁ MAIS VALOR AO QUE MINHA FAMÍLIA FALA DO QUE AO QUE EU FALO?
Tanto as suas colocações como as dos seus familiares são de extrema importância para o bom andamento do seu tratamento. Todavia, pode ser que haja fatos dos quais você não se recorda e que somente sua família pode esclarecer (p. ex., quando o paciente está em um episódio maníaco, toma atitudes que depois ele talvez não se lembre).

O QUE ACONTECE SE ME SINTO ATRAÍDO PELA PSIQUIATRA?
Já foi dito que um dos fatores fundamentais para o sucesso do tratamento é a boa relação entre paciente e psiquiatra. Ocorre que, muitas vezes, o paciente passa a gostar tanto de seu psiquiatra que começa a idealizá-lo como a pessoa perfeita, a melhor, a mais competente ou a única que lhe entende, e confunde esse sentimento de querer tê-lo mais próximo e por mais tempo com amor. Na psicanálise, isso é denominado transferência. Não tenha medo de perder seu médico por conta disso, mas é importante que você converse francamente com ele, para que o relacionamento de vocês (médico-paciente) continue fluindo de modo espontâneo, caso contrário, a relação poderá ficar esquisita e o seu tratamento prejudicado.

REFERÊNCIAS

1. Callahan AM, Bauer MS. Psychosocial interventions for bipolar disorder. Psychiatr Clin North Am. 1999;22(3):675-88.

2. Basco MR, Rush AJ. Terapia cognitivo-comportamental para transtorno bipolar. 2. ed. Porto Alegre: Artmed; 2009.

3. Miklowitz DJ. Transtorno bipolar: o que é preciso saber. São Paulo: M. Books do Brasil; 2009.

4. Lotufo Neto F. Terapia comportamental cognitiva para pessoas com transtorno bipolar. Rev Bras Psiquiatr. 2004;26 Suppl 3:44-6.

5. Colom F, Vieta E. Melhorando o desfecho do transtorno bipolar usando estratégias não farmacológicas: o papel da psicoeducação. Rev Bras Psiquiatr. 2004;26 Suppl 3:47-50.

6. Roso MC, Moreno RA, Sene-Costa E. Psychoeducational intervention on mood disorders: the experience of GRUDA. J Bras Psiquiatr. 2005;27(2):165.

7. Akiskal HS, Cetkovich-Bakmas MG, García-Bonetto G, Strejilevich SA, Vázquez GH. Transtornos bipolares: conceptos clínicos, neurobiológicos y terapêuticos. Buenos Aires: Panamericana; 2007.

8. Retamal P. Cómo enfrentar la enfermedad bipolar: guía para el paciente y la familia. 2. ed. Santiago: Mediterrâneo; 2010.

LEITURA SUGERIDA

Sene-Costa E. Universo da depressão: histórias e tratamentos pela psiquiatria e pelo psicodrama. São Paulo: Ágora; 2006.

COMO LIDAR COM O RISCO DE SUICÍDIO?

Rodolfo Nunes Campos
Fernando Fernandes

O suicídio é uma grande preocupação na área de saúde pública.[1] A Organização Mundial da Saúde estima que, até 2020, mais de 1,5 milhão de pessoas por ano cometerá suicídio. No Brasil, todo ano, 6 a cada 100 mil habitantes cometem suicídio, o que faz o País ocupar a 67ª posição na classificação mundial das taxas de suicídio. Essa taxa tem se elevado nos últimos anos, sobretudo entre jovens,[2] e, considerando os números absolutos, o Brasil passa a ocupar a 10ª posição. Esses números mostram a dimensão do problema no nosso meio.

O suicídio nunca tem apenas uma causa. Há interação entre diversos fatores, como saúde mental (do ponto de vista médico e psicológico) e fatores sociais e culturais. Os transtornos mentais estão associados à grande maioria dos casos de suicídio, e, apesar disso, muitas pessoas que cometem tal ato nunca tiveram um diagnóstico psiquiátrico; analisando a história de vida delas, em mais de 90% dos casos poderia ter sido feito um diagnóstico psiquiátrico.[3] Os diagnósticos mais importantes são a depressão, o transtorno bipolar, a esquizofrenia, o alcoolismo e os transtornos da personalidade, sobretudo o transtorno da personalidade *borderline*.

Os transtornos mentais que mais levam ao suicídio têm tratamento que pode levar ao controle dos sintomas. Sendo assim, esse ato pode ser evitado mediante diagnóstico, tratamento e medidas de proteção adequadas, para os quais o risco de suicídio deve ser devidamente avaliado.

A Associação de Médicos e Cirurgiões Gerais dos Estados Unidos citou o estigma e o desconhecimento público acerca dos transtornos mentais como barreiras para o diagnóstico e o tratamento das pessoas com risco de suicídio.[3] Neste capítulo, discutiremos o papel desses fatores dos transtornos do humor, os principais aspectos de proteção e de risco para o comportamento suicida, assim como as medidas que devemos tomar diante dessa possibilidade.

O PAPEL DOS TRANSTORNOS DO HUMOR

Os portadores de transtornos do humor (depressão ou transtorno bipolar [TB]) são os que apresentam maior risco de cometer suicídio entre todos os pacientes com transtornos mentais. O risco é alto tanto nos depressivos como nos portadores de TB, podendo ser de 20 a 30 vezes maior do que na população em geral.[3]

A depressão pode apresentar-se de forma muito diferente nos pacientes. Devemos prestar atenção em algumas características do quadro que representam maior risco de comportamento suicida, como ansiedade, agitação, angústia, comportamento instável e irritabilidade. Pacientes que se afastam das fontes de apoio social, como família, amigos, emprego ou escola, também correm mais perigo.

O TB é uma doença com muitas formas de apresentação, caracterizada pela alternância ou combinação de sintomas maníacos, com euforia ou irritabilidade e sintomas depressivos. A mortalidade nesse transtorno é alta, sendo doenças cardiovasculares, câncer e suicídio as principais causas.[4] Pesquisadores estimam que entre 25 e 60% dos indivíduos com TB tentarão suicídio pelo menos uma vez em suas vidas, e entre 4 e 19% o consumarão.[5]

Como dito anteriormente, cerca de 9 em cada 10 indivíduos que cometeram suicídio parecem ter tido um transtorno psiquiátrico no momento da sua morte. Estudos têm demonstrado que a depressão é o mais comum desses transtornos, que ocorrem aproximadamente em 50 a 66% dos casos.[6] A depressão está relacionada à maior parte dos suicídios por ser uma doença incapacitante e muito comum. Contudo, é importante destacar que o risco de suicídio no TB, tanto tipo I como tipo II, é muito maior do que na depressão.[5,6]

RECONHECENDO O RISCO DE SUICÍDIO

A identificação dos fatores de risco é o primeiro passo para traçar estratégias de proteção à vida dos portadores de transtornos psiquiátricos, entre os quais as alterações bruscas do humor, a presença de ansiedade, os ataques de raiva e o comportamento impulsivo, característicos dos estados mistos, alertam para o risco aumentado. Episódios de depressão, mas principalmente com sintomas mistos, sejam maníacos, hipomaníacos ou depressivos, representam momentos de risco que merecem atenção, assim como a mudança de uma fase para outra.[3] O Quadro 11.1 resume os principais sintomas associados à depressão e ao TB que podem aumentar o risco de suicídio.

Como citado anteriormente, o suicídio surge de uma junção de vários fatores. Com frequência, houve tentativas prévias, o que aumenta a chance de novas acontecerem e com maior risco de letalidade. A letalidade do método usado na tentativa diz respeito ao potencial para levar à morte, e quanto maior a letalidade do método escolhido, maior a chance de o indivíduo voltar a apresentar comportamento suicida. Detalhes como a realização de preparativos (testamento,

QUADRO 11.1 SINTOMAS QUE INDICAM MAIOR RISCO DE SUICÍDIO	
DEPRESSÃO	**TRANSTORNO BIPOLAR**
Ansiedade, angústia Inquietação, agitação Comportamento instável, irritável Desprazer grave, desesperança Insônia	Início recente de mania, depressão ou estado misto Alterações bruscas do humor Ansiedade, ataques de pânico Estados mistos Agitação, ataques de raiva Turbulência na depressão

carta de despedida) e cuidados para não ser socorrido são sinais de emergência.

No Quadro 11.2 estão resumidos outros fatores de risco, mas vale ressaltar algumas informações:

- Pacientes que apresentam casos de suicídio na família também têm risco aumentado de cometê-lo.[7]
- Homens têm maior probabilidade de cometer suicídio, e mulheres apresentam mais tentativas.
- Jovens nos primeiros anos da doença e pessoas de faixa etária acima dos 70 anos têm maior risco.
- Pobres vínculos sociais e familiares.
- Desemprego ou aposentadoria.
- Pessoas divorciadas, sem filhos, solitárias, são mais propensas ao suicídio.

Também existem fatores de proteção, como a religião; pessoas não religiosas apresentaram um risco aumentado em relação às que professavam alguma religião e tinham fé.

QUADRO 11.2 PRINCIPAIS FATORES DE RISCO PARA SUICÍDIO
Sexo masculino Jovens nos primeiros anos da doença e pessoas com mais de 70 anos Divórcio História familiar de suicídio Perda recente Solidão Desemprego, problemas no trabalho Pendências com a justiça Tentativas de suicídio anteriores

> **DICAS**
>
> → O suicídio é mais frequente nas pessoas que têm algum tipo de transtorno mental, em especial os transtornos do humor (principalmente TB).
> → A identificação dos fatores de risco é fundamental para prevenir o suicídio.
> → A manutenção do tratamento, bem como as intervenções psicossociais, são fatores de proteção que devem ser reforçados.
> → Suicídio não deve ser um assunto "tabu". Falar abertamente sobre ele ajuda a preveni-lo.
> → Mesmo que a pessoa tenha pensamentos fugazes e superficiais sobre suicídio, encoraje-a a falar com o médico sobre eles. O profissional tem conhecimento e experiência necessários para avaliar o real risco.
> → Lembre-se: tentativas prévias de suicídio são um importante fator de risco. Nenhuma tentativa deve ser considerada de pouca importância.
> → Nunca tente lidar com o suicida sozinho. Mesmo contra a vontade dele, contate a família e o médico.

Os fatores sociais são muito importantes na avaliação do risco de suicídio, a exemplo da perda de um relacionamento importante, do emprego ou pendências na justiça. Além disso, em pacientes portadores de transtornos do humor, tais estressores podem desencadear uma recaída.

Reconhecer antecipadamente um paciente com risco iminente de suicídio pode não ser uma tarefa fácil. Não existe nenhum dado que nos informe precisamente se o indivíduo está ou não de fato em risco e qual é o grau desse risco. No entanto, o conhecimento de todos esses fatores já citados é fundamental.

AVALIANDO O GRAU DE RISCO DE SUICÍDIO

Conversar com o paciente sobre o tema é importante, uma vez que ele pode apresentar uma série de pensamentos sobre a morte, mesmo sem ter, naquele momento, real intenção de cometer o ato suicida. Ideias de que a vida não vale a pena são comuns e podem evoluir para outras que envolvam morte ou suicídio. A partir daí, o paciente pode apresentar real intenção suicida, planejando e buscando meios para cometer o ato, até a tentativa de fato. É importante avaliar o grau de impulsividade do indivíduo, pois ela e a agressividade estão relacionadas às tentativas de suicídio.[8]

A Organização Mundial da Saúde elaborou um questionário, que você encontra a seguir, com o objetivo de avaliar esse risco (Quadro 11.3).

No caso de uma tentativa de suicídio, o médico e a equipe de saúde mental que cuidam do paciente devem ser imediatamente avisados para fazer uma avaliação e tomar as condutas adequadas. Caso o risco seja imediato, uma equipe de emergência deve ser acionada.

QUADRO 11.3 QUESTIONÁRIO SOBRE IDEAÇÃO SUICIDA DA ORGANIZAÇÃO MUNDIAL DA SAÚDE

Perguntar sobre a presença de ideação suicida
1. Tem obtido prazer nas coisas que tem realizado?
2. Sente-se útil na vida que está levando?
3. Sente que a vida perdeu o sentido?
4. Tem esperança de que as coisas vão melhorar?
5. Pensou que seria melhor morrer?
6. Pensamentos de pôr fim à própria vida?
7. São ideias passageiras ou persistentes?
8. Pensou em como se mataria?
9. Já tentou ou chegou a fazer algum preparativo para isso?
10. Tem conseguido resistir a esses pensamentos?
11. É capaz de se proteger e retornar para a próxima consulta?
12. Tem esperança de ser ajudado?

Avaliar se a pessoa apresenta um plano definido para cometer suicídio
1. Você fez algum plano para acabar com a sua vida?
2. Você tem alguma ideia de como fazê-lo?

Investigar se a pessoa tem os métodos para suicídio
1. Você tem pílulas, uma arma, inseticida ou outros meios em casa?
2. Esses meios são facilmente acessíveis para você?

Descobrir se a pessoa fixou alguma data para cometer suicídio
1. Você decidiu quando planeja acabar com a sua vida?
2. Quando você está planejando fazê-lo?

Apesar de nenhum dos fatores de risco ser suficiente para prever quem irá ou não cometer suicídio, a sua identificação é fundamental para diminuir a chance de que ocorra.

COMO REDUZIR O RISCO

Os tratamentos médico e psicoterápico mantidos são fundamentais para reduzir o risco de suicídio. A medicação antidepressiva, no caso da depressão, e os estabilizadores do humor, no caso de TB, são fundamentais para melhorar a qualidade de vida do paciente e prevenir suicídio.

O lítio é uma medicação estabilizadora do humor utilizada no tratamento do TB e da depressão que é capaz de reduzir significativamente as taxas de mortalidade relacionadas ao suicídio. Outros medicamentos utilizados no tratamento, apesar de não apresentarem efeitos preventivos tão marcantes como os do lítio, também reduzem o risco de suicídio, uma vez que aliviam os sintomas da doença. Entretanto, os pacientes portadores de TB que deixam de manter os estabilizadores do humor voltam a correr maior risco de cometer o ato.[9] Dessa forma, o tratamento de longo prazo é fundamental para que o paciente se mantenha protegido, e toda decisão sobre deixar ou não de utilizar determinado medicamento deve ser discutida com o médico.

Devemos estimular e fortalecer todos os chamados fatores de proteção contra o suicídio. O principal deles já foi citado, que é o tratamento, mas há outros nos quais a família é fundamental: os vínculos sociais e afetivos que o paciente

PONTOS IMPORTANTES

Para proteger o indivíduo do suicídio:
- Ouça a pessoa. Ao interagir com alguém que está em sofrimento, sobretudo em risco de suicídio, demonstre respeito e que entende seus sentimentos, focando neles, e não em "conselhos animadores". Não interrompa a pessoa frequentemente, evite julgamentos, demonstre solidariedade e não seja superficial. Dizer que "as coisas vão ficar bem" ou outras frases clichês não ajuda.
- Converse sobre o sofrimento. Se seu sofrimento for grande, procure conversar com pessoas próximas. Escolha um lugar adequado, reserve um tempo e estabeleça um diálogo de confiança. Isso também vai ajudar a fortalecer os vínculos.
- Converse sobre suicídio. Quando uma pessoa diz que "a vida não vale a pena" ou afirmações semelhantes, não subestime o risco. Havendo abertura, questione sobre intenções suicidas, assim você poderá chegar ao tema gradativamente e com calma. Não existe momento certo para perguntar sobre esse assunto, mas deve acontecer quando a pessoa se sentir à vontade para falar de seus sentimentos. Perguntar sobre suicídio o previne, enquanto, na verdade, há uma falsa crença de que conversar sobre isso pode induzir tal ideia na pessoa em sofrimento.
- Razões para viver. Sempre há razões que alimentam a esperança e o ânimo do doente. Um paciente em depressão, por exemplo, tem a visão distorcida para enfatizar e interpretar negativamente os fatos de sua vida. Devemos recordar e relacionar as razões que ele tem para viver. Ajude-o a fazer uma lista. A família e os amigos são importantíssimos e devem ser lembrados nessa hora.
- Proteja o doente. Se o paciente está enfastiado de viver e acha que a vida não tem sentido, ele pode apresentar um risco baixo. Esteja atento. Contudo, se o sujeito tem planos claros de suicídio, preparou os meios para realizá-lo e parece estar se despedindo de todos, estamos diante de uma situação de emergência. Nunca deixe o paciente sozinho, esconda armas, veneno, facas ou cordas e estimule a pessoa a buscar ajuda imediatamente. Caso ela se recuse, avise a família e os profissionais da saúde mental. Resista à tentação de fazer um "acordo" com o paciente e deixá-lo sozinho para que depois ele busque ajuda, porque "depois" pode ser tarde. As questões contidas Quadro 11.3, apresentado anteriormente, podem nortear a avaliação do risco.

mantém. Boa rede social e bom relacionamento familiar também diminuem o risco, assim como gozar de boa saúde e ter fé também são fatores de proteção. O Quadro 11.4 resume os principais fatores de proteção demográficos e sociais contra suicídio.

Contornar fatores de risco psicossociais é outra importante estratégia que deve sempre ser considerada. Aspectos como falta de apoio social, desemprego, queda no padrão econômico da família e eventos de impacto negativo podem funcionar como gatilhos para o suicídio. Entretanto, outros fatores podem agir como protetores, como gestação, presença de crianças em casa, religiosidade, satisfação com a vida e apoio social.

Muitas vezes, nesses casos, a internação hospitalar é o melhor meio de proteger o paciente. A internação é um procedimento médico e, quando bem indicada, visa assegurar os cuidados necessários, mas, por vezes, devido a preconceito ou desinformação, há resistência por parte da família com relação à internação.

QUADRO 11.4 FATORES DE PROTEÇÃO

Tratamento médico e psicoterápico
Bons vínculos sociais
Família estável e com bom relacionamento
Religião (fé)

PERGUNTAS FREQUENTES

QUANDO O PACIENTE PENSA EM SUICÍDIO, HÁ RISCO DE FATO? HÁ SINAIS DE ALERTA? COMO O FAMILIARES PODEM PERCEBER E AJUDAR?
O pensamento suicida pode aparecer de diversas formas, como vontade de dormir e não acordar mais ou não fazer questão de viver. Esses pensamentos já são um sinal de alerta e podem evoluir para planejamentos suicidas e tentativas de fato. Portanto, todos esses merecem atenção, e o médico deve ser informado sobre eles. Conhecer os sinais de alerta e os fatores de risco descritos neste capítulo é de grande valia para os familiares.

EM QUE FAIXA ETÁRIA O RISCO DE SUICÍDIO É MAIOR?
Há mais tentativas de suicídio em jovens e nos primeiros anos da doença, tanto em pessoas mais jovens como em mais velhas.

PERGUNTAS FREQUENTES

AS PESSOAS TENTAM COMETER SUICÍDIO POR CAUSA DA DOENÇA OU DEVIDO A PERSONALIDADE FRACA?
Praticamente todas as pessoas que tentam ou cometem suicídio têm diagnóstico de doença psiquiátrica, como depressão, transtorno bipolar ou esquizofrenia, mas algumas características da personalidade podem aumentar ou diminuir o risco de suicídio diante de uma doença psiquiátrica.

O RISCO DE TENTATIVA DE SUICÍDIO É MAIOR NA DEPRESSÃO, NO TB TIPO I OU NO TB TIPO II? TODOS OS PACIENTES BIPOLARES TENTAM O SUICÍDIO? SÓ QUEM ESTÁ DEPRIMIDO TENTA SE MATAR OU QUEM ESTÁ EM MANIA TAMBÉM?
O risco de suicídio é maior nos estados mistos com depressão, mania ou hipomania, quando o sofrimento é máximo, afetando igualmente o TB I e o TB II. O paciente em estado maníaco típico não tem alto risco de suicídio, mas o que está em mania e apresenta concomitantemente sintomas depressivos tem um risco aumentado de tentar cometê-lo.

QUANDO A FAMÍLIA DEVE INTERNAR O PACIENTE?
A internação hospitalar é um procedimento médico que visa proteger o doente e promover de forma intensiva todos os cuidados necessários. Quando indicada pelo médico, é a melhor alternativa para o tratamento, pelo menos temporariamente, e o papel principal da família é apoiar a internação. Para ilustrar a situação, tome-se como exemplo uma crise de hiperglicemia em um paciente diabético. Ele vai para a UTI até ser controlado, a medicação será reajustada, e ele terá alta. Não é diferente no tratamento da depressão e do TB.

SE O PACIENTE JÁ AMEAÇOU VÁRIAS VEZES QUE IRIA SE MATAR E NUNCA O FEZ, COMO SABER QUANDO ESTÁ FALANDO SÉRIO? COMO OS FAMILIARES DEVEM AGIR NESSE CASO?
Tentativas ou ameaças de suicídio denotam um risco para cometê-lo de fato. O grau desse risco deve ser avaliado pelo médico psiquiatra, que tem experiência nesses casos e deve orientar a família. No caso de sua família, a terapia familiar ajudaria a instrumentalizá-la para um contato mais firme e sereno com o paciente, ao mesmo tempo que daria força e segurança para lidar com a situação. Também vale a pena consultar uma segunda opinião, pois, se o diagnóstico estiver incorreto, o tratamento pode até mesmo agravar os sintomas e o risco de suicídio.

É VERDADE QUE PESSOAS QUE AMEAÇAM COMETER SUICÍDIO SÓ "QUEREM CHAMAR ATENÇÃO" E QUEM DE FATO O FAZ NÃO DÁ SINAL ALGUM?
Algumas pessoas que tentam o suicídio o fazem de maneira súbita e impulsiva, outras sofrem graves sintomas de maneira discreta, sem buscar ajuda, até que o tentam de fato. Em ambos os casos, a tentativa de suicídio é inesperada, e a prevenção é mais difícil; contudo, vale destacar que, normalmente, o paciente em risco de suicídio busca ajuda e dá sinais de que está em perigo antes da tentativa.

O QUE EU POSSO FAZER PARA ME LIVRAR DA SENSAÇÃO DE QUE A VIDA NÃO VALE A PENA E QUE SERIA MELHOR SE EU MORRESSE?
Tais sentimentos ou pensamentos não podem ser considerados normais. Eles quase sempre estão associados a quadros psiquiátricos que necessitam tratamento especializado. Somente o tratamento adequado vai minimizar os riscos e trazer maior bem-estar ao doente.

PERGUNTAS FREQUENTES

EXISTE ALGUM MEDICAMENTO ESPECÍFICO PARA QUEM QUER COMETER SUICÍDIO?
Não existe fármaco específico para quem tem pensamento suicida. O médico deve prescrever o tratamento adequado à patologia do paciente, e são os medicamentos corretos para cada caso que controlarão o risco de suicídio e o sofrimento do doente. Levando em conta que nos estados mistos o risco é maior, e que justamente nessas situações as pessoas estão tomando um ou mais antidepressivos de modo indevido, sempre vale a pena ouvir uma segunda opinião médica, pois os estabilizadores do humor e novos antipsicóticos, assim como a eletroconvulsoterapia, são o tratamento de escolha.

REFERÊNCIAS

1. Wasserman D, Wasserman C, editors. Oxford textbook of suicidology and suicide prevention: a global perspective. New York: Oxford University; 2009.

2. Lovisi GM, Santos SA, Legay L, Abelha LA, Valencia E. Análise epidemiológica do suicídio no Brasil entre 1980 e 2006. Rev Bras Psiquiatr. 2009;31 Suppl 2:S86-94.

3. Goodwin FK, Jamison KR. Manic-depressive illness: bipolar disorders and recurrent depression. 2nd ed. New York: Oxford University; 2007.

4. Schou, M. Forty years of lithium treatment. Arch Gen Psychiatry. 1997;54(1):9-13.

5. Novick DM, Swartz HA, Frank E. Suicide attempts in bipolar I and bipolar II disorder: a review and meta-analysis of the evidence. Bipolar Disord. 2010;12(1):1-9.

6. Hawton K, Casañas I Comabella C, Haw C, Saunders K. Risk factors for suicide in individuals with depression: a systematic review. J Affect Disord. 2013 May;147(1-3):17-28.

7. Mann JJ, Apter A, Bertolote J, Beautrais A, Currier D, Haas A, et al. Suicide prevention strategies: a systematic review. JAMA. 2005;294(16):2064-74.

8. Osváth P, Kelemen G, Erdos MB, Voros V, Fekete S. The main factors of repetition: review of some results of the Pecs Center in the WHO/EURO Multicentre Study on Suicidal Behaviour. Crisis. 2003;24(4):151-4.

9. Gvion Y, Apter A Aggression, impulsivity, and suicide behavior: a review of the literature. Arch Suicide Res. 2011;15(2):93-112.

LEITURA SUGERIDA

Søndergård L, Lopez AG, Andersen PK, Kessing LV. Mood-stabilizing pharmacological treatment in bipolar disorders and risk of suicide. Bipolar Disord. 2008;10(1):87-94.

COMO LIDAR COM OUTROS TRANSTORNOS MENTAIS ASSOCIADOS AO TRANSTORNO BIPOLAR?

Odeilton Tadeu Soares
Eduardo Calmon de Moura

Outros transtornos psiquiátricos ocorrem frequentemente junto com o transtorno bipolar (TB) (Tab. 12.1). Chamamos essa associação de comorbidades, ou morbidades (doenças) que ocorrem simultaneamente. Uma das comorbidades mais frequentes que conhecemos em psiquiatria ocorre entre o TB e os transtornos de ansiedade, porém muitas outras doenças acometem portadores de TB.[1,2]

A seguir, faremos uma breve descrição dos transtornos de ansiedade, para que o leitor possa compreender melhor como lidar com sintomas ansiosos, especialmente quando ocorrem em episódios depressivos, hipomaníacos ou mistos.

FIGURA 12.1 → REPRESENTAÇÃO DE UMA PESSOA COM PREOCUPAÇÃO, CAUSANDO ANSIEDADE, E DE OUTRA, QUE FICA TRANQUILA COM BOAS LEMBRANÇAS.

TABELA 12.1 PRINCIPAIS COMORBIDADES PSIQUIÁTRICAS NO TRANSTORNO BIPOLAR

TRANSTORNOS MENTAIS COMÓRBIDOS	TB TIPO I	TB TIPO II
Abuso ou dependência de substâncias	52,3%	36,5%
• Abuso de álcool	48,3%	33,5%
• Dependência de álcool	31,1%	17,2%
• Abuso de drogas	31,9%	17,1%
• Dependência de drogas	23,8%	8,1%
Transtornos de ansiedade	76,5%	74,6%
• Ataques de pânico	57,9%	63,8%
• Transtorno do pânico	17,5%	16,8%
• Transtorno de estresse pós-traumático	26,3%	25%
• Transtorno de ansiedade generalizada	26,9%	32,8%
• Fobia social	35,4%	36,3%
• Transtorno obsessivo-compulsivo	17,7%	11,8%
Transtornos alimentares	5,0% (TB)	
Transtorno de déficit de atenção/hiperatividade	27,6%	27,5%
Transtornos da personalidade	38,0%** (TB)	

Fonte: Merikangas e colaboradores,[3] McElroy e colaboradores[4] e Brieger e colaboradores.[5]

A ansiedade é considerada um transtorno quando ocorre em momentos que não se justificam ou quando é tão intensa que acaba interferindo na vida da pessoa. Normalmente, trata-se de um sinal de alerta, que permite ao indivíduo ficar atento a um perigo iminente e tomar as medidas necessárias para lidar com a ameaça. Assim, quando ficamos ansiosos, tomamos decisões importantes que melhoram o nosso desempenho. A ansiedade pode surgir repentinamente, levando a sintomas físicos e psicológicos, mas também é um sentimento útil, sem o qual com frequência correríamos riscos. Além disso, está presente na maior parte das nossas experiências. Por exemplo, resolvemos estudar quando estamos prestes a realizar uma prova, e a ansiedade se atenua com a repetição do comportamento. Se tivermos de nos preparar para uma entrevista de emprego, de quanto mais entrevistas participarmos, mais "experientes" e habituados nos tornaremos ao estímulo que causa a ansiedade.

A ansiedade pode durar de minutos a dias ou meses, e as crises ou ataques de ansiedade, também conhecidos como "ataques de pânico", alcançam sua intensidade máxima em 10 minutos[6] e são caracterizados por pelo menos 4 dos sintomas listados no Quadro 12.1.

QUADRO 12.1 SINTOMAS MAIS FREQUENTES DE ANSIEDADE

Físicos ou somáticos
- Autonômicos: taquicardia, suor, falta de ar, diarreia
- Musculares: dor, contratura, tremores
- Respiratórios: sensação de afogamento ou sufocação, hiperventilação
- Cenestésicos: parestesias, calafrios, adormecimentos ou formigamentos

Psicológicos
- Tensão
- Nervosismo
- Apreensão
- Mal-estar indefinido
- Insegurança
- Dificuldade de concentração
- Sensação de estranheza
- Despersonalização (estar distanciado de si mesmo) e desrealização (sensação de irrealidade)

QUAL A DIFERENÇA ENTRE MEDO, FOBIA E PÂNICO?

O medo é uma reação normal e está ligado a uma situação ou um objeto específico que apresenta perigo, real ou imaginário, e nos leva a evitá-lo. Um exemplo é o medo de assalto. Todos evitamos as situações que possam nos deixar mais vulneráveis. Já a fobia envolve uma ansiedade persistente, intensa e desproporcional em resposta a uma situação específica, como altura. Ocorrem as chamadas esquivas, ou seja, a pessoa fóbica evita a situação que desencadeie a sua ansiedade ou a suporta com grande sofrimento.[7] Já o pânico ocorre sem a necessidade de um estímulo específico. A pessoa pode estar descansando na rede ou lendo um livro e de repente começa a apresentar sintomas de ansiedade físicos e/ou psíquicos. Um leão causa medo a qualquer um, mas um gatinho só vai causar sintomas de ansiedade nos fóbicos. Os portadores da síndrome do pânico, no entanto, poderão ter sintomas mesmo sem um estímulo, conforme pode ser observado na Figura 12.2.

AGORAFOBIA: O MEDO DE NÃO SER SOCORRIDO

Frequentemente associada ao transtorno do pânico, a agorafobia é caracterizada por medo e ansiedade intensos em estar em locais dos quais sair com rapidez pode ser difícil, ou, ainda, no caso de passar mal, o socorro pode não chegar. Essa preocupação em voltar a sentir sintomas de ansiedade e não ser acudido pode levar a pessoa a evitar transporte público, multidões ou locais fechados, caracterizando um comportamento evitativo ou de esquiva.[7] O paciente agora-

FIGURA 12.2 → DIFERENÇA ENTRE MEDO, FOBIA E PÂNICO.

fóbico sente-se mais seguro se souber que terá atendimento imediato, e é frequente tentar descobrir se há hospitais no trajeto que fará.

Andar com uma garrafa d'água para evitar a sensação de sufocamento é outra característica dos pacientes com agorafobia. Se estiverem em locais fechados, como um cinema ou *shopping center*, ficam atentos ao local mais próximo de saída, com a finalidade de escapar rapidamente em caso de ameaça de uma nova crise.

O QUE É O TRANSTORNO DE ANSIEDADE GENERALIZADA?

O transtorno de ansiedade generalizada (TAG) é um transtorno de ansiedade e preocupação excessiva quase diário sobre uma série de atividades ou eventos, e tem duração de seis meses ou mais. O paciente com TB só pode receber este diagnóstico se não estiver apresentando um episódio de depressão, caso contrário, será apenas um resíduo de sintomas que faltaram melhorar. A ansiedade e a preocupação são intensas e de difícil controle, desproporcionais à situação, e o tema gira em torno das mais diversas questões, como dinheiro, saúde, etc.

Nessa patologia, pelo menos três dos seguintes sintomas estão presentes: inquietação, fadiga, dificuldade de concentração, irritabilidade, tensão muscular e má qualidade de sono.[7] Frequentemente, antecede uma depressão ou TB, e seus sintomas fazem parte dos episódios, portanto, não representa, no caso, um novo diagnóstico de TAG.

FOBIA SOCIAL

É o medo desproporcional de desempenhar em frente aos outros ações como atuar em um palco, falar em público e ter os primeiros contatos com o sexo oposto (Quadro 12.2). Associa-se à falta de assertividade e à dificuldade de autoafirmação e caracteriza-se pelo medo persistente de situações em que a pessoa

APRENDENDO A VIVER COM O TRANSTORNO BIPOLAR

QUADRO 12.2 SITUAÇÕES SOCIAIS TEMIDAS

- Participar de reuniões ou festas.
- Ser apresentado a alguém.
- Iniciar ou manter conversas.
- Falar com pessoas em posição de autoridade.
- Receber visitas em casa.
- Ser observado durante alguma atividade (comer, falar, escrever, votar, usar telefone).
- Ser objeto de brincadeira ou gozação.
- Usar banheiro público.
- Medo de vomitar, tremer, suar ou enrubescer na frente dos outros.

julga expor-se à avaliação dos outros ou comportar-se de maneira humilhante ou vergonhosa. A fobia social está associada a uma reação intensa de ansiedade com sintomas físicos e psicológicos.[7]

FOBIAS ESPECÍFICAS

São fobias restritas a situações determinadas, como insetos, animais, altura, visão de sangue ou medo de exposição a doenças específicas. Apesar de a situação temida ser limitada, a iminência ou o contato com ela podem provocar um ataque de ansiedade aguda. As fobias específicas surgem na infância e podem persistir por toda a vida se permanecerem sem tratamento, como ocorre na maioria dos casos.

FIGURA 12.3 → FOBIA DE BARATAS (ESPECÍFICA).

TRANSTORNO DE ESTRESSE PÓS-TRAUMÁTICO

É um transtorno de ansiedade que se desenvolve em pessoas que experimentaram estresse físico ou emocional e que passam a apresentar sintomas de ansiedade quando lembram do trauma ocorrido, como vítimas de assaltos, estupros, catástrofes naturais, acidentes, etc. O início do quadro segue o trauma com um período de latência que pode variar de poucas semanas a meses, raramente excedendo 6 meses (Quadro 12.3).[7]

TRANSTORNO OBSESSIVO-COMPULSIVO

É caracterizado pela presença de obsessões e compulsões:

❶ Obsessões: o paciente tenta ignorar ou suprimir as obsessões por meio de ações, pensamentos, impulsos ou imagens recorrentes e persistentes.
❷ Compulsões: o paciente se sente obrigado a desempenhar comportamentos repetitivos para aliviar uma obsessão ou de acordo com regras rígidas sequenciais.

Preocupação excessiva com limpeza e higiene pessoal, dificuldade para pronunciar certas palavras, indecisão diante de situações corriqueiras por medo de que uma escolha errada possa desencadear alguma desgraça e pensamentos agressivos relacionados a morte, acidentes ou doenças são exemplos de obsessões do transtorno obsessivo-compulsivo (TOC).

As pessoas com TB que apresentam sintomas de ansiedade devem ser corretamente diagnosticadas e tratadas, a fim de atenuar as consequências danosas para suas vidas profissional, acadêmica e familiar.[1,2] É frequente confundir os sintomas de ansiedade com os de aceleração, característicos das fases de hipomania do TB. Portanto, aprender a identificar a ansiedade e utilizar técnicas apropriadas para seu tratamento auxiliam na melhora dos sintomas depressivos associados a esse quadro. O tratamento adequado do TB, com estabilizadores do humor, antipsicóticos e antidepressivos, também é eficaz no controle dos sintomas de ansiedade comórbidos. Técnicas de relaxamento e exposição aos estímulos, bem como a psicoterapia, auxiliam o paciente a lidar com seus sinto-

QUADRO 12.3 CARACTERÍSTICAS DO TRANSTORNO DE ESTRESSE PÓS-TRAUMÁTICO

- Lembranças do trauma em sonhos e pensamentos; pensamentos frequentes (*flashback*)
- Dificuldade em lidar com outras experiências relacionadas
- Sintomas físicos de ansiedade, depressão
- Dificuldades cognitivas

mas e a reduzi-los.[2] É importante ressaltar que a presença de transtornos de ansiedade comórbidos pode mascarar os sintomas de TB, e o contrário também pode acontecer. Na primeira situação, desde que o TB seja tratado de modo adequado, os sintomas ansiosos desaparecem simultaneamente com a melhora dos demais. No segundo caso, quando o paciente bipolar está estabilizado, o quadro de fobia social ou de TOC pode aparecer (nessas condições mais raras, é necessário tratamento diferenciado para o TOC e para a comorbidade psiquiátrica ansiosa).

ÁLCOOL E DROGAS: DOENÇAS COMÓRBIDAS OU SINTOMAS DO TRANSTORNO BIPOLAR

Mais de metade dos bipolares pode apresentar associação com abuso e/ou dependência de substâncias ao longo da vida. Em indivíduos predispostos geneticamente ao desenvolvimento do TB, o primeiro episódio de alteração do humor pode ser desencadeado pelo uso de drogas e álcool. É necessário ter atenção especial com esses adolescentes e atuar preventivamente. As definições de abuso e dependência de substâncias estão resumidas no Quadro 12.4.

O uso de drogas e de álcool a ponto de causar dependência tem atingido grande parte da população brasileira, e esse problema é ainda maior nos portadores de TB.[2] Isso acontece quando a substância assume importância central na vida da pessoa, causando múltiplos prejuízos e desencadeando respostas físicas e psíquicas devido a falta ou diminuição do seu uso.[5]

A comorbidade e o fato de a doença do humor aumentar a chance de dependência ou uso abusivo de diversas drogas, medicamentos e álcool[1,8] são conhecidos há séculos. O desejo de consumir álcool ou outras substâncias, por exemplo, é um sintoma frequente na mania quando é aumentada a impulsividade. Essas substâncias, entretanto, também podem ser usadas nas depressões, principalmente em sintomas mistos, para aliviar o sofrimento depressivo-ansioso comum nesse tipo de quadro clínico. Muitos pacientes com TB abusam, ainda, de tranquilizantes, e também podem se tornar dependentes desses medicamentos. Além disso, sabe-se que o uso de determinadas substâncias dificulta a estabilização do quadro do TB, gerando assim um ciclo vicioso muito danoso ao paciente.

QUADRO 12.4 USO, ABUSO E DEPENDÊNCIA DE SUBSTÂNCIAS

- **Uso**: qualquer consumo de uma substância
- **Abuso**: uso que causa problemas, uso nocivo
- **Dependência**: uso compulsivo levando à perda de controle e a problemas sérios, como o desenvolvimento de tolerância (necessidade de doses cada vez maiores para atingir o mesmo efeito) ou síndrome de abstinência

Álcool e drogas agravam diretamente os sintomas depressivos e aumentam as oscilações de humor, ao passo que tranquilizantes e *Cannabis* modificam os sintomas a ponto de inviabilizar o ajuste terapêutico de cada paciente.

O tratamento da comorbidade entre TB e abuso/dependência de álcool e/ou de outras drogas é complexo e difícil devido à má adesão, comum em ambos os diagnósticos e potencializada quando esses transtornos são concomitantes, e envolve o controle incisivo de todos os sintomas da alteração do humor, com uso de medicamentos, intervenções psicoterapêuticas, psicoeducativas e também grupos de apoio e esclarecimento aos familiares dos pacientes, principalmente quando existem dependentes na família.[2] Nos casos em que está instalada uma dependência, é preciso tratar cada um dos diagnósticos com suas respectivas estratégias terapêuticas de modo combinado.

PROBLEMAS COGNITIVOS E DEMÊNCIAS

Em idosos, as dificuldades para lembrar de fatos recentes ou longínquos podem ser confundidas com quadros demenciais. No entanto, a relação entre os processos demenciais verdadeiros e o TB não está totalmente esclarecida. Pesquisas recentes têm demonstrado que o TB está associado ao maior risco de desenvolver quadro de demência,[9,10] a exemplo da doença de Alzheimer (Quadro 12.5), mas estudos mais aprofundados ainda são necessários.

Os transtornos do humor podem prejudicar a memória e o raciocínio com o passar do tempo, principalmente em indivíduos não tratados e com múltiplos episódios de alterações do humor.[9,11]

Pacientes com TB associado a alguma demência senil e que estejam depressivos ou agitados necessitam de tratamento medicamentoso e de outros cuidados adequados, pois essa comorbidade piora a qualidade de vida e a evolução de ambas as doenças. Como o TB pode trazer prejuízos cognitivos ao longo do tempo, e isso depende, em parte, do número de recaídas e de episódios durante a vida, é importante prevenir tais ocorrências.

A MULHER E O TRANSTORNO BIPOLAR

As mulheres apresentam variações hormonais cíclicas que influenciam seu estado afetivo, seja enquanto menstruam, seja quando entram na menopausa,

---

QUADRO 12.5 PRINCIPAIS ALTERAÇÕES NA DOENÇA DE ALZHEIMER

- Esquecimentos frequentes ou problemas de memória
- Problemas de comportamento (agitação, insônia, choro fácil)
- Perda de habilidades adquiridas na vida (dirigir, vestir-se)

período que requer especial atenção. Algumas mulheres apresentam, durante as fases do ciclo menstrual, variações afetivas pequenas, que duram menos de quatro dias, e melhoram já no primeiro dia da menstruação.[2] A essa variação dá-se o nome de tensão pré-menstrual (TPM), que é completamente normal. No entanto, portadoras de TB podem ter acentuações dos sintomas no período pré-menstrual, e isso não se deve confundir com TPM. Na menopausa, as mudanças hormonais significativas aumentam o risco de as mulheres saírem de seu estado controlado, principalmente para depressão, necessitando, às vezes, de tratamentos hormonais combinados ao do TB para se estabilizarem.[2]

Existem, ainda, mulheres que apresentam exacerbação de alterações físicas e sobretudo afetivas durante os dias que precedem a menstruação (5 a 14 dias), com grave prejuízo aos afazeres da vida cotidiana. A esse quadro dá-se o nome de transtorno disfórico pré-menstrual (TDPM), cujos sintomas físicos mais frequentes são inchaço e dor nas mamas (mastalgia), sensação de inchaço no abdome e nas pernas, bem como dores de cabeça e articulares, em concomitância com sintomas afetivos, como humor depressivo, pensamentos de desvalorização pessoal e desesperança, além de labilidade emocional, irritabilidade intensa, ansiedade, falta de energia, perda de interesse e concentração, podendo também causar alterações do sono e aumento significativo do apetite. Para o diagnóstico, as alterações devem ocorrer em pelo menos dois ciclos menstruais e ter a completa remissão entre o 2º e o 14º dia do ciclo.[12] Em pacientes diagnosticadas com TB, pode ocorrer exacerbação das fases de humor em período pré-menstrual, pois existe uma associação importante entre o TDPM e o TB, ou seja, pacientes com este têm maior chance de apresentar aquele.

A gestação em si não confere maior risco de desestabilização na mulher com TB, a não ser que ela pare de tomar seus medicamentos ou mude o tratamento que vinha sendo eficaz. O cuidado com os medicamentos deve aumentar nesse período por conta do bebê e do risco maior de recidiva, que acontece no pós-parto. De maneira geral, nesse momento, as mulheres estão mais propensas a manifestar doenças mentais, em especial as afetivas, com episódios depressivos ou maníacos. Possivelmente, isso se deve às mudanças no ciclo sono-vigília e na rotina da mulher, essenciais ao equilíbrio do TB. Caso os sintomas reapareçam, o tratamento deve ser iniciado de forma rápida, pois essas alterações acarretam não apenas prejuízos para as mães, mas também aos recém-nascidos.[2] Existem algumas dicas importantes para evitar sintomas indesejáveis após o parto, como planejá-lo; evitar o uso de medicamentos sem prescrição médica e que possam trazer riscos para a gravidez e para o feto; manter a estabilização do TB; e realizar um pré-natal estruturado, garantindo a saúde adequada da gestante, necessária para evitar consequências indesejáveis nesse importante período.

TRANSTORNOS ALIMENTARES

Os transtornos alimentares (TA) (Fig. 12.4) mais frequentes são a anorexia e a bulimia nervosa, caracterizados por restrição dietética autoimposta com a fina-

FIGURA 12.4 ➔ TRANSTORNOS ALIMENTARES.

lidade de perder peso.[8] O uso de laxantes e diuréticos e vômitos provocados fazem parte do quadro e estão frequentemente associados ao TB. O diagnóstico precoce e o tratamento adequado melhoram muito o prognóstico desses pacientes. Quando pesquisada, a ocorrência comórbida de TA com TB é bastante significativa;[13] além disso, nessa população, a dependência de drogas e o uso indiscriminado de anfetaminas pioram muito o controle dos pacientes. O espectro bipolar, incluindo todas as formas do TB, é uma comorbidade comum em indivíduos com TA e está associado à comorbidade com uso de substâncias.[13] O uso de psicotrópicos, por exemplo, utilizados no tratamento do TB, está associado a ganho de peso e alteração do perfil lipídico.

Particularmente em pacientes com quadro de hipomania caracterizada por hiperatividade, o espectro bipolar está relacionado com obesidade mórbida.[14] Obesidade e dislipidemia são condições que aumentam o risco de morte em pacientes portadores de TB e são mais frequentes nestes do que na população geral. Estudos recentes apontam que nas cirurgias bariátricas de pacientes com obesidade mórbida, 89% apresentavam alguma forma de TB.[14]

TRANSTORNO DE DÉFICIT DE ATENÇÃO/HIPERATIVIDADE E TRANSTORNO BIPOLAR

O diagnóstico diferencial de TB e transtorno de déficit de atenção/hiperatividade (TDAH) é mais difícil, pois os sintomas do TDAH – hiperatividade, desatenção e impulsividade – se superpõem aos sintomas da mania/hipomania do TB.[15] Esse é um diagnóstico diferencial importante em crianças, pois o tratamento do TDAH pode precipitar o TB ou agravá-lo; já nos adultos bipolares, o diagnóstico concomitante de TDAH só pode ser feito se o paciente com TB teve TDAH desde a infância. O quadro clínico do TB é muito mais complexo e inclui oscilações do humor, aceleração de pensamentos, irritabilidade acentuada, depressão, ansiedade, insônia, alterações comportamentais e aumento de impulsividade. Quando a criança sofre de ambas as doenças, há maior dificuldade do tratamento tanto do próprio TDAH como do TB, e o psiquiatra sempre deve ser consultado, pois os tratamentos medicamentosos para as duas doenças são diferentes, e a terapia incorreta pode piorar a evolução do caso.

COMORBIDADES CLÍNICAS

Pacientes com TB têm maior prevalência de doenças cardiovasculares e endócrinas se comparados à população geral, bem como menor tempo de vida, em média 8 anos a menos. Existem vários fatores associados ao maior prejuízo da saúde, a começar pelo fato de que bipolares instáveis não cuidam da sua saúde: não vão aos médicos, não seguem os tratamentos prescritos, não conseguem manter autocuidados, etc. Além disso, alterações hormonais, como a produção elevada de hormônios da hipófise em bipolares, podem estar relacionadas a elevação da pressão arterial e aumento de resistência à insulina e dislipidemia. A própria doença também está associada à obesidade, independentemente do tratamento, mas vários medicamentos podem aumentar a fome e o peso. Além disso, medicamentos psicotrópicos, em particular os antipsicóticos atípicos, podem causar síndrome metabólica – caracterizada por aumento da glicemia e das gorduras como colesterol e triglicerídeos, aumento do apetite e preferência por alimentos doces.

A hipertensão arterial sistêmica, outro fator de risco para várias doenças cardíacas, tem maior ocorrência em pacientes com sintomas depressivos e ansiosos. Aspectos como pior aderência aos programas de reabilitação cardiovascular e medicamentos, associação a outros fatores de risco (tabagismo, hipertensão arterial, diabetes, hipercolesterolemia, obesidade), além de níveis sanguíneos elevados de fatores da inflamação (chamados de citocinas), pioram a aterosclerose e aumentam as chances de coagulação. A depressão está implicada na piora do prognóstico cardiovascular, e, devido ao fato de os bipolares sofrerem mais de depressão durante a vida, tanto os aspectos mentais como os da saúde física devem ser contemplados no tratamento preventivo.

HIPOTIREOIDISMO

O hipotireoidismo é a diminuição do funcionamento da glândula tireoide, com queda nos níveis de tiroxina (T4) circulante no sangue e aumento do hormônio tireoestimulante (TSH), e a associação entre essa patologia e o TB é muito frequente. Quando sintomático, o indivíduo apresenta ganho de peso, lentificação psicomotora, ressecamento da pele e edema, podendo, ainda, mimetizar sintomas depressivos, como falta de energia/desmotivação e tristeza. O uso do lítio, que é um estabilizador do humor importante, pode desencadear o hipotireoidismo. Nesses casos, basta tomá-lo simultaneamente com o hormônio da tireoide. É importante corrigir o desequilíbrio da função tireoideana, pois ele está associado a uma piora na estabilização do TB.

A presença de depressão amplifica a percepção dos sintomas do diabetes, ou seja, pacientes diabéticos deprimidos têm mais sintomas do que os não deprimidos, mesmo com a gravidade do diabetes controlada. Além disso, indivíduos com a comorbidade de depressão e diabetes apresentam pior controle glicêmico e maior prevalência de complicações múltiplas do diabetes, como retinopatia ocular, doenças dos rins, doenças neurológicas e disfunção sexual.

Portanto, o diagnóstico das condições clínicas que justificam e pioram o quadro do TB implica, inclusive, iniciar o tratamento global o mais rápido possível, a fim de aumentar o sucesso terapêutico das doenças associadas ao transtorno.

PERGUNTAS FREQUENTES

QUAL É A RELAÇÃO ENTRE DROGAS E TB?
Infelizmente, a comorbidade de TB e abuso/dependência de drogas é muito grande, e, na maioria dos casos, o uso da droga fica mais intenso conforme a gravidade do TB e vice-versa – quanto mais frequente o bipolar usar drogas, pior a sua sintomatologia. Essa associação também dificulta muito a estabilização das alterações do humor do paciente com TB, tendo aumento da impulsividade e maior dificuldade em resistir ao uso após ter contato com drogas de abuso, como a maconha, a cocaína e o *crack*.

É VERDADE QUE ALGUNS PACIENTES USAM ÁLCOOL OU MACONHA PARA DIMINUIR OS SINTOMAS DO TB?
Sim. Eles utilizam as drogas para minimizar o sofrimento dos sintomas do TB, mas essa é uma prática muito nociva, já que os alívios são temporários e acarretam piora do quadro, seja ele depressivo, maníaco ou misto.

GOSTARIA DE OBTER MAIS INFORMAÇÕES SOBRE DEPRESSÃO PÓS-PARTO.
A depressão pós-parto é um quadro depressivo igual ao de qualquer outra depressão, que tem início no primeiro mês após o parto e é mais frequente em mulheres portadoras de TB. É uma patologia grave que deve ser tratada o quanto antes em vista dos prejuízos para a paciente e ao recém-nascido.

QUAL A LIGAÇÃO ENTRE TB E SÍNDROME DO PÂNICO?
São duas patologias psiquiátricas, e comumente pessoas com TB também são portadoras de síndrome do pânico. Ataques de pânico e a síndrome do pânico são mais comuns em portadores de TB que de depressão unipolar, e parece existir uma ligação genética entre ambos. Em relação ao tratamento, deve-se primeiro estabilizar o TB com medicamentos, porque, em geral, os sintomas de pânico também desaparecem. Além disso, é preciso ter cuidado com o uso de antidepressivos.

PERGUNTAS FREQUENTES

No caso de se tratar de verdadeira comorbidade, os pacientes necessitam de psicoterapia para a completa resolução do quadro, sendo a psicoterapia cognitivo-comportamental a mais indicada.

É VERDADE QUE PORTADORES DE TB TÊM MAIS PROBABILIDADE DE APRESENTAR DOENÇA DE ALZHEIMER?

O paciente com TB, comparado à população geral, tem maior chance de apresentar déficits de memória. A possível evolução para um quadro demencial, como é o caso da doença de Alzheimer, sobretudo quando os pacientes não são tratados e modo adequado, ainda é objeto de estudos. Os indivíduos com TB adequadamente tratados e mantidos livres de sintomas têm menores chances de prejuízos na memória e, portanto, de desenvolvimento de um quadro demencial. O uso de lítio nessas circunstâncias está relacionado ao papel protetor em relação à possibilidade de déficits cognitivos e, possivelmente, da doença de Alzheimer.

O QUE FAZER QUANDO A PESSOA TEM HIPERTIREODISMO E TB? E QUANDO É PORTADORA DE DOENÇAS AUTOIMUNES?

Quando a pessoa tem hipertireoidismo e TB, ela deve receber os tratamentos medicamentosos para controle de ambos, independentes um do outro, porque fica mais difícil estabilizar o TB quando a tireoide causa sintomas. O mesmo vale para as doenças autoimunes, que podem piorar se o TB não estiver controlado.

REFERÊNCIAS

1. Goodwin FK, Jamison KR. Doença maníaco-depressiva: transtorno bipolar e depressão recorrente. 2. ed. Porto Alegre: Artmed; 2010.

2. Moreno RA, Moreno DH, organizadores. Da psicose maníaco-depressiva ao espectro bipolar. 3. ed. São Paulo: Segmento Farma; 2008.

3. Merikangas KR, Jin R, He JP, Kessler RC, Lee S, Sampson NA, et al. Prevalence and correlates of bipolar spectrum disorder in the world mental health survey initiative. Arch Gen Psychiatry. 2011;68(3):241-51.

4. McElroy SL, Altshuler LL, Suppes T, Keck PE Jr, Frye MA, Denicoff KD, et al. Axis I psychiatric comorbidity and its relationship to historical illness variables in 288 patients with bipolar disorder. Am J Psychiatry. 2001;158(3):420-6.

5. Brieger P, Ehrt U, Marneros A. Frequency of comorbid personality disorders in bipolar and unipolar affective disorders. Compr Psychiatry. 2003;44(1):28-34.

6. Demetrio FN, Soares OT, Teng CT. Entendendo a síndrome do pânico. Rio de Janeiro: Ediouro; 2003.

7. Kaplan HI, Sadock BJ. Tratado de psiquiatria. 6. ed. Porto Alegre: Artmed; 1999.

8. Jansen K, Ores LC, Cardoso TA, Lima RC, Souza LD, Magalhães PV, et al. Prevalence of episodes of mania and hypomania and associated comorbidities among young adults. J Affect Disord. 2011;130(1-2):328-33.

9. Robinson LJ, Ferrier NI. Evolution of cognitive impairment in bipolar disorder: a systematic review of cross-sectional evidence. Bipolar Disord. 2006;8(2):103-16.

10. Sajatovic M, Blow FC, Ignacio RV. Psychiatric comorbidity in older adults with bipolar disorder. Int J Geriatr Psychiatry. 2006;21(6):582-7.

11. Depp CA, Jeste DV. Bipolar disorder in older adults: a critical review. Bipolar Disord. 2004;6(5):343-67.

12. Valadares GC; Ferreira LV. Transtorno disfórico pré-menstrual revisão: conceito, história, epidemiologia e etiologia. Rev Psiq Clín. 2006;33(3):117-23.

13. Campos RN. Ocorrência e correlatos do espectro bipolar em pacientes com transtornos alimentares atendidos em serviço terciário: projeto ESPECTRA [tese]. São Paulo: USP; 2011.

14. Alciati A, D'Ambrosio A, Foschi D, Corsi F, Mellado C, Angst J. Bipolar spectrum disorders in severely obes patients seeking surgical treatment. J Affect Disord. 2007;101(1-3):131-8.

15. Moraes C, Silva FMBN, Andrade ER. Diagnóstico e tratamento de transtorno bipolar e TDAH na infância: desafios na prática clínica. J Bras Psiq. 2007;56:19-24.

COMO ADMINISTRAR E PREVENIR RECAÍDAS NO TRANSTORNO BIPOLAR?

Ricardo Alberto Moreno
Mireia Roso

Como você viu nos capítulos anteriores, o transtorno bipolar (TB) é uma doença que pode ser desencadeada ou apresentar recaídas por uma série de fatores ambientais, sociais e psicológicos. Isso significa que cuidar da sua qualidade de vida pode ajudar muito na estabilização da sua doença, e essa é uma parte do tratamento que depende quase exclusivamente de você. Você não pode mudar seu diagnóstico, mas pode mudar aspectos de sua vida para manejar ou diminuir seus sintomas e melhorar sua qualidade de vida, promovendo hábitos saudáveis de vida e estimulando os fatores de proteção para evitar recaídas; além disso, é importante você perceber que não está totalmente impotente ou à mercê da sua doença, esperando que um episódio simplesmente apareça. Por meio de atenção e esforço cotidianos, é possível controlar pequenas variações de humor, fatos estressantes, mal-estares físicos e outras condições que interferem no curso do seu transtorno, e, assim, você pode melhorar sua qualidade de vida.

Neste capítulo, iremos abordar alguns tópicos importantes para você desenvolver um modo de vida mais saudável e que contribua para a prevenção de recaídas e, portanto, o controle do TB.

COMO IDENTIFICAR SITUAÇÕES DE RISCO DE RECAÍDAS

Sabemos que alguns fatores aumentam o risco de recaída para todas as pessoas com TB. Os principais fatores biológicos e psicossociais associados a isso são:

- Fatores biológicos
  - Excesso de café, energético, cigarro ou qualquer substância estimulante;
  - Uso de álcool ou outras drogas;

- Alteração da rotina, especialmente do sono;
- Alteração do tratamento farmacológico;
- Ser acometido por outras doenças clínicas ou fazer uso de outros medicamentos.
- Fatores psicossociais
  - Excesso de trabalho ou estresse;
  - Conflitos conjugais ou familiares;
  - Mudanças de vida, mesmo positivas, como casamento, nascimento de um filho, etc.

Entretanto, os fatores de risco variam muito de pessoa para pessoa, e mesmo exemplos que não foram listados podem funcionar como fatores de alto risco para você e devem ser identificados. Por isso, antes de qualquer coisa, faça uma revisão de seus episódios passados e procure identificar as situações que antecederam suas recaídas. O seguinte roteiro poderá ajudá-lo na pesquisa de seus fatores de risco:

❶ Comece pelos episódios mais recentes.
❷ A cada ano, identifique situações que antecederam cada episódio.

No Quadro 13.1, você encontrará espaço para identificar dois episódios de depressão e dois de euforia, mas, se tiver tido mais de dois episódios, acrescente-os também.

Você verá que as situações que com frequência antecedem seus episódios de euforia e de depressão são facilmente identificadas e, sabendo disso, poderá administrar essas situações e prevenir uma recaída.

COMO IDENTIFICAR SINAIS PRODRÔMICOS

DEPRESSÃO

Faça uma lista (Quadro 13.2) de sinais e sintomas que você percebe quando está deprimido. Se possível, peça a ajuda de alguém próximo que possa ter identificado esses sinais quando você teve seus últimos episódios de depressão.

EUFORIA OU MANIA

Faça a mesma lista de sinais e sintomas que você percebe quando está entrando em fase de euforia. Peça ajuda a alguém próximo, pois nessas fases as pessoas que estão à sua volta tem mais facilidade em reconhecer alterações no seu comportamento do que você mesmo (Quadro 13.3).

Uma vez identificadas as situações de risco e os sinais prodrômicos, você pode tomar algumas providências para evitar uma recaída.

QUADRO 13.1 DIÁRIO DAS CRISES

ANO	(ANO PASSADO)		(ANO RETRASADO)		ANO ___		ANO ___	
ANTES DESSE EPISÓDIO IDENTIFICO A SEGUINTE SITUAÇÃO:	DEPRESSÃO (1) (2)	EUFORIA (1) (2)	DEPRESSÃO (1) (2)	EUFORIA (1) (2)	DEPRESSÃO (1) (2)	EUFORIA (1) (2)	DEPRESSÃO (1) (2)	EUFORIA (1) (2)
Tratamento incorreto								
Excesso de café, etc.								
Uso de álcool/drogas								
Sono/rotina alterados								
Outras doenças								
Outro 1:								
Outro 2:								
Crise conjugal/familiar								
Problemas trabalho								
Mudanças na vida								
Outro 1:								
Outro 2:								

QUADRO 13.2 LISTA DE SINAIS E SINTOMAS DO EPISÓDIO DEPRESSIVO	
Como fica o seu humor:	
Triste	( )
Ansioso	( )
Irritável	( )
Desanimado	( )
Outros	( )
Como fica a sua atividade ou energia:	
Sinto-me sem vontade de fazer até mesmo as coisas que gosto	( )
Sinto-me mais lento	( )
Afasto-me das pessoas	( )
Sinto-me cansado	( )
Outros	( )
Como ficam seus pensamentos:	
Fico menos interessado nas coisas	( )
Meus pensamentos ficam mais lentos.	( )
Acredito que sou culpado em relação a tudo de errado que acontece	( )
Fico extremamente crítico	( )
Todos os problemas parecem mais difíceis para resolver	( )
Não consigo tomar decisões	( )
Outros	( )
Como fica o seu sono:	
Fico muito sonolento	( )
Acordo no meio da noite e não consigo voltar a dormir	( )
Acordo mais cedo do que de hábito e fico cansado o resto do dia	( )
Outros	( )

COM RELAÇÃO ÀS SITUAÇÕES DE RISCO

Sempre que identificar uma situação de risco, duas providências podem ser tomadas: alterar a medicação de modo a proteger-se e planejar soluções para a situação que o está colocando em risco. Sendo assim:

❶ Fale com seu médico. Combine previamente as alterações que podem ser feitas na tomada dos medicamentos e verifique se você pode ou não fazê-las mesmo antes de conseguir falar com ele.
❷ Se você está em terapia, comunique o seu terapeuta sobre a situação de risco que está enfrentando. Ele o ajudará a planejar uma maneira de lidar com essa situação.
❸ Caso não tenha um terapeuta que o ajude nisso, você pode, sozinho ou com a ajuda de um amigo ou familiar, tomar providências:

QUADRO 13.3 LISTA DE SINAIS E SINTOMAS DO EPISÓDIO DE EUFORIA

Como fica o seu humor:

Excessivamente alegre	( )
Muito animado	( )
Irritável	( )
Inquieto	( )
Ansioso	( )
Outros	( )

Como fica a sua atividade ou energia:

Sinto-me acelerado	( )
Faço muitas coisas ao mesmo tempo que nem sempre termino	( )
Falo demais	( )
Procuro muitas pessoas, mesmo desconhecidas para conversar	( )
Fico muito interessado em sexo	( )
Outros	( )

Como ficam seus pensamentos:

Penso muitas coisas ao mesmo tempo	( )
Tenho muitas ideias e faço muitos planos	( )
Percebo os sons com mais nitidez	( )
As cores ficam mais brilhantes	( )
Acredito ser mais corajoso ou ousado do que de hábito	( )
Outros	( )

Como fica o seu sono:

Durmo menos que de hábito, mas não me sinto cansado	( )
Acordo muito durante a noite	( )
Não preciso dormir	( )
Outros	( )

Descreva algo que tenha feito ou que costume fazer quando está entrando nessa fase. (P. ex., Gastei muito dinheiro, fiz dívidas, tive relações sexuais de risco, etc.) _____

---

a. Quando as situações de risco envolvem fatores biológicos:
- Tome corretamente o medicamento, sendo cuidadoso com isso;
- Diminua a ingestão de qualquer substância (álcool, café, etc.) que esteja sendo utilizada em excesso;
- Cuide de sua rotina e não faça atividades que atrapalhem seus horários de sono e de refeições;
- Se o risco for de recair em um episódio depressivo, procure envolver-se ao máximo em atividades que lhe sejam prazerosas, mas que não exijam muito de você (p. ex., distraia-se com atividade manual, procure dar uma caminhada, alugue um bom filme, ligue para um

amigo, leia, ouça música, etc.). Escolha atividades que de fato o distraiam. Se a atividade for passiva demais para você, escolha uma que não seja.
b. Quando as situações de risco envolvem fatores psicológicos ou sociais:
- Se estiver tendo problemas em seu relacionamento afetivo ou familiar, converse com seu médico de forma que ele possa orientar seu parceiro ou sua família em relação aos riscos que você corre e indique este manual para que eles leiam e saibam como agir com você;
- Se os problemas forem no trabalho, converse com seu chefe e procure estabelecer uma rotina mais flexível que lhe permita, por exemplo, ir para casa mais cedo em um dia em que estiver mais estressado e compensar esse horário em outro período;
- Se alguma mudança estiver programada em sua vida, procure fazê-la gradativamente, com calma e tempo para ir se adaptando a cada nova fase da mudança.

COM RELAÇÃO AOS SINTOMAS PRODRÔMICOS (OS QUE ANTECEDEM A RECAÍDA):

Os sintomas prodrômicos são indicações de que uma nova fase de hipomania/mania ou depressão pode estar começando. Se você já identificou nos Quadros 13.1, 13.2 e 13.3 quais sinais indicam que uma nova fase de euforia ou depressão está se instalando, discuta isso com seus familiares para que eles também possam ajudá-lo a tomar as devidas providências e evitar uma recaída. Lembre-se que ninguém adivinha o que passa pela sua cabeça, seus sintomas o fazem distorcer o que os outros dizem.

A primeira providência a tomar é comunicar o seu médico. Ele provavelmente ajustará seu medicamento.

SINAIS DE HIPOMANIA/MANIA

Os sinais de que uma nova fase de hipomania ou mania pode estar começando são mais difíceis de identificar. Na mania, sua energia e disposição o deixam tão animado que muitas vezes não percebe o quanto também está acelerado e, muitas vezes, inadequado. Por isso, faça um acordo com algum membro de sua família para que ele o avise se estiver percebendo esses sinais e, além de auxiliá-lo a entrar em contato com o seu médico, o ajude a evitar comportamentos que possam prejudicá-lo. Algumas providências podem ajudar a protegê-lo:

- Peça para que alguém de sua confiança guarde seus cartões de crédito e talões de cheque. Fique apenas com o dinheiro necessário para cada dia.
- Se estiver cheio de planos e tiver decisões a tomar, adie e discuta cada decisão com essa pessoa de confiança.
- Evite reuniões sociais em que expor-se possa prejudicá-lo (p. ex., não vá a festas do trabalho; evite passar noites em programas em baladas, na internet/computador; não participe de reuniões familiares que possam ser conflitivas, etc).

Assim que o ajuste feito no medicamento surtir efeito e os sinais de hipomania/mania não forem mais preocupantes, sua rotina pode voltar ao normal, e você se sentirá mais confiante por ter sido capaz de evitar uma nova fase e todos os prejuízos que ela acarreta.

SINAIS DE DEPRESSÃO

Com relação aos sinais de depressão, além do ajuste no medicamento orientado pelo seu médico, você pode tomar providências para diminuir o risco de piorar seu estado depressivo:

❶ Envolva-se deliberadamente em atividades que costumam ser prazerosas para você. A depressão costuma diminuir a vontade de fazer as coisas, e, quanto mais nos entregamos a essa inércia, mais deprimidos ficamos, portanto saia desse círculo vicioso. Mesmo que isso exija algum esforço, procure fazer coisas agradáveis, não apenas as obrigações. Faça um plano de ação que inclua atividades que você deve fazer e outras que goste de fazer. Organize seu tempo de modo a conciliá-las e, se estiver sobrecarregado por deveres, peça ajuda, adie o que for possível e, acima de tudo, respeite suas dificuldades e não exija demais de si mesmo.

❷ Observe seus pensamentos negativos. É comum que o humor depressivo altere sua maneira de perceber as situações, e, por isso, você tenda a olhar a vida através de um filtro negativo e seus pensamentos tornam-se mais pessimistas, pois tudo parece ser certamente mais difícil e complicado quando se está deprimido. Pesquisadores do mundo todo já confirmaram o que o psicólogo norte-americano Aaron Beck[1] observou por volta dos anos de 1970 em seus pacientes: pessoas deprimidas apresentam uma alteração de seus pensamentos e crenças, os chamados pensamentos negativos automáticos. São automáticos porque ocorrem sem que se tenha consciência deles, muitas vezes passando despercebidos. Se você sabe disso, entretanto, é possível não confiar na primeira interpretação que faz das suas experiências quando percebe que está deprimido. Quando uma situação incomodar você ou deixá-lo mais desanimado, observe seus pensamentos e anote-os em uma folha de papel. Eles certamente revelarão essa tendência negativa e pessimista de perceber o mundo. Feito isso, é possível alterar os pensamentos negativos automáticos, considerando-os não como afirmações ou certezas, mas como hipóteses que podem ser questionadas e testadas. Questione seus pensamentos e imagine alternativas mais positivas para interpretar a mesma situação. Observe como ampliar o leque de alternativas para pensar em uma mesma situação já o ajuda a sentir-se melhor.

❸ Assuma seus sinais de um possível episódio depressivo como indicação de que sua doença está se manifestando e precisa ser administrada, e não como indicação de que você cometeu algum erro ou sua "fraqueza de caráter" está se revelando. Nunca se esqueça: o TB é hereditário, biológico e crônico. É esperado que oscilações de humor ocorram, e o que cabe a você é seguir o tratamento corretamente e administrar sua doença, sem confundir-se com ela.

COMO LIDAR COM A DOENÇA NO AMBIENTE DE TRABALHO

Pessoas com TB enfrentam desafios significativos nos locais de trabalho, e alguns deles dizem respeito ao estigma das doenças psiquiátricas em geral e da reação dos outros aos sintomas que nem sempre podem passar despercebidos. Entretanto, o maior desafio do paciente com relação ao seu trabalho é encontrar uma atividade que o satisfaça e o ajude a manter seu humor estável, o que é fundamental para um bom desempenho profissional. Além disso, um ambiente de trabalho acolhedor e pouco estressante também é necessário para manter sua estabilidade. O ideal seria encontrar um equilíbrio entre a sua satisfação pessoal e o controle dos níveis de estresse e de estimulação que sua atividade envolve. Como a condição ideal nem sempre é a possível, procuraremos discutir alguns aspectos que podem facilitar a administração de sua doença no âmbito profissional.

COMO OS SINTOMAS SE EXPRESSAM NO LOCAL DE TRABALHO

Um estado maníaco ou hipomaníaco pode se refletir em comportamentos que demonstram pouco comprometimento com suas ações ou ideias. Você pode começar mais projetos do que possivelmente seria capaz de terminar e iniciar mais de uma tarefa ao mesmo tempo sem finalizar nenhuma. Você pode demonstrar mais irritação e ser mais agressivo com seus colegas e chefes, isto é, se expor a comportamentos de risco que podem trazer consequências desagradáveis.

Quando você está em uma fase depressiva, se sente desanimado, mais lento e sem concentração; por isso, sua produtividade diminui. Uma maneira de lidar com isso e evitar problemas seria falar abertamente sobre seus sintomas e ausentar-se do trabalho quando perceber que está entrando em uma nova crise. Entretanto, nem sempre é possível fazer isso.

VANTAGENS E DESVANTAGENS DE REVELAR SUA DOENÇA NO AMBIENTE DE TRABALHO

Não há uma receita que garanta bons resultados quanto a falar ou não sobre sua doença no trabalho; por isso, discutiremos as vantagens e desvantagens de fazer isso para que você avalie qual a melhor atitude a tomar no seu caso.

DESVANTAGENS
A maior desvantagem de falar sobre sua doença no ambiente de trabalho é sofrer as consequências da discriminação, e o pior desfecho que poderia ocorrer em função disso seria você ser demitido ou não contratado por causa da patologia. É importante saber que a lei não permite que você seja discriminado por ser portador de uma doença. Se esse tiver sido o seu caso, procure um advogado e veja o que pode ser feito do ponto de vista legal.

Assim como portadores de deficiências físicas têm direito a um trabalho adequado às suas capacidades, o indivíduo com TB pode requisitar uma função que respeite suas necessidades para manter o humor estável. Isso inclui uma rotina equilibrada, níveis de estresse toleráveis, não dar plantões noturnos, pouca estimulação, como ambientes com poucas pessoas, e pouca "agitação". Nos Estados Unidos, algumas empresas já adequaram seu ambiente de trabalho para acomodar pacientes portadores de TB qualificados para o cargo. Isso somente foi possível depois de muitos movimentos organizados por pacientes e seus familiares, representados por associações como a Depressive and Manic Depressive Association; contudo, no Brasil, ainda não conhecemos movimentos desse tipo. A Associação Brasileira de Familiares, Amigos e Portadores de Transtornos Afetivos (ABRATA),[2] em São Paulo, e outras ONGs de portadores do TB no Brasil certamente são as associações mais representativas. Associe-se à ABRATA e discuta com outros portadores e familiares a possibilidade de formar movimentos que lutem por condições mais favoráveis de trabalho.

COMO LIDAR COM O ESTIGMA NO AMBIENTE DE TRABALHO

Se você revelou sua doença no ambiente de trabalho, pode sentir-se estigmatizado, ou seja, tudo que você faz ou diz é interpretado como reflexo de sua doença. Por exemplo: caso se atrase para uma reunião ou esteja mal-humorado – como todo mundo pode estar de vez em quando –, a tendência de seus colegas e de seu chefe é acreditar que, no seu caso, isso se deva à doença.

A única forma de lidar com isso é falar abertamente sobre seus problemas e deixar claro que pequenos deslizes no trabalho ou alterações de humor nem sempre são sinais de que você está em crise. Ofereça informações aos seus colegas para que eles conheçam melhor sua doença e lhe respeitem como indivíduo. Lembre-se que as pessoas são livres para pensar o que querem, e isso geralmente é motivado por crenças pessoais, preconceito, entre outras. O que não pode acontecer é você, portador de uma doença psiquiátrica, se sentir melindrado ou diferente dos outros ou cair na armadilha de se sentir "o coitado" ou doente. A patologia faz parte de sua vida, mas certamente você é uma pessoa mais complexa e muito melhor do que ela.

VANTAGENS

A principal vantagem de falar sobre sua doença no ambiente de trabalho é que isso lhe permite esclarecer preconceitos que seus colegas possam ter em relação a ela e, principalmente, não sentir-se envergonhado por ser portador de TB.

Entretanto, a quem e como contar são decisões que exigem cuidado. O psicólogo norte-americano David Miklowitz[3] cita algumas questões formuladas por Bryan L. Court e Gerald E. Nelson em 1996 que ajudam a tomar essa decisão. São elas:

- Por que você quer que essa pessoa saiba sobre a sua doença?
- De que maneira isso fará sua vida no trabalho ficar mais fácil? Isso o ajudará a conseguir condições mais adequadas para você trabalhar?

- Você receberá ajuda se alguém em seu trabalho souber sobre a sua doença no caso de uma emergência?
- Você se sentirá mais próximo desse colega? Ele é uma amigo em potencial?
- O conhecimento dele sobre sua doença o ajudará a explicar para o seu chefe possíveis ausências ou falhas em sua produtividade?
- Se não há razão para que sua doença prejudique seu trabalho, porque eles precisam saber?

Procure responder a essas questões antes de decidir se irá ou não falar do seu problema a algum colega de trabalho ou até mesmo ao seu chefe. Se decidir contar, não é necessário referir-se à sua doença com o termo transtorno bipolar. Você pode chamá-la de "um problema médico relacionado à minha energia, à concentração e ao humor". Use a criatividade, torne a explicação o mais simples possível e lembre-se: sua intenção ao falar sobre isso é facilitar a justificativa de possíveis prejuízos que a doença pode causar em sua produtividade, e não dar uma aula sobre psiquiatria.

COMO ADEQUAR O TRABALHO AO TRANSTORNO BIPOLAR

As orientações a seguir referem-se a condições ideais de trabalho para ter um bom desempenho e manter seus sintomas estáveis. Nem sempre é possível conseguir que tais condições sejam respeitadas, mas é importante que você saiba quais as condições mais favoráveis para si e lutar por elas sempre que for possível.

APOSENTADORIA POR INVALIDEZ

Se você já tentou e não conseguiu retornar à sua vida profissional, é possível que tenha direito à aposentadoria por invalidez. O TB pode ser incapacitante para algumas pessoas, dependendo do tempo que a doença dura, de sua gravidade ou da cronicidade. Converse com seu médico, peça uma orientação quanto a isso e lembre-se da importância de ter uma atividade útil e rotineira, que ajude na sua realização, bem como em sua autoestima. Nesse sentido, manter um trabalho rotineiro pode ser importante.

EXEMPLO: O CASO DE ROSA

Rosa, de 42 anos, é portadora de TB e está em tratamento há pelo menos dez anos. Há cinco anos, seus sintomas têm se mantido estáveis. Essa estabilidade se deve a três fatores: seu tratamento medicamentoso está correto; a psicoterapia a está ajudando a lidar com as dificuldades causadas pela doença; e ela aprendeu a compreender e administrar o transtorno. Por isso, vamos utilizar o caso de Rosa para ilustrar como é possível administrar o TB da melhor maneira e manter a sua estabilidade. O que Rosa aprendeu a respeito de sua doença:

- Identificar situações que favorecem a piora de seus sintomas, logo, fatores de risco para recaídas. Ela sabe, por exemplo, que quando está em um período mais agitado de trabalho, tende a desregular sua rotina, e isso a deixa mais acelerada, podendo desencadear um episódio de euforia. Por isso, quando percebe que um período mais desse tipo está começando, Rosa procura ser mais disciplinada do que nunca com seus horários de refeição, tomada dos medicamentos e de sono, bem como obriga-se a fazer várias paradas ao longo do dia para dar uma volta de 15 minutos e, segundo ela, "colocar a cabeça no lugar". Quando essas providências não são suficientes, ela telefona para sua médica, que já confia na capacidade de Rosa para identificar situações de risco. Basta a paciente comunicar: "Doutora, estou entrando em uma daquelas fases que me agitam", para que a médica a oriente a ajustar o medicamento e prevenir uma recaída.
- Como reconhecer sinais que indicam a entrada em uma fase de euforia ou depressão. Ela é uma mulher vaidosa e trabalha com moda, o que a obriga a estar sempre bem vestida e arrumada. Rosa gosta de se arrumar, por isso, quando acorda e não sente vontade de pensar no que vestir ou decide sair sem maquiagem, isso lhe indica que está

QUADRO 13.4 ADEQUAÇÃO DO PACIENTE COM TRANSTORNO BIPOLAR AO TRABALHO

Horário:
- Trabalhe em horários regulares: ou turno diário ou noturno, nunca alternados.
- Apte o horário para iniciar o trabalho ao seu ritmo sono-vigília. Prefira trabalhos que possam começar mais tarde, uma vez que acordar é mais difícil quando se está deprimido.
- Prefira trabalhos de meio-período.
- Não aceite fazer horas extras; prefira terminar o que ficou pendente em casa a ficar mais tempo no trabalho.

Estresse:
- Divida responsabilidades com outros colegas.
- Escolha um lugar sossegado, distante de barulho ou estimulação excessiva.
- Peça para ser dispensado de tarefas que você saiba que são desencadeadoras de recaídas.
- Participe de programas de ajuda e de aconselhamento se a empresa oferecê-los.
- Faça pausas ao longo do dia em que você possa descansar ou relaxar por alguns minutos. Prefira várias pausas de poucos minutos no lugar de uma ou duas mais longas.

Falhas:
- Se possível, avise de antemão sua chefia que falhas podem ocorrer em função do tratamento (efeitos colaterais, sintomas, consultas) e faça um acordo de como irá compensá-las.
- Faça um acordo quanto à possibilidade de sair mais cedo quando sentir-se estressado ou angustiado e de como isso poderá ser compensado em outro período.

Avaliações:
- Converse abertamente com sua chefia sobre a forma como seu desempenho será avaliado, levando em consideração as limitações causadas pela doença.

entrando em depressão. Ela e sua médica já têm o acordo de que, quando isso ocorre, Rosa está liberada a ajustar seu medicamento da maneira como foi orientada, mesmo que tenha de esperar para falar com a médica caso não esteja acessível. Essa atitude faz os sintomas de depressão não durarem mais do que dois ou três dias e impede o episódio depressivo de instalar-se, com todos os prejuízos que isso acarretaria.

Assim como Rosa, todo paciente portador de TB pode identificar situações e sinais que favorecem suas recaídas e indicam seu início. Reconhecendo situações de risco e esses sinais chamados de sinais prodrômicos, você pode evitar uma recaída.

PERGUNTAS FREQUENTES

FIQUEI AGITADA SEMANA PASSADA E AGORA ESTOU DEPRIMIDA. ISSO JÁ É UM SINAL DE DESESTABILIZAÇÃO?
Muitas vezes, situações corriqueiras nos fazem mudar de humor, e essa oscilação pode ser normal. No entanto, se você tem o diagnóstico de TB, essa mudança de humor deve ser avaliada com cuidado, pois pode haver um sinal de instabilidade e de que o medicamento precisaria ser ajustado.

COMO SABER SE O PACIENTE ESTÁ ESTÁVEL OU NÃO?
Um sinal de estabilidade e de controle da doença é o paciente voltar a ter uma rotina e uma vida produtiva, seja em relação ao trabalho ou à vida pessoal-social. Esse critério vale para qualquer doença, e não é diferente no caso do TB.

PORTADORES DE TB TÊM DIFICULDADE EM ESTABELECER UMA ROTINA?
Sim. É uma característica do portador de TB não conseguir manter uma rotina. Essa disciplina, em especial a do sono, é fundamental para a manutenção da estabilidade, mas apenas uma rotina estável não é suficiente para a eficácia do tratamento, apesar de certamente contribuir para o seu sucesso.

A PESSOA É CAPAZ DE PERCEBER OS SINAIS PRODRÔMICOS OU SOMENTE A FAMÍLIA QUE DEVE RECONHECER ESSES SINAIS?
Alguns sinais prodrômicos são facilmente perceptíveis tanto para o paciente como para a família. Sinais de depressão são percebidos com mais facilidade pelo próprio indivíduo, enquanto sinais de hipomania/mania são percebidos com mais rapidez pela família. Estabeleça um acordo com seus familiares para que eles o avisem quando perceberem algum desses sinais, mas é importante que isso seja feito de forma respeitosa e apenas com o intuito de alertar, para que o paciente discuta essa possibilidade com seu médico ou psicólogo.

PERGUNTAS FREQUENTES

QUAIS SÃO OS FATORES DE RISCO E COMO EVITÁ-LOS?
Fatores de risco são as situações e/ou estímulos que precipitam uma recaída ou favorecem a perda da estabilidade. Alguns são conhecidos e bem documentados na literatura especializada, como interrupção ou diminuição do medicamento, mudanças de rotina, uso de substâncias – como álcool, drogas, cafeína ou estimulantes – e estresse, além de algumas medicações (anti-inflamatórios, por exemplo).

O QUE FAZER QUANDO HÁ OUTROS BIPOLARES NA FAMÍLIA E SUA PRÓPRIA CASA É UM FATOR DE ESTRESSE?
É muito comum encontrar outros membros da família com diagnóstico de TB. O estresse diminui quando todos os portadores dessa doença são tratados, mas, muitas vezes, não é possível impor o tratamento para algum dos membros da família, que se recuse a aceitar o diagnóstico. Nesse caso, fazer o tratamento corretamente pode ajudar a mostrar os benefícios da terapia adequada através de você como exemplo. Se uma psicoterapia familiar for possível, pode ajudar a identificar outros portadores da doença e a encaminhar os tratamentos.

UMA NOVA CRISE PODE COMEÇAR POR CAUSA DE ESTRESSE?
Em alguns casos, sim. Situações de estresse abrupto e com grande impacto na vida da pessoa podem favorecer o aparecimento de sintomas da doença. Entretanto, essas são situações das quais não temos controle, por isso é muito importante você ter pronto acesso ao médico para receber orientações.

O ESTRESSE PODE OCORRER POR CAUSA DE COISAS TANTO NEGATIVAS COMO POSITIVAS?
Sim. O estresse pode desestabilizar e precipitar uma nova fase maníaca ou depressiva. Estresse significa uma reação psicológica e física do organismo perante uma mudança significativa no equilíbrio do indivíduo, e, por isso, mesmo situações ou fatos positivos são geradores de estresse. Sendo assim, não podemos impedir que a vida nos traga estresse, mas podemos identificar quando ele provocou alguma mudança na estabilidade e fazer os ajustes necessários para recuperá-la.

SE EU CUIDAR PARA NÃO ME ESTRESSAR, POSSO PARAR COM OS MEDICAMENTOS?
Não. A manutenção da estabilidade depende do tratamento medicamentoso, que pode durar anos ou a vida toda. Tomar os medicamentos corretamente é a melhor forma de controlar essa doença. Se for possível evitar o estresse, a estabilidade será melhor, mas como é praticamente impossível vivermos sem nenhuma fonte de estresse, o melhor a fazer é identificar quando isso ocorre e procurar a melhor maneira de administrar a situação, para que ela cause o menor impacto possível.

REFERÊNCIAS

1. Beck A. Cognitive therapy and emotional disorders. New York: Plume; 1979.

2. Associação Brasileira de Familiares, Amigos e Portadores de Transtornos Afetivos (ABRATA)[Internet]. São Paulo: ABRATA; c2012 [capturado em 10 jan 2015]. Disponível em: www.abrata.org.br.

3. Miklowitz D. Transtorno bipolar: o que é preciso saber. São Paulo: M Books; 2008.

14
COMPORTAMENTOS QUE PROMOVEM A QUALIDADE DE VIDA

Janette Canales
André Cavalcanti

O transtorno bipolar (TB) ainda não tem cura, mas, com o tratamento adequado, a pessoa pode ter uma vida normal ou muito próxima disso, como acontece com outras doenças.

Neste capítulo, objetivamos explicar o que é qualidade de vida, como sua falta afeta o paciente com TB e o que pode ser feito para melhorá-la. O leitor verificará que vários aspectos apresentados se superpõem ao que está escrito em outros capítulos, mas isso se deve à importância do tema na vida do paciente bipolar e de sua família.

Qualidade de vida (QV) é um estado de bem-estar físico, mental, social e espiritual, que inclui a avaliação de saúde física, estado psicológico, relações sociais, nível de independência e relações com seu meio ambiente. O tratamento eficaz é o primeiro passo para atingi-la, e vários fatores e influências refletem o bem-estar físico e psicológico do indivíduo em diferentes aspectos da vida, como:

- Bem-estar psicológico.
- Satisfação com a vida.
- Desempenho e funcionamento social.
- Condições de vida.
- Apoio social.

O estilo de vida pode afetar os níveis de estresse e contribuir para a máxima redução dos fatores desencadeantes e dos sintomas do TB.[1] Vigiá-lo é encontrar o equilíbrio entre estar atento à doença e à vida, sem prejudicar a saúde nem deixar de aproveitar os bons momentos, ou seja, ficar consciente e atento aos desencadeantes (estressores), sem viver isolado do mundo.[1,2]

Você pode melhorar o seu cotidiano por meio de relacionamentos interpessoais; encontrar atividades agradáveis e hábitos saudáveis;[3,4] e buscar objetivos realistas, bem como reconhecer que essas conquistas melhoram a autoestima e a satisfação.

Perseguir seus objetivos implica dividi-los em etapas, planejá-las, implementá-las e depois avaliar o andamento do processo.

RITMO BIOLÓGICO

Vimos nos capítulos anteriores que as pessoas com TB são sensíveis a mudanças em seu ciclo sono-vigília e a variações do grau de estimulação proporcionado pelas atividades sociais, pelo trabalho e pela rotina diária.[3] Ciclos ou ritmos biológicos representam características do nosso organismo que acontecem sempre em determinados períodos, e muitas funções biológicas têm natureza rítmica. Alguns exemplos de ritmos curtos são os batimentos cardíacos ou a respiração, que duram alguns segundos. Outros períodos importantes, como a alternância entre o sono e a vigília, duram, aproximadamente, 24 horas. Esses que duram um dia são chamados circadianos, mas há os mensais (p. ex., ciclo menstrual) e sazonais (de acordo com as estações do ano). O TB pode ser sazonal, a ponto de se perceber em que estação do ano o paciente costuma entrar em depressão ou hipomania/mania. O principal fator que influencia na sazonalidade dos transtornos afetivos é a exposição à luz solar. O mecanismo interno que mantém o ritmo, permitindo que o organismo perceba a passagem do tempo, é o relógio biológico. Este define os vários ciclos do nosso organismo, como o ciclo sono-vigília mencionado.

Além dos ritmos biológicos, existem os ritmos sociais, que são padrões diários de atividade, como adormecer, acordar, fazer refeições e interagir socialmente, os quais estruturam nosso cotidiano e regulam nosso relógio biológico em um mecanismo de *feedback*. Sendo assim, seguir uma rotina pode ajudar a regular o ciclo sono-vigília.

Por conta de mecanismos geneticamente determinados, pessoas que sofrem de TB são mais vulneráveis a mudanças no seu relógio biológico, as quais podem atuar como fatores estressantes e desencadeantes de sintomas ou novas recaídas. Descobrir os fatores que afetam seu ciclo sono-vigília permite a você aplicar técnicas de resolução de problemas para evitar que provoquem recaídas.[1] Portadores de TB podem ser sensíveis a variações muito pequenas nos estímulos, principalmente quando já estão sintomáticas. Por exemplo, casa cheia ou desarrumada, barulho, tráfego, muita atividade à volta da pessoa, pressa ou excesso de atividade social podem aumentar os sintomas de hipomania, mania, estados mistos ou até mesmo de depressão.

A depressão também pode estar ligada a falta de estímulos e de rotina, como o fato de a pessoa ter poucos contatos sociais; baixa luminosidade do ambiente, em algumas regiões, nos meses de inverno; falta de estrutura domiciliar, profissional ou estudantil; e inatividade.[1]

A seguir são apresentados a relação dos ritmos biopsicossociais alterados no TB e seus fatores de interferência (estresse e substâncias instabilizadoras), além de orientações de como a pessoa pode proceder para se ajudar.

SONO-VIGÍLIA

O sono é um grande maestro do humor, e, durante esse período, são produzidas substâncias importantes que participam de diversos processos metabólicos. A falta de sono é um atalho para episódios do humor e faz mal mesmo para pessoas não portadoras. Para um sono saudável procure:

- Evitar cafeína a partir do período da tarde.
- Não usar álcool ou drogas como indutores de sono.
- Evitar alimentos de difícil digestão à noite.
- Evitar exercícios aeróbicos à noite.
- Evitar trabalhar à noite.
- Diminuir estímulos mentais, como navegar até tarde na internet.
- Manter uma rotina de sono, deitando e acordando sempre na mesma hora.
- Exercitar técnicas de relaxamento ou de meditação antes de deitar.
- Evitar cochilar durante o dia.
- Evitar compensar a falta de sono nos fins de semana.

Converse com seu médico e, se necessário, tome um medicamento prescrito por ele. A mudança no padrão de sono pode ser o primeiro sinal de que um novo episódio da doença está se desenvolvendo, e o médico precisa ser informado sobre isso.

SUPORTE SOCIAL

Transtornos do humor podem acarretar prejuízos nos relacionamentos e gerar isolamento social, fragilizando o indivíduo. Participar de grupos de suporte pode ajudar a conhecer e superar estigmas e dificuldades de se relacionar, bem como auxílios a superar momentos de crise. Em uma crise, é importante ter alguém que:

- Ajude-o a reconhecer sintomas de recaída.
- Ajude-o a entrar em contato com médico ou psicoterapeuta.
- Ajude-o a tomar conta de dinheiro, cheques, cartões, etc.
- Ajude-o a identificar e socorrer em caso de tentativas de suicídio.
- Ajude-o a lembrar do medicamento e a tomá-lo.
- Faça companhia ao paciente durante a fase de recuperação.
- Ajude-o a conversar e a refletir sobre tudo o que está acontecendo.
- Ajude-o a diminuir o isolamento social.

Reavalie seus relacionamentos e faça mudanças se preciso. Não tenha pressa, pois é preciso paciência para construir ou refazer relacionamentos. Relacionar-se é uma arte e depende de prática e aprimoramento. Lembre-se que participar de grupos de autoajuda é um bom começo para ampliar o seu suporte social.

ESTRESSE

Agentes estressores podem ser definidos como situações que levam a mudanças tanto positivas como negativas (p. ex., novo relacionamento amoroso, problemas financeiros, etc.). Às vezes, a tentativa de buscar objetivos pode levar a um estado de hiperexcitação.

Muitas pessoas que sofrem de TB descobrem que, para que se mantenham bem, é preciso ajustar seus objetivos e o modo como tentam alcançá-los. Se suas metas estão lhe causando muito estresse e perturbando seu ritmo de vida habitual, talvez você deva avaliar se são realistas e aumentar o prazo para cumpri-las. Transforme seus objetivos de curto prazo em metas de longo prazo, dando mais tempo a si mesmo para alcançá-las, sem que se tornem estressantes demais. Defina-as por prioridade (alta, média ou baixa), para que você não sinta como se tivesse de cumprir tudo de uma só vez, e delegue o que não precisa fazer sozinho. Ao decidir não fazer coisas demais, você reduz seu nível de estresse e, além disso, pode buscar alternativas sob a forma de objetivos que ainda lhe permitam expressar seus pontos fortes e seus talentos.[5]

DROGAS, ÁLCOOL E BEBIDAS CAFEINADAS

Cerca de metade das pessoas com TB faz uso abusivo de álcool ou drogas, o que agrava a doença e provoca internações hospitalares mais frequentes. Em muitos casos, o transtorno do humor precede o uso abusivo de substâncias entorpecentes, por isso acredita-se que essas pessoas as procurem na tentativa de aliviar os sintomas da doença. Em longo prazo, no entanto, as drogas e o álcool pioram de forma considerável o humor de quem tem TB.[1]

Algumas pessoas usam substâncias para tentar entrar em hipomania, como Luis, consultor financeiro de 35 anos, portador de TB tipo I, que explica dessa forma seu encontro com as drogas. Ele começou a usá-las quando seus negócios estavam indo bem:

> *Quando minha empresa começou a crescer, ficou cada vez mais difícil encontrar tempo para atender a todos os clientes, e eu acreditava que, se acelerasse um pouco meu desempenho diário, poderia enfrentar a sobrecarga de trabalho. Então, passei a precisar de menos horas de sono para me sentir disposto e, no começo, tinha mais energia, mas também comecei a me sentir cada vez mais irritado e paranoico e não conseguia concluir minhas tarefas. Quando a aceleração se esgotou, a maioria dos*

sintomas persistiu. Minha mulher e meus filhos sofriam com meu comportamento, e, meus clientes se aborreciam por eu não cumprir o que prometia, então liguei para o médico e me internei no hospital voluntariamente. Meu plano é ficar longe das drogas e tentar desenvolver um estilo de vida mais saudável. Simplesmente, não valeu a pena.[1]

Em muitos casos, mesmo quando a pessoa sabe que o álcool ou as drogas a estão deixando ainda mais doente, pode ser difícil tomar uma decisão a respeito. Uma boa opção é examinar os prós e os contras dos seus hábitos atuais em relação a essas substâncias e o que realmente importa para você. Seus objetivos e valores pessoais podem ajudá-lo a se decidir,[1,6] e se você resolver abandonar esses hábitos, é bom que o faça em conjunto com seu médico e com outras pessoas que possam lhe dar apoio.[1] Por vezes, é necessário optar por uma internação, como foi o caso de Luis. De qualquer modo, vencida a etapa inicial, é preciso adotar estratégias que promovam qualidade de vida.

COMPORTAMENTOS QUE PROMOVEM QUALIDADE DE VIDA NO TRANSTORNO BIPOLAR

Além dos cuidados mencionados nos capítulos anteriores que visam a recuperação do bipolar, existem atividades físicas que melhoram a qualidade de vida. A segunda parte deste capítulo se refere à importância do exercício físico e da sua motivação no TB.

CORPO: EXERCÍCIO FÍSICO NO TRANSTORNO BIPOLAR

O corpo pode e deve ser utilizado como meio terapêutico para resgatar o humor equilibrado e o bem-estar geral.

Primeiramente, é necessário destacar a diferença entre atividade física e exercício físico. A **atividade física** pode ser definida como qualquer movimento corporal produzido pelos músculos esqueléticos com consequente gasto energético maior que os níveis de repouso, enquanto **exercício físico** é uma atividade física planejada, estruturada e repetitiva, que tem como objetivo final ou intermediário aumentar ou manter a saúde/aptidão física.[2]

Existem diversas vantagens adicionais para portadores de TB realizarem exercício físico:

- Há evidências que comprovam redução do estresse e da ansiedade em pacientes bipolares.
- Há benefícios na qualidade do sono e na estabilidade do humor.
- O exercício pode ter papel importante na rotina dos bipolares, ajudando a manter a vida mais organizada e podendo funcionar como um relógio em sua programação.

- Relatou-se diminuição da irritabilidade e da raiva em indivíduos que se exercitam frequentemente.[4]
- Levando em conta que alguns medicamentos usados para tratar pacientes bipolares podem levar ao ganho de peso, especialistas em TB passaram a considerar o exercício como uma forma de controlar o peso.[7]
- O exercício também pode ajudar na melhora da postura e da imagem corporal, transformando sua relação com seu corpo.
- Durante a realização dos exercícios, é difícil manter a preocupação ou a ruminação de pensamentos negativos, ajudando, portanto, a desenvolver a "mente focada".
- O exercício ajuda a voltar a atenção naturalmente de volta ao momento atual, dando a certeza de que você está pronto para desfrutar do efeito dele. O objetivo é simplesmente experimentar o momento atual.[8]

É importante ressaltar que os medicamentos continuam sendo o núcleo do tratamento do TB e que o exercício deve ser considerado um complemento, e não um substituto.[9]

Alguns cuidados devem ser tomados antes de começar a realizar exercício físico. Complicações cardiovasculares são 2 a 3 vezes mais comuns em pacientes com TB do que na população em geral; portanto, é necessário realizar exames, a fim de checar as condições físicas do indivíduo.[7]

O planejamento visa prescrever diferentes intensidades e volumes de acordo com os episódios de mania e/ou de depressão pelos quais os portadores do TB passam. Por exemplo, alguns estudos têm demonstrado que é importante não realizar o exercício no período de hipomania/mania, pois os sintomas podem se agravar.[10] Além disso, alterações de humor e mudanças do comportamento em relação ao exercício podem representar barreiras para a prática de exercícios.[9] Será necessário, portanto, procurar um profissional habilitado que possa estabelecer um programa de exercícios físicos e compartilhar com o psiquiatra a evolução dos exercícios, bem como algum sinal indicativo de reaparecimento de sintomas.

O período pós-exercício é importante, pois os benefícios da sensação de bem-estar podem ser significativos no sentido de acalmar a ansiedade e a depressão. Durante e após o exercício, é menos provável que a pessoa seja afetada por pensamentos negativos, e esse alívio nos pensamentos disfuncionais pode perdurar horas, ajudando a prevenir o agravamento dos sintomas.[8] Recomenda-se às pessoas que estão iniciando uma rotina de exercícios que procurem realizá-los em horários diurnos, para que não causem insônia.[11]

MOTIVAÇÃO

A motivação depende tanto do ambiente externo como do humor e dos seus pensamentos. Em vez de simplesmente esperar para sentir como o exercício pode te ajudar, providencie as condições para isso.

Considere a seguinte situação: ao chegar em casa depois do trabalho, quando finalmente tem a chance de sentar e relaxar, pode ser difícil pensar em fazer exercício. Então, é importante focar apenas na próxima etapa. Por exemplo, a partir da posição de estar sentado no sofá, o primeiro objetivo é se ajudar dando um passo em direção à preparação do exercício, como colocar suas roupas de treino. É fazendo algo uma ou mais vezes que é possível estabelecer a motivação de fazê-lo novamente.[4,8]

Tudo o que você precisa fazer é se colocar na condição de que vai fazer exercícios, deixando acontecer naturalmente. Assim, em vez de mentalizar a ideia de fazer exercícios, o foco deve estar na próxima etapa da realização. Os pensamentos podem ser poderosos, pois são capazes de influenciar sua motivação, aumentando-a ou diminuindo-a. Por isso, identifique a ideia que o desmotiva e, assim, você terá uma ideia melhor de como redirecionar seus pensamentos.[7] Portanto, as tarefas são:

❶ Observe seus pensamentos.
❷ Observe como eles fazem você se sentir.
❸ Redirecione os pensamentos para um tópico mais útil ou agradável.
❹ Aprenda sobre a natureza do pensamento para reorientá-lo, e, assim, você estará mais preparado para realizar seus exercícios.

ECHOING

Echoing[1] é uma estratégia para ajudar a aumentar a sua motivação para realizar os exercícios. A seguir estão algumas frases que podem estimulá-lo:

❶ "Hoje utilizei meu corpo para ajudar o meu humor e a mim mesmo."
❷ "Essa sensação nas pernas significa que estou cuidando de mim mesmo e uso meu corpo para ajudar o meu humor."

DICAS

→ Se for escolher uma prática corporal, escolha a que mais lhe agrada;
→ Lembre-se que a continuidade da prática trará benefício;
→ O dia que você não quiser ir é justamente aquele em que precisa ir;
→ Tente encontrar um lugar perto de sua casa para realizar a prática.
→ Viver com qualidade de vida é também transformar o sofrimento em amadurecimento e sabedoria.

❸ "Tenho feito três sessões de exercícios esta semana. Percebo que estou investindo no meu próprio futuro para a melhora do meu humor e para boa saúde."
❹ Agora que fiz vários exercícios, posso dizer que gosto do que sinto depois. É ótimo perceber que um pequeno investimento do tempo pode ter recompensa agradável.

OUTRAS PRÁTICAS CORPORAIS

IOGA, *TAI CHI CHUAN*, *QIGONG*

Muitos estudos vêm demonstrando que ioga, *tai chi* e *qigong* são práticas corporais que ajudam o indivíduo a se equilibrar corporal e mentalmente, pois auxiliam no alívio da tensão e da ansiedade e são eficazes na promoção da autopercepção.[12,13,14]

A ioga é uma prática milenar que combina respiração (*pranayamas*) e posturas específicas. Cada prática é acompanhada pelos *pranayamas*, que visam prolongar o alento e, através dele, influir no corpo emocional, harmonizando as emoções.

O *qigong* (lê-se *chi kun*) é uma técnica milenar de origem taoísta, com exercícios que combinam alongamentos, respiração coordenada, concentração e posturas facilitadoras da captação, circulação e transformação do *Qi* (energia ou sopro vital) no corpo.

Tai chi chuan é uma prática física e mental que trabalha com movimento corporal, saúde, circulação de energia e meditação.

Todas essas práticas tem como objetivo equilibrar o corpo, a mente e a emoção; melhorar a respiração e a circulação; aliviar o estresse do dia a dia; relaxar o corpo e a mente; e absorver e armazenar energia.

O mais importante na escolha da prática é que o indivíduo se identifique com a prática, pois assim será mais fácil manter a frequência das aulas.

PERGUNTAS FREQUENTES

- **SONO**

POR QUE O SONO É TÃO IMPORTANTE?
Sono ruim é sinal de que você pode estar entrando em um novo episódio (maníaco, hipomaníaco, depressivo ou estado misto). Tanto o excesso de sono como o sono reduzido, interrompido ou irregular podem significar uma recaída ou favorecer o desencadeamento de uma crise.

PRIVAÇÃO DO SONO ALTERA O HUMOR?
Sim. Mesmo em pacientes estáveis, pode desencadear hipomania ou mania. Dormir pouco tende a deixar o indivíduo com mais sintomas de ativação, como pensamentos rápidos, irritabilidade, entre outros.

- **ÁLCOOL**

NO CASO DE ALCOOLISMO E TB, O QUE FAZER QUANDO A PESSOA NÃO QUER AJUDA?
Alcoolismo e TB são doenças complexas que interagem uma com a outra e exigem múltiplas intervenções. Deve-se sensibilizar e conscientizar o paciente para reconhecer o problema de abuso/dependência do álcool e da instabilidade do humor (TB). Procure informações e auxílio com os alcoólicos anônimos ou ABRATA (Associação de Familiares e Amigos de Portadores de Transtorno Bipolar).[15]

COMO O ÁLCOOL PREJUDICA A MENTE DO PACIENTE?
Desorganizando a transmissão no cérebro, interferindo nos efeitos da medicação, piorando o curso da doença, diminuindo a adesão ao tratamento, aumentando o risco de suicídio, desencadeando episódios de depressão, mania/hipomania e estado misto e piorando a qualidade do sono e a saúde em geral.

O QUE É CICLO BIOLÓGICO?
Ciclo biológico, ou ritmo biológico, é uma variação dentro do ciclo de um dia (circadiano), mês ou estação. Todos nós temos um relógio biológico que define os vários ciclos do nosso organismo, como o ciclo sono-vigília.

COMO ENCARAR OS DESAFIOS DA VIDA SEM TER RECAÍDAS?
Primeiramente, com ajuda de profissionais qualificados e a sua rede de apoio social, que vão ajudá-lo a lidar com os estressores, adequando seus objetivos e como alcançá-los de uma forma realista.

O HUMOR PODE MUDAR DURANTE O DIA, DE MANHÃ OU DE NOITE?
Ninguém é um lago estático. Todos nós temos alterações do nosso humor ao longo do dia em função das contingências que a vida nos apresenta, mas, nos portadores de TB, essas variações são mais marcadas e acompanhadas dos outros sintomas, como alteração de ânimo, energia, concentração, etc. Há pacientes que relatam o período da manhã como o pior, em geral melhorando no final do dia e no início da noite, mas o contrário também pode acontecer, com piora no final do dia ou da noite.

PERGUNTAS FREQUENTES

Informe seu médico para que sua medicação e a orientação sobre atividades possam ser direcionadas para lidar melhor com essa variação diurna do humor enquanto esses sintomas não estiverem controlados.

- **EXERCÍCIOS FÍSICOS**

COMO MANTER A ROTINA DE EXERCÍCIOS?
Uma forma de manter a rotina é realizar mudanças no seu ambiente e em seus pensamentos. Tente perceber se seus pensamentos vão em direção à desmotivação e não conseguem seguir a programação estabelecida. É fazendo algo uma ou mais vezes que se pode estabelecer a motivação de fazê-lo novamente e criar uma rotina agradável.

QUAL EXERCÍCIO É O IDEAL PARA PORTADORES DE TB? EXISTE ALGUM ESPECÍFICO?
Estudos mostram que os exercícios aeróbicos, aqueles que se referem ao uso de oxigênio no processo de geração de energia dos músculos (p. ex., andar, correr, nadar e pedalar), são mais eficazes. Esse tipo de exercício trabalha uma grande quantidade de grupos musculares de forma rítmica, mas o exercício ideal é o que você gosta de realizar e o faz sentir-se bem após realizar os exercícios.

O HUMOR PODE MELHORAR COM EXERCÍCIOS?
Sim, há melhora no humor durante e depois. Estudos demonstraram que o exercício regular leva a mudanças em alguns dos mesmos neurotransmissores que são alvo de medicamentos antidepressivos usados para tratar tanto humor como transtornos de ansiedade. A serotonina é um importante neurotransmissor para a regulação da emoção e é o mais elevado na prática do exercício.

É NORMAL EU JÁ FICAR ENTEDIADO SÓ DE OUVIR FALAR EM EXERCÍCIOS FÍSICOS?
Muitas pessoas, quando pensam em exercício, já se aborrecem, mas isso ocorre porque elas não conhecem a sensação resultante, tampouco têm motivação para realizá-lo. O ideal é compreender que seu corpo pode ser um meio terapêutico junto aos outros tratamentos.

NÃO CONSIGO FAZER EXERCÍCIOS PORQUE TENHO TRANSTORNO OBSESSIVO-COMPULSIVO E DEPRESSÃO. COMO CONSEGUIR FAZÊ-LOS?
O mais aconselhável é que a pessoa esteja tomando os medicamentos necessários para a melhora do quadro clínico como um todo. Depois disso, o profissional deverá selecionar adequadamente os exercícios que podem ser feitos, personalizando o tratamento. Essa orientação pode ser dada por um educador físico ou um fisioterapeuta.

- **ESTRESSE**

COMO DIMINUIR O ESTRESSE DIÁRIO NOS PACIENTES COM TRANSTORNO BIPOLAR?
É importante que o paciente aprenda técnicas psicológicas para identificar as situações estressantes na sua vida e desenvolva estratégias para lidar com elas de maneira que não tenham impacto negativo na sua vida.

PERGUNTAS FREQUENTES

- **OUTRAS ALTERAÇÕES FÍSICAS**

AS MÃOS AGITADAS TÊM A VER COM O TB OU ISSO É EFEITO COLATERAL DA MEDICAÇÃO?
Quando o paciente fica ansioso, inquieto ou agitado, pode haver reflexo no movimento das mãos, como esfregar, balançar ou tamborilar os dedos. Efeitos colaterais são tremores nas mãos, mas, na dúvida, o médico poderá ajudar a definir a causa real dessa alteração.

A SÍNDROME DAS PERNAS INQUIETAS EXISTE NO TB?
A síndrome das pernas inquietas é um transtorno neurológico causado por fatores diferentes e caracterizado por desconforto dos membros inferiores, que piora no repouso e melhora ao caminhar. Os pacientes que têm essa doença apresentam alteração do sono, pois os sintomas aparecem à noite. Alguns medicamentos causam acatisia, um efeito colateral caracterizado pela necessidade constante de andar e mexer as pernas, sem relação com ansiedade ou agitação psíquicas.

A PESSOA PODE FICAR IMÓVEL APÓS UM SURTO DE DEPRESSÃO?
A imobilidade parcial pode ocorrer por falta de motivação em realizar as atividades de vida diária, e a imobilidade total ocorre no processo de catatonia, em que movimentos se estereotipam, isto é, a pessoa pode ficar por horas sem se movimentar. Geralmente, está presente em doenças cerebrais orgânicas, na esquizofrenia, em doenças físicas e nos transtornos do humor, mas somente o psiquiatra detectará se a pessoa está entrando nesse processo de imobilização total.

- **DOR E FADIGA**

SINTO DORES CONSTANTES QUE NÃO PARAM. FUI AO MÉDICO E ELE ME DISSE QUE É FIBROMIALGIA. ONDE POSSO PROCURAR AJUDA?
A fibromialgia refere-se a uma condição dolorosa generalizada e crônica e é considerada uma síndrome porque engloba uma série de manifestações clínicas, como dor, fadiga, indisposição e distúrbios do sono. Boa parte dos pacientes com depressão cursa concomitantemente com sintomas dolorosos como parte do quadro da própria depressão. O melhor a fazer é procurar o médico e, dependendo da causa, tratá-la com medicamentos e exercícios.

O QUE POSSO FAZER QUANDO SINTO DOR E FADIGA APÓS O EXERCÍCIO?
O melhor a fazer é descansar e, se a dor não passar com um analgésico, procurar o médico, mas o importante é perceber se houve excesso na realização dos exercícios e se houve o monitoramento correto durante a atividade. O bom exercício é aquele que não provoca dor muscular após sua execução. Se tiver dúvidas sobre o tipo de exercício, procure um orientador físico.

SINTO-ME MAL COM MEU CORPO QUANDO FICO COM MUITA DOR. ISSO SE DEVE À DEPRESSÃO?
A dor pode aparecer como um sintoma da depressão. O melhor a fazer é procurar um especialista para verificar se as dores são decorrentes de alguma alteração física ou emocional. O corpo reflete alguns aspectos emocionais por meio das dores; por isso, leve em conta que também é necessário estar estabilizado mentalmente para seu corpo estar bem.

PERGUNTAS FREQUENTES

É VERDADE QUE PESSOAS EM ESTADO MISTO SENTEM MAIS DORES NO CORPO? O QUE FAZER?
O melhor a fazer é tomar o medicamento adequado, já que esse estado merece mais atenção. Não se pode realizar exercícios de impacto com dor. Algo que pode ajudá-lo a melhorar é realizar um relaxamento.

- **POSTURA**

COMO POSSO MELHORAR MINHA POSTURA NA CRISE DEPRESSIVA?
Durante a crise depressiva, é muito difícil mudar a postura, já que a pessoa não encontra disposição para realizar as suas atividades habituais. O que pode ajudá-lo é realizar exercícios, pois eles aumentarão sua disposição e, consequentemente, auxiliá-lo a melhorar sua postura corporal. A postura reflete não só um aspecto emocional, mas também como você se relaciona com as pessoas.

NÃO GOSTO DO MEU CORPO E NÃO ME IMPORTO COM ELE ESTOU EM DEPRESSÃO. ESSA RELAÇÃO É RUIM?
Sim. É importante ter um bom relacionamento com o próprio corpo por meio das sensações e percepções, já que vivemos nele. A insatisfação com a imagem corporal no momento da depressão já foi comprovada, mas a relação com o corpo melhora quando a pessoa não está mais no episódio depressivo.

REFERÊNCIAS

1. Berk L, Berk M, Castle D, Lauder S. Vivendo com transtorno bipolar: um guia para entender e manejar o transtorno. Porto Alegre: Artmed; 2010.

2. Pitanga FJG. Epidemiologia, atividade física e saúde. Rev Bras Ciên Mov. 2002;10(3):49-54.

3. Del-Porto JA, Del-Porto KO, Grinberg LP. Transtorno bipolar: fenomenologia, clínica e terapêutica. São Paulo: Atheneu; 2010.

4. Otto MW, Smits JA. Exercise for mood and anxiety disorders. Oxford University; 2009.

5. Milklowitz DJ. Transtorno bipolar: o que é preciso saber. São Paulo: M Books do Brasil; 2009.

6. Moreno RA, Moreno DH. Da psicose maníaco-depressivo ao espectro bipolar. 2. ed. São Paulo: Farma; 2008.

7. Shah A, Alshaher M, Dawn B, Siddiqui T, Longaker RA, Stoddard MF, et al. Exercise tolerance is reduced in bipolar illness. J Affect Disord. 2007;104(1-3):191-5.

8. Wright KA, Everson-Hock ES, Taylor AH. The effects of physical activity on physical and mental health among individuals with bipolar disorder: a systematic review. Ment Health Phys Act. 2009;2(2):86-94.

9. Vancampfort D, Correll CU, Probst M, Sienaert P, Wyckaert S, De Herdt A, et al. A review of physical activity correlates in patients with bipolar disorder. J Affect Disord. 2013;145(3):285-91.

10. Boscolo RA, Rossi MV, Silva PB, Mello MT, Tufik S. Sono e exercício físico. In: Mello MT, Tufik S. Atividade física, exercício físico e aspectos psicobiológicos. Rio de Janeiro: Guanabara Koogan; 2004. p. 19-34.

11. Ng F, Dodd S, Berk M. The effects of physical activity in the acute treatment of bipolar disorder: a pilot study. J Affect Disord. 2007;101(1-3):259-62.

12. Meyer HB, Katsman A, Sones AC, Auerbach DE, Ames D, Rubin RT. Yoga as an ancillary treatment for neurological and psychiatric disorders: a review. J Neuropsychiatry Clin Neurosci. 2012;1;24(2):152-64.

13. Yeung A, Lepoutre V, Wayne P, Yeh G, Slipp LE, Fava M, et al. Tai chi treatment for depression in Chinese Americans: a pilot study. Am J Phys Med Rehabil. 2012;91(10):863-70.

14. Leung Y, Singhai A. An examination of the relationship between Qigong meditation and personality. Soc Behav Pers. 2004;32(4):313-20.

15. Associação Brasileira de Familiares, Amigos e Portadores de Transtornos Afetivos (ABRATA)[Internet]. São Paulo: ABRATA; c2012 [capturado em 10 jan 2015]. Disponível em: www.abrata.org.br.

15
O PAPEL DA FAMÍLIA NO TRANSTORNO BIPOLAR

Danielle Soares Bio
Karina de Barros Pellegrinelli
Mireia Roso

Com a evolução do conhecimento e dos tratamentos das doenças psiquiátricas, os indivíduos portadores de transtornos mentais vêm sendo mantidos na comunidade e acompanhados ambulatoriamente pelos serviços de saúde mental. Desse modo, a responsabilidade pelos cuidados ao doente mental passa a ser menos das instituições e mais da família; por isso, esta precisa receber orientação adequada para que possa tornar-se responsável pelos cuidados fundamentais,[1] de forma a contribuir para bons resultados no tratamento.

O transtorno bipolar (TB) tem um impacto significativo na qualidade de vida dos pacientes e seus familiares.[2,3] O reconhecimento dos prejuízos causados pelo TB nos funcionamentos social, familiar, ocupacional e cognitivo[4] provocou uma mudança nos modelos do tratamento, que antes eram focados apenas nos sintomas e no tratamento medicamentoso. Atualmente, englobam também a qualidade de vida do paciente, que é o foco das abordagens psicossociais (tais como as psicoterapias e a psicoeducação).[5] Diversas pesquisas vêm demonstrando a eficácia de intervenções psicossociais para a recuperação não só sintomática,[6,7] mas também da qualidade de vida dos pacientes.[8-10] Ou seja, os indivíduos medicados e com tratamento psicossocial apresentam menos recaídas e melhores resultados quando comparados aos pacientes apenas medicados.

Entre as abordagens psicossociais existentes, uma muito estudada no TB é a psicoterapia familiar (ver Cap. 8). Isso porque entre os principais fatores de risco que podem desencadear recaídas maníacas e depressivas nos pacientes portadores de TB estão os conflitos familiares, a ausência de suporte social e a presença de emoção expressa (atitudes críticas, hostis, de rejeição ou de superenvolvimento emocional) no padrão da comunicação familiar.[11-13] Além disso, é frequente a presença do TB em outros membros da família que, até então, não haviam sido diagnosticados, e, assim, o padrão de comunicação familiar alterado e até mesmo a presença de emoções expressas podem se dever à convivência de bipolares não diagnosticados e sem tratamento na família.[14] Em geral, os estudos apontam que as relações familiares no TB são permeadas de uma enorme gama de emoções negativas, incluindo culpa, depressão, ansiedade, raiva, entre outras.[15]

Dessa forma, o ambiente familiar pode ser determinante na forma de manifestação do TB, funcionando como fator de proteção ou facilitador na manifestação dos sintomas. Um estudo realizado identificou que os pacientes que participaram de psicoterapia familiar tiveram melhor adesão ao medicamento, aumento da comunicação positiva na família e melhora significativa nas interações.[16]

O estudo do Programa Transtornos Afetivos (PROGRUDA), mostrou que 40% dos entrevistados (pacientes e familiares presentes nos encontros psicoeducacionais de 2009) tinham crenças errôneas em relação à natureza biológica da doença, da importância do apoio da família e dos efeitos do medicamento – como, por exemplo, "o remédio pode comprometer a vida do paciente mais do que melhorá-la", "o TB é emocional e não biológico", "a família tem um papel prejudicial no tratamento". Esses exemplos mostram o tipo de informação que precisa ser dada ao paciente e a seus familiares a fim de melhorar a adesão ao tratamento e aperfeiçoar seus resultados. Levando em consideração que a família afeta o TB e é afetada por ele,[17] ela deve ser incluída e orientada desde o início do tratamento para que seja capacitada a ajudar na manutenção da estabilidade, no controle das recaídas (Cap. 13) e na comunicação no ambiente familiar.[18]

Tais fatos apenas reforçam a ideia de que o ambiente familiar deve ser levado em consideração ao tratar uma pessoa com TB.

EXEMPLO

Fátima, uma médica de 32 anos, descobriu que era portadora de TB durante um curso de psiquiatria na faculdade de medicina, aos 28 anos. Iniciou o tratamento, e, após 3 anos, seu quadro já encontrava-se estável. Foi então que conseguiu entender alguns dos problemas que havia enfrentado em sua vida: seus pais sempre a consideraram rebelde, e, por várias vezes, apanhou do pai por ter passado a noite fora de casa ou por ter desrespeitado algumas regras importantes para a família. Aos 21 anos, em uma dessas brigas, saiu de casa e passou a sustentar-se com o salário que ganhava em trabalhos informais. Seu padrão de vida piorou muito, e seu rendimento na faculdade foi prejudicado, de modo que precisou parar de estudar por um ano para "tentar colocar a vida no eixo". Hoje, Fátima reconhece que os seus antigos comportamentos, que geraram tantas repreensões e surras, eram sintomas de episódios de mania/hipomania. Como sua família não conhecia a doença, acreditava que Fátima era rebelde e irresponsável, e que seu objetivo sempre era desafiar o pai; no entanto, eles nunca conversaram sobre isso. Pelo contrário, as tentativas de falar a respeito de seus problemas eram sempre seguidas de grandes brigas, ofensas e agressões. Com o conhecimento que adquiriu ao longo dos últimos anos, Fátima também pôde reconhecer no pai o TB. Suas explosões de raiva que o faziam agredi-la fisicamente eram com frequência seguidas por fases em que ele se isolava, não saía do quarto e bebia. Fátima acreditava que havia feito seu pai ficar magoado pelas coisas que fazia, o que a deixava ainda pior. É provável que ele entrasse em um episódio depressivo após uma fase de euforia, o qual não era necessariamente causado por ela, mas poderia ser desencadeado pelos conflitos existentes entre eles, que também faziam o humor de Fátima oscilar e desencadear uma nova fase. Essa família sofreu as consequências do TB não tratado em dois de seus membros, e os conflitos constantes e o padrão "explosivo" de comunicação funcionavam como fatores de risco no desencadeamento de episódios tanto em Fátima como em seu pai. Apesar de hoje ela estar estável, adequadamente tratada e procurando ajudar seu pai a aceitar o tratamento, as sequelas emocionais são irremediáveis, e poderiam ter sido evitadas se a doença tivesse sido identificada antes e a família tivesse recebido a orientação necessária.

A colaboração da família no tratamento do TB é fundamental por dois motivos, os quais serão descritos a seguir.

QUANDO A FAMÍLIA COMPREENDE A DOENÇA, FICA MAIS FÁCIL IDENTIFICAR O QUE SÃO SINTOMAS E O QUE SÃO CARACTERÍSTICAS DA PERSONALIDADE DO PACIENTE

Distinguir estados de tristeza de sintomas de depressão ou alegria de sintomas de euforia ou mania não é tarefa fácil para a família do paciente bipolar – e muito menos para o próprio bipolar. Entretanto, se todos colaborarem para a compreensão da doença e a identificação de sintomas, essa tarefa vai tornando-se cada vez mais natural.

Nas fases depressivas, o indivíduo sente-se sem energia, sem prazer e se isola, e isso pode muitas vezes ser confundido com preguiça, falta de força de vontade ou até perda do interesse pelo cônjuge ou pelos demais familiares. A família que reconhece esses comportamentos como sintomas de uma fase depressiva pode ajudar o paciente a procurar ajuda de seu médico ou psicoterapeuta para que o medicamento seja ajustado e o indivíduo possa se sentir melhor. Falta de energia e de prazer, dificuldade para acordar-se ou realizar atividades importantes são sintomas do TB, e não falta de força de vontade, caráter ou interesse pelos familiares, como muitas vezes se pensa. Nessas fases, insistir para que o indivíduo se esforce ou procure ter prazer em sua vida pode gerar culpa por não estar conseguindo atender às expectativas da família e, com isso, acarretar até a piora do quadro depressivo. Atitudes desse tipo por parte da família seriam o mesmo que pedir a alguém com pneumonia para que corra ao ar livre para que melhore seu estado: isso não é possível. Somente o ajuste do medicamento pode melhorar os sintomas.

Da mesma forma, nas fases de euforia, os sintomas típicos são comportamentos mais agressivos ou inadequados e excessos de gastos ou inquietação, os quais podem ser confundidos com irresponsabilidade ou grosseria. A família deve estar atenta à identificação desses *comportamentos sintomáticos* e procurar o médico para o devido ajuste do medicamento. Acusar o paciente por comportamentos desse tipo pode deixá-lo ainda mais agitado e agressivo.

O AMBIENTE FAMILIAR TEM PAPEL IMPORTANTE NA ESTABILIDADE DO PACIENTE

Qualquer doença piora quando o ambiente em que o indivíduo se encontra é estressante. Se você tem gastrite, pressão alta, alergia ou qualquer outro sintoma de uma doença crônica, sabe que em fases em que está mais estressado seus sintomas pioram ou, se estavam controlados há algum tempo, voltam a aparecer. No caso do TB, isso não é diferente. O estresse piora a intensidade dos sintomas e pode ser um importante fator de risco para o desencadeamento de uma fase maníaca ou depressiva. O estresse no ambiente familiar pode ser gerado por conflitos constantes, brigas e separações ou pelo tipo de padrão de comunicação entre os membros da família.

Devido a estudos, atualmente é possível afirmar que as famílias de pacientes bipolares tendem a ter um padrão de comunicação característico, conhecido como "emoção expressa", em que expressam suas emoções de maneira intensa, algumas vezes explosiva, fazem muitas críticas e raramente tem paciência para ouvir os demais familiares. Esse padrão de comunicação talvez seja causado pela própria instabilidade emocional que é gerada quando um dos membros, sobretudo se um dos pais, é portador do transtorno. Além disso, o TB é uma doença hereditária, sendo comum que mais de um membro seja afetado, o que piora ainda mais a instabilidade emocional e, portanto, o padrão de comunicação existente na família. Para ilustrar esse tipo de comunicação, selecionamos um diálogo relatado por Fátima, entre ela e seu pai, em um episódio durante as férias de verão:

> **Fátima**: Pai, eu estava pensando em viajar para a praia nas férias. Você me ajudaria com o dinheiro da passagem?
> **Pai** (sem olhar para ela): De novo? Você só sabe pedir dinheiro?
> **Fátima**: Há anos não tenho pedido nada a você! Por que quer sempre me humilhar? Não quero mais seu dinheiro nem ir à praia! (Gritando) Engula essa porcaria de dinheiro!
> **Pai**: Pronto, ficou louca outra vez! Grite mais alto, quem sabe os vizinhos escutem... Você não tem jeito mesmo, nunca vai ser nada na vida. Só sabe gastar meu dinheiro. Perua preguiçosa!

Fátima: Eu sou a louca? Ok, posso até ser, mas ao menos me trato. Você é mais louco que eu e nem se trata!
Pai: Eu, louco? Não! Se eu fosse louco não sustentava vocês! Preguiçosos incompetentes! (Sai batendo a porta.)

Esse diálogo mostra como o padrão de comunicação entre Fátima e seu pai não permitiu que ambos se ouvissem, e muito menos se entendessem. De um lado, Fátima queria apenas ajuda com o dinheiro da passagem para viajar nas férias, mas não teve jogo de cintura para lidar com a resposta do pai, reagindo de modo irritável. O pai, no entanto, não chegou a ouvi-la, pois, por motivos que não sabemos, sente-se explorado pelos filhos. Sua negativa é expressa de maneira excessivamente agressiva e desencadeada em Fátima, cuja resposta é mais agressiva ainda. Irritados, utilizam-se da doença de maneira pejorativa para agredir um ao outro. O pedido de Fátima não foi atendido, e o pai sentiu-se ainda mais incompreendido e explorado.

Esse padrão de comunicação é característico de muitas famílias de bipolares; por isso, é muito importante que elas recebam ajuda para entender que esse padrão de comunicação se deve aos sintomas do TB, mas pode melhorar com a ajuda de um profissional, como o psicoterapeuta familiar, ou em grupos de auto-ajuda. Peça ao seu médico para que lhe indique esses recursos ou procure centros de orientação e tratamento de bipolares como a ABRATA e o PROGRUDA, que estão listados ao final do livro. Por ora, você e sua família podem seguir algumas dicas.

DICAS

→ **Aprendam a tolerar mais a instabilidade emocional uns dos outros**: lembrem-se que explosões de raiva ou impaciência podem ser sintomas da doença, e reagir a isso na mesma medida não ajuda em nada.

→ **Saibam ouvir**: olhem para a pessoa que está falando com você, prestem atenção ao que ela diz e esclareçam o que não tenha ficado claro. Mostrem que estão atentos e interessados no que ela tem a dizer, seja o que for.

→ **Controlem suas explosões** se perceberem que estão falando com você, dê uma volta, lave o rosto e procure acalmar-se. Explosões emocionais geralmente nos deixam cegos ao que de fato sentimos e pensamos.

O professor de psicologia David Miklowitz, da Universidade do Colorado, nos Estados Unidos, encoraja as famílias a evitarem o que ele chama de "vôlei": uma provocação seguida por uma réplica, e, esta, por uma tréplica. Evite o vôlei e evitará alguns distúrbios domésticos. No quadro a seguir, o professor faz um resumo informativo para a família.

O TRANSTORNO BIPOLAR
David Miklowitz

O QUE É O TB?
Ser portador de TB significa que meu humor pode variar de forma que posso passar de um estado de grande excitação e energia (mania ou euforia) para um desânimo, falta de motivação e cansaço (depressão). Meus períodos de euforia ou mania podem durar de poucos dias a meses. Meus períodos de depressão podem durar mais: de algumas semanas a meses. Muitas pessoas têm o TB, e ele geralmente se manifesta pela primeira vez na adolescência ou no início da vida adulta.

QUAIS SÃO OS SINTOMAS?
Meus principais sintomas nas fases de euforia incluem sentir-me exageradamente "feliz" e agitado ou exageradamente irritado ou raivoso. Posso sentir que sou capaz de fazer coisas que ninguém mais poderia fazer. Durmo menos que de hábito, faço muitas coisas ao mesmo tempo, tenho mais energia, falo muito e rápido, tenho muitas ideias (algumas irrealistas) e me distraio com facilidade, não terminando o que começo. Posso fazer coisas impulsivas, como gastar mais dinheiro do que poderia ou me insinuar sexualmente, ainda que esse seja o meu comportamento usual.

Quando estou deprimido(a), sinto-me triste, irritado, ansioso(a), sem interesse pelas pessoas e pelas coisas, durmo muito ou tenho insônia, fico sem apetite e não consigo me concentrar ou tomar decisões. Sinto-me fatigado, sem energia, fico mais lento, sinto-me culpado em relação a tudo e posso pensar em suicídio.

COMO O TB AFETA A FAMÍLIA?
Minha doença pode afetar minha habilidade de me relacionar com as pessoas. Os problemas que temos parecem ficar mais exacerbados durante as crises, mas tendem a melhorar quando os sintomas estão sob controle. Podemos resolver nossos problemas falando abertamente sobre minhas dificuldades e as suas para lidar com a doença e dando-nos carinho e suporte mútuos. Podemos procurar ajuda profissional se necessário.

O QUE CAUSA O TB?
Ter o transtorno significa que no meu cérebro ocorre um desequilíbrio químico que envolve a comunicação entre as células. Ninguém escolhe tornar-se bipolar. Posso ter herdado a doença de algum familiar mesmo que meus pais não sejam bipolares. Minhas oscilações de humor podem também ser afetadas pelo estresse ou mudanças repentinas em minha rotina ou hábitos, especialmente de sono.

COMO O TB É TRATADO?
Estou provavelmente sendo tratado com medicamentos estabilizadores do humor como Lítio, Depakote, Tegretol, Lamictal, etc. Posso também estar tomando antidepressivos ou medicamentos que controlam minha ansiedade ou problemas com meus pensamentos. Essas medicações me fazem consultar um psiquiatra regularmente, a fim de controlar efeitos colaterais e fazer os ajustes necessários para que os sintomas fiquem estáveis. Posso também estar fazendo terapia, o que me ajuda a aprender mais sobre a doença, a prevenção de recaídas e a monitorar meu humor, minha rotina e lidar melhor com meus problemas.

> **O QUE ESPERAR DO FUTURO?**
> É provável que eu tenha episódios de euforia e depressão no futuro. Mas há muitas razões para ter esperança de viver bem. Com a ajuda do tratamento, da família e dos amigos, meus episódios podem ir se tornando menos frequentes e menos graves. Com ajuda e suporte, posso administrar minha doença e viver bem.
>
> **Fonte:** Miklowitz.[19]

OS CUIDADORES E O PACIENTE COM TRANSTORNO BIPOLAR

Os cuidadores diferem na quantidade e na forma de apoio que dão: alguns ajudam apenas quando há uma emergência, outros ajudam a pessoa a prevenir novos episódios da doença. A fase e a gravidade da doença irão influenciar o tipo de apoio de que a pessoa necessita, e ela poderá não precisar de tanta ajuda quando encontra-se estável. Há muitas coisas que se pode fazer para dar apoio a uma pessoa com TB, mas deve-se determinar o que funciona em cada situação, com cada paciente e seu cuidador.

Levando em consideração a relevância desse tema e as dificuldades nos cuidados da família com os pacientes portadores de TB, o PROGRUDA e a renomada pesquisadora Lesley Berk fizeram a tradução e adaptação para o português do livro *Guia para cuidadores de pessoas com transtorno bipolar*, que encontra-se disponível gratuitamente para *dowload* no *site* www.progruda.com.[20]

A seguir, são listados alguns aspectos importantes para a compreensão dos cuidadores sobre como dar suporte ao portador de TB.

QUADRO 15.1 TIPOS DE APOIO QUE PODEM SER FORNECIDOS AO PACIENTE COM TRANSTORNO BIPOLAR

- Ajuda prática (p. ex., se o paciente precisar de carona para ir ao médico ou para cuidar da casa, caso esteja doente).
- Informações e sugestões (p. ex., discutir com o paciente sobre seus recursos ou sobre informações a respeito da doença).
- Companheirismo (p. ex., conversar e realizar atividades que são interessantes e divertidas para o paciente).
- Apoio emocional (p. ex., dizer ao paciente que ele é importante e que acredita em sua capacidade de lidar com a doença e de ter uma boa vida).
- Apoio não verbal (p. ex., estar disponível para ouvir, monitorizar sintomas ou fazer um gesto encorajador podem ser formas de dar apoio). Nem sempre é necessário falar para dar apoio.

Fonte: Berk.[20]

TIPOS DE AJUDA QUE A FAMÍLIA PODE PRESTAR

Existem formas de ajudar o paciente quando ele está em um episódio do TB, como:[20]

- Comunicar-se calmamente – quando o paciente está doente, é melhor não comunicar-se com ele de modo muito emocional ou com um tom de voz elevado. Tenha em mente que ele está doente e tente não reagir por impulso ao que ele possa dizer ou fazer.
- Ajudar o paciente a procurar tratamento – encoraje-o a contatar o médico ou o psicólogo. Se ele estiver gravemente doente ou existir um risco relativo a seu bem-estar ou ao das outras pessoas, você mesmo deve buscar a ajuda da equipe médica.
- Ajudar o paciente se ele precisar ir para o hospital – alguns episódios são mais graves que outros. Embora, em sua maioria, as pessoas possam ser tratadas em casa, por vezes os pacientes com TB precisam receber o tratamento no hospital (veja maiores informações a respeito das situações em que a hospitalização é necessária e a forma como deve proceder no Cap. 7).
- Ajude a resolver as dificuldades de lembrar-se de tomar o medicamento – se o paciente esquece regularmente de tomar a medicação, sugira estratégias que poderão ajudá-lo.
- Encoraje o paciente a falar abertamente sobre o medicamento com o médico – o profissional poderá eliminar os medos a respeito do medicamento e discutir formas de lidar com certos efeitos colaterais.
- Ajude o paciente a identificar os fatores desencadeadores de novos episódios – falar com ele sobre o que vocês pensam que desencadeia a doença e avaliar como foi a influência desses fatores nos episódios anteriores (veja mais informações no Cap. 13).
- Estimule o paciente a adotar um estilo de vida saudável – o estilo de vida pode ajudar a manter o paciente estável e evitar novas crises. Por exemplo, ajude-o a manter um padrão de sono regular e uma rotina, a exercitar-se regularmente, a tomar a medicação de modo adequado, a não determinar objetivos excessivos, a ter dieta saudável, a evitar álcool, drogas e cafeína, a descobrir formas de relaxar, etc. (Veja mais informações no Cap. 14).
- Veja nos Quadros 15.2, 15.3 e 15.4 dicas específicas sobre a ajuda ao paciente nas diferentes fases da doença (depressão, mania/hipomania e eutimia).

O CUIDADOR TAMBÉM PRECISA DE CUIDADO

Como cuidador, você também precisa tomar conta de si mesmo, não só da pessoa com TB, pois, caso contrário, poderá sentir-se oprimido e completamente esgotado. Os cuidadores têm risco maior de ficarem deprimidos e de desenvolverem outros problemas de saúde.

O cuidador pode sentir que toda sua energia é canalizada para ajudar a pessoa. No entanto, caso negligencie a própria saúde e bem-estar, poderá desenvolver problemas de saúde. Além disso, não será capaz de dar todo o seu apoio se a sua saúde estiver comprometida. A seguir, são apresentadas algumas sugestões de formas para tomar cuidados consigo:[20]

DICAS

- Use estratégias que o ajudem a lidar com o estresse.
- Tente manter-se organizado.
- Não se sobrecarregue com tarefas.
- Divida ou delegue determinadas tarefas.
- Frequente grupos de apoio ao portador de TB.
- Reponha as energias – arranje um tempo para fazer coisas que lhe relaxem e deem prazer.
- Desenvolva expectativas realistas.
- Reconheça que você também tem necessidades.
- Aproveite o tempo em que o paciente está bem para focar em coisas que são importantes para você.
- Aprenda a dizer "não" a solicitações que não sejam realistas ou que sejam impossíveis de gerir.
- Tenha em mente que, embora possa ajudar, a pessoa deve encontrar formas de lidar com a doença.
- Dedique uma parte do seu tempo a seus interesses e objetivos, fazendo algo de que gosta.
- Encoraje a pessoa a esforçar-se para manter a própria identidade e seus próprios interesses.
- Mantenha contato com amigos e família.
- Estabeleça limites a comportamentos perigosos, arriscados ou inapropriados que você considera inaceitáveis.
- Desenvolva seu próprio grupo de apoio – tenha alguém confiante com quem falar ou entre para um grupo de apoio para familiares de pacientes com TB.
- Utilize estratégias de resolução de problemas (ver Quadro 15.5).
- Desenvolva hábitos saudáveis – exercícios regulares, refeições saudáveis, sono regular, etc.

QUADRO 15.2 DICAS PARA APOIAR A PESSOA COM DEPRESSÃO

Se o paciente está deprimido, além de apoiá-lo no tratamento é possível:

- Dizer-lhe que é importante e que você se preocupa com ele – é bom expressar preocupação com o paciente, mas não a ponto de ele sentir-se oprimido e desamparado.
- Não obrigue-o a falar ou a "acordar para a vida" – quando uma pessoa está deprimida, ela pode não ser capaz de dizer o que sente ou qual tipo de ajuda precisa. Evite dizer ao paciente que tem de se recompor ou começar a reagir. Às vezes, simplesmente estar presente, sem dizer o que ele deve fazer, pode ser reconfortante.
- Considere o risco de suicídio – embora nem todas as pessoas com TB sejam suicidas, a depressão é um momento de elevado risco. Para mais informações sobre sinais de alerta para o suicídio e formas como os cuidadores podem ajudar, veja Cap. 11.
- Encoraje-o a alcançar pequenos objetivos – não tente obrigá-lo a fazer algo que ele ache muito enervante ou excessivo. Encoraje-o a fazer algo mais fácil, especialmente se isso lhe proporcionar uma mínima sensação de concretização ou de prazer. Se necessário, divida a tarefa em passos ainda menores (p. ex., se estiver muito doente, convide-o a tomar sol antes de convidá-lo a dar um passeio).
- Não tente assumir o controle – se verificar que o paciente está agindo de modo muito devagar, não se sobreponha nem faça tudo por ele. Se estiver tão deprimido a ponto de não ser capaz de concretizar certa tarefa, considere fazer por ele temporariamente ou delegue-a a alguém.
- Encoraje uma rotina diária sempre que possível – o humor bipolar pode quebrar a rotina ou os padrões de sono do paciente, e essa quebra pode agravar o humor. Por exemplo, dormir durante o dia pode dificultar o adormecer à noite, e deitar e acordar em horas certas pode ajudar. Ter algo a fazer pela manhã pode ajudá-lo a levantar-se na hora certa.
- Proporcione algum sentido de perspectiva – ajudar o paciente a perceber suas conquistas (independentemente de quão pequenas) pode ter um efeito positivo em seu humor. Considere, ainda, mencionar eventos e experiências positivas, caso estes aconteçam, e reconheça quaisquer boas notícias que a pessoa receba.
- Tenha em mente que aquilo que conforta uma pessoa não é necessariamente o que conforta outra – por exemplo, enquanto alguns indivíduos com sintomas de depressão pensam que se sentirão melhor com o tempo, para outras esse pensamento pode não significar nada.
- Se o paciente fica apreensivo excessivamente e está preocupado com um problema em particular, considere uma das seguintes opções:
    - Diga-lhe que os problemas parecem ser maiores do que de fato são devido à doença, e sugira adiar a solução até que ele se sinta melhor.
    - Convide-o a fazer algo que o distraia de suas preocupações.
    - Se o paciente não estiver muito doente, converse com ele sobre as possíveis soluções para o problema e ajude-o a fazer algo simples no sentido de resolvê-lo.
- Seja amável, paciente e atencioso com o paciente, mesmo que seus atos não sejam recíprocos ou aparentem não estar ajudando – é possível sentir-se frustrado se seu apoio não aparenta estar ajudando, e é compreensível sentir-se assim. A depressão pode ser persistente. Não pare de dar apoio ao paciente apenas porque aparentemente ele não está melhorando, apreciando ou retribuindo seus esforços. Enquanto estiver deprimido, é difícil apreciar seja o que for. No entanto, ele poderá ainda necessitar de seu apoio.

Fonte: Adaptado de Berk.[20]

QUADRO 15.3   DICAS PARA APOIAR O PACIENTE QUE ESTÁ EM MANIA/HIPOMANIA

Se o paciente está maníaco ou hipomaníaco, é possível, além de apoiá-lo no tratamento:

- Ajudar a criar um ambiente calmo – reduzir os desencadeadores que podem piorar os sintomas (p. ex., minimizar estímulos que pioram mania/hipomania, como barulho, desorganização, cafeína, encontros sociais). Se o médico prescreveu medicamento para ajudar o paciente a relaxar, a descansar ou a dormir para reduzir a sua mania/hipomania, pense de que forma poderá ajudá-lo a atingir isso efetivamente.
- Não acredite que deva participar dos inúmeros projetos e objetivos o paciente – tenha cuidado para não ser arrastado pelo humor maníaco/hipomaníaco do indivíduo.
- Observe as formas de comunicação quando o paciente está maníaco ou hipomaníaco – responda de modo honesto, ponderado e sucinto e evite entrar em longas conversas e discussões com ele. Pessoas com o humor elevado estão vulneráveis e sensíveis; apesar de sua confiança aparente, tendem a ofender-se facilmente. Se o paciente começar a discutir, tente não se envolver. Considere falar sobre temas neutros ou adiar a discussão. Por exemplo, diga em um tom amável, mas firme, algo como: "sei que esse tema é importante para você e temos de discuti-lo, mas agora estou chateado e cansado. Discutimos amanhã de manhã, quando eu estiver pensando melhor".
- Estabeleça limites para determinados comportamentos – se o comportamento o paciente é muito arriscado ou abusivo, pode ser necessário estabelecer limites a isso.

Fonte: Adaptado de Berk.[20]

QUADRO 15.4   DICAS PARA APOIAR O PACIENTE DEPOIS UM EPISÓDIO BIPOLAR

Após a melhora dos sintomas, considere ajudar o paciente que passou por um episódio bipolar seguindo as seguintes sugestões:

- Algumas das possíveis necessidades do paciente quando estiver em recuperação são descanso, rotina, afeto, amizade, ocupação e ter expectativas.
- Se o paciente ainda tiver alguns sintomas ou estiver com dificuldade para lidar com a situação, pergunte-lhe como pode ajudá-lo.
- O período após um episódio da doença pode ser um momento de alto risco para o suicídio. É preciso estar alerta para os sinais de que o paciente se encontra em risco suicida.
- Quando possível, foque-se nos comportamentos positivos e de bem-estar em vez de somente na doença e no comportamento problemático.
- Faça as coisas com o paciente, e não para ele, uma vez que isso poderá ajudar a reconstruir sua autoconfiança.
- Encoraje o paciente a não tentar fazer tudo ao mesmo tempo. Inicialmente, para ele, pode ser mais fácil dar prioridade a tarefas básicas e fazer atividades menos estressantes.
- Deixe-o se recuperar em seu ritmo, mas encoraje-o ativamente ou convide-o a fazer coisas no caso de ele estar sentindo dificuldade em retomar a vida.
- Se o paciente sentir dificuldade em iniciar tarefas, encoraje-o a determinar pequenos objetivos que sejam facilmente geridos.

QUADRO 15.4 DICAS PARA APOIAR O PACIENTE DEPOIS UM EPISÓDIO BIPOLAR (continuação)

- Ofereça seu apoio no caso de o paciente estar com dificuldades de concentração, de recordar-se dos compromissos, etc.
- Tente estar disponível para apoiá-lo sem ser dominante ou excessivamente tolerante.
- Quando encontrar-se estável, converse com ele sobre as formas de prevenir recorrências futuras.

Fonte: Adaptado de Berk.[20]

QUADRO 15.5 PASSOS PARA RESOLUÇÃO DE PROBLEMAS

- Defina claramente qual é o problema.
- Para alcançar uma compreensão completa do problema sem culpar a si ou aos outros, pense em como ele se desenvolveu, quando ocorreu e por que é um problema.
- Determine quais soluções deve tentar.
    - Faça uma lista das diversas formas possíveis para tentar solucionar o problema. Utilize a sua imaginação. Pergunte ao outros, se quiser. Não importa quão irrealistas são as soluções nesse momento.
    - Avalie cada solução – quão prática ou realista é essa solução nas presentes circunstâncias? Quais são os possíveis riscos e consequências negativas caso se decida por essa solução? Caso ocorram consequências, há alguma forma de prevenir ou lidar com elas? Quais são os possíveis benefícios caso escolha essa solução?
    - Decida que soluções gostaria de tentar.
- Desenvolva e siga um plano de ação – decida o que tem de fazer primeiro para programar a solução que quer experimentar e defina um plano de vários passos. Depois, ponha-o em ação.

Fonte: Adaptado de Berk.[20]

PERGUNTAS FREQUENTES

COMO LIDAR COM CRIANÇAS E ADOLESCENTES COM TB?

O TB não era reconhecido em crianças e adolescentes até pouco tempo atrás. Somente nos últimos anos, com o refinamento do diagnóstico, é que observou-se a presença de sintomas nessa população. Atualmente, sabemos que um número cada vez maior de crianças e adolescentes também está sofrendo desse transtorno. Segundo uma reportagem da revista Times, de julho de 2002, os especialistas estimam que mais de 1 milhão de crianças e pré-adolescentes nos Estados Unidos possa sofrer dos primeiros estágios do TB. Além disso, quando adultos são entrevistados, quase metade relata que seus primeiros sintomas apareceram antes dos 21 anos, e 1 em cada 5 diz que a primeira manifestação se deu na infância.[21]

A turbulência emocional faz parte da adolescência, mas o humor de crianças bipolares não oscila, e sim vai de um extremo a outro de maneira rápida e explosiva. A maioria das crianças e adolescentes bipolares apresenta ciclos ultrarrápidos, alternando os estados várias vezes por dia.

De acordo com os estudos norte-americanos feitos com crianças bipolares (citados na mesma reportagem da Times), "pela manhã, as crianças bipolares têm mais dificuldade para acordar do que a média, resistem em levantar-se, em vestir-se, em ir à escola e ficam irritadas mais facilmente, com uma tendência a reclamar e agredir ou fechar-se. Por volta do meio-dia, isso passa, e elas desfrutam de algumas horas normais, o que permite que possam concentrar-se e participar da escola, mas, por volta das 15 h ou 16 h, 'os foguetes são acionados', e as crianças ficam agitadas, eufóricas e explosivas. Elas riem alto demais quando encontram algo engraçado e continuam rindo por muito tempo depois que a piada já acabou; suas brincadeiras têm um aspecto agressivo; e elas podem inventar histórias ou insistir que têm capacidades sobre-humanas. Essa agitação frequentemente prossegue noite adentro – o que contribui para a dificuldade que têm para acordar de manhã".[21]

Até pouco tempo, uma criança que se comportasse dessa forma seria diagnosticada como tendo déficit de atenção/hiperatividade (TDAH) ou seria simplesmente considerado rebelde. Erros desse tipo foram responsáveis por um grande número de bipolares não tratados de modo adequado e, portanto, por prejuízos inestimáveis em suas vidas.

O primeiro passo para lidar com o TB na infância e adolescência é reconhecê-lo. Sabe-se, hoje, que crianças com pais ou outros familiares bipolares têm uma grande probabilidade de também apresentar o transtorno. Por isso, se você ou alguém em sua família (diagnosticado ou não) apresenta sintomas como os descritos ao longo deste livro, fique atento ao comportamento de seu filho e procure ajuda de um psiquiatra se suspeitar que ele apresenta o transtorno. As consequências da não identificação da doença podem ser severas, já que o quadro bipolar piora à medida que a criança cresce. O tratamento adequado pode prevenir problemas escolares, de relacionamento, baixa autoestima e até mesmo uso de drogas, quando este é motivado por uma tentativa de controlar a angústia causada pelos sintomas. O contrário, porém, também pode acontecer: o uso de drogas, principalmente estimulantes, podem precipitar o transtorno em quem já é vulnerável a tê-lo.

Se você é adolescente ou tem filhos adolescentes que apresentam o transtorno, procure imediatamente tratamento. Para ajudá-los a manter a estabilidade ou evitar o desencadeamento de novas crises, algumas providências podem ser tomadas:

- Converse com seu filho sobre o uso de drogas como qualquer pai ou mãe deveria fazer, mas enfatize que, por ser bipolar, esse uso para ele é duplamente prejudicial e pode pôr a perder toda a melhora obtida com o tratamento até então;

PERGUNTAS FREQUENTES

- Seja firme para que ele mantenha uma rotina. Explique as consequências de levar uma vida que inclui diferentes horários para dormir, comer ou até mesmo estudar. A responsabilidade de evitar novas crises também é dele, uma vez que, se entrar em depressão ou ficar mais agressivo e agitado, as consequências serão sentidas principalmente por ele.
- A dieta também é importante. A cafeína, por exemplo, pode provocar o estado de euforia. Os adolescentes são aconselhados a evitar café e chá e tomar cuidado com alimentos cafeinados, como refrigerantes e chocolate.

O QUE FAZER QUANDO SE RECONHECE O TB EM ALGUÉM E ESSA PESSOA SE RECUSA A PROCURAR AJUDA?

É importante que o próprio portador reconheça sua doença e aceite o tratamento. Como é um tratamento difícil, longo, com efeitos colaterais, necessidade de exames frequentes, etc., a colaboração do paciente é fundamental para o resultado. Para isso, pode-se oferecer leituras, convidá-lo a ir a encontros psicoeducacionais ou palestras sobre o transtorno. Um filme recentemente lançado em vídeo e DVD, intitulado *Mr. Jones*, é um bom exemplo do TB. Assistir ao ator Richard Gere no papel de um bipolar pode ser um bom começo para que a pessoa se identifique com o sofrimento dele e aceite procurar ajuda.

Convencer uma pessoa de que ela tem uma doença como essa não é fácil, a não ser no caso dos hipocondríacos. A tendência das pessoas é negar que são vulneráveis, especialmente tratando-se de uma doença psiquiátrica e crônica. Seja paciente, fale da doença de maneira clara e aberta e não demonstre raiva ou pena, apenas preocupação com as consequências do não tratamento.

COMO LIDAR COM O ESTIGMA QUE A FAMÍLIA TEM MESMO QUANDO SE ESTÁ ESTÁVEL?

Quando a família tem um estilo "superprotetor", é comum que a doença seja vista como motivo de incapacitação e o paciente passe a ser tratado como alguém frágil e dependente, que perdeu o controle sobre si mesmo e precisa ser poupado e cuidado. De fato, na vigência da crise (depressiva ou maníaca), não é possível esperar que o paciente bipolar cuide de si mesmo, controle seus sintomas ou sequer se responsabilize pela tomada do medicamento; assim, durante essas fases, a família deve cuidá-lo e protegê-lo. Entretanto, passada a crise, o indivíduo volta a ser plenamente capaz de cuidar de si e de assumir suas responsabilidades, inclusive em relação ao tratamento. A família deve respeitar a autonomia e a competência do paciente no controle de sua vida, ficando em posição de retaguarda para procurar evitar novas crises ou para que possa alertá-lo e apoiá-lo quando uma nova crise, porventura, for desencadeada. O paciente, por sua vez, deve recusar a posição de vítima, por mais confortável que isso possa parecer. O indivíduo portador do TB não é uma vítima, mas um sobrevivente dessa doença, e, nesse caso, deve utilizar todos os recursos que possui para lutar contra os sintomas e manter sua vida o mais saudável possível.

Quando não trata-se de uma família "superprotetora", mas preconceituosa, a atitude é, muitas vezes, a de envergonhar-se do paciente ou sentir raiva e rancor por ele estar causando tanto sofrimento. Uma família assim, antes de mais nada, deve ser esclarecida quanto ao caráter biológico, hereditário e incontrolável da doença. O paciente deve ser isento de qualquer culpa pelos comportamentos que tem quando está em uma fase crítica. Nesses casos, a terapia familiar é imprescindível para que dúvidas sejam esclarecidas e para que a mágoa e o preconceito possam dar lugar a sentimentos como compaixão e carinho.

PERGUNTAS FREQUENTES

COMO A FAMÍLIA PODE RECEBER AJUDA EM MOMENTOS CRÍTICOS?
É um engano imaginar que o único que sofre nas fases críticas da doença é o paciente, pois a família também sofre, e muito. Por isso, sempre que possível, mantenha uma boa relação com os profissionais que estão cuidando do caso. Você, familiar, pode e deve solicitar orientação sempre que não souber como lidar com determinada situação. Se possível, procure um terapeuta familiar, pois como ele estará bem entrosado com o paciente e a sua família, recorrer a ele nos momentos críticos pode ser mais fácil. Associações como a ABRATA organizam grupos de autoajuda para familiares de pacientes bipolares, e participar de grupos desse tipo sempre é interessante e propicia suporte aos familiares.

A SEPARAÇÃO CONJUGAL AFETA O PACIENTE COM TB?
Já dissemos que o estresse é um fator de risco para os portadores do TB. Muitas situações causam estresse: pressão no trabalho, alterações da rotina, falta de dinheiro, mudanças de vida (para melhor ou para pior). Separações são sempre motivos de estresse. Além da separação propriamente dita, uma série de mudanças ocorrem na vida do casal que se separa. Toda a reestruturação da vida que deve ser feita após uma separação é motivo de estresse e desgaste emocional. Se você é bipolar e está se separando ou está na vigência de uma separação, comunique seu médico e seu terapeuta para que eles possam ajudá-lo a enfrentar essa fase de maneira mais protegida. Às vezes, é possível fazer alterações de doses ou medicamentos de maneira preventiva, evitando uma piora em situações que aumentam o risco. Se você está em terapia, discuta com seu terapeuta um plano de ação para tomar todas as providências necessárias para encarar uma fase tão sofrida como essa com o mínimo de comprometimento de sua estabilidade.

COMO RECONHECER O TB EM OUTROS MEMBROS DA FAMÍLIA QUANDO SE É PORTADOR?
Ser portador do TB não o impede de reconhecer os sintomas em outros membros da sua família. Pelo contrário, você talvez seja até mais perspicaz por conhecer exatamente como a pessoa se sente durante a fase sintomática. O que faz diferença no reconhecimento de sintomas em pessoas próximas a você é o seu conhecimento sobre a doença. Quanto mais informado você estiver, mais fácil será não confundir sintomas com outros comportamentos e ter argumentos convincentes para falar com o familiar afetado e os demais membros da família, a fim de que estes colaborem para ajudá-lo. Se você desconfia de que outro membro da sua família também é bipolar, espere para falar sobre isso em ocasiões em que as relações estejam tranquilas. Nunca use essa informação para agredir a pessoa em um momento de raiva ou em uma discussão. Alertar sobre a doença não deve ser encarado como uma forma de agressão, mas como uma tentativa de ajuda, especialmente quando a melhor forma de ajudar é compartilhar os mesmos problemas.

O QUE FAZER QUANDO O PACIENTE EM MANIA GASTA MUITO DO PRÓPRIO DINHEIRO?
Antes de qualquer coisa, se você é amigo ou familiar de um bipolar que está gastando o próprio dinheiro de maneira excessiva, lembre-se de que sua tentativa de ajudá-lo pode ser a única garantia que ele tem de proteção contra os sintomas de sua doença. Por isso, não fique constrangido em procurar um advogado e tomar as providências legais que são permitidas nesses casos. Um dia, a sobrevivência dessa pessoa poderá depender da atitude que você está tomando agora. Além disso, é importante que sua ajuda não se limite às providências legais, mas abranja também o cuidado com o tratamento, a prevenção de situações que aumentam o risco de recaídas e a participação de grupos de ajuda familiar ou encontros psicoeducacionais. Com certeza, se estiver adequadamente tratado e orientado, o seu amigo ou familiar bipolar poderá levar uma vida normal e cuidar de si mesmo o mais breve possível.

PERGUNTAS FREQUENTES

O QUE FAZER QUANDO A FAMÍLIA SE RECUSA A RECONHECER A DOENÇA E A AJUDAR?
Infelizmente, é fato que nem todas as famílias demonstram a vontade de entender a doença e colaborar com o tratamento, mas nem sempre isso é indicativo de falta de amor ou de interesse pela pessoa afetada. Muitas vezes, as famílias têm medo de encarar tudo o que lhes é desconhecido, pois acreditam que não sabem lidar com o que não conhecem. Negam a doença para não ter de agir, pois, por incrível que pareça, para essas pessoas, às vezes, é mais fácil acreditar que tem um filho "rebelde" ou "desajustado" do que lidar com uma doença desconhecida para eles e que, além de tudo, é doença mental! Outras vezes, o descaso da família é explicado por sentimentos de culpa em relação à patologia. Essas famílias acreditam, erroneamente, que doenças mentais são sempre reflexo de problemas de relacionamento familiar e, portanto, se reconhecerem a condição, terão de reconhecer igualmente a sua culpa.

Seja qual for a explicação para o descaso familiar com a doença e o tratamento, na maioria das vezes, a ignorância é a maior responsável por essa atitude. Por isso, o que pode ser feito para sensibilizar essas famílias é oferecer-lhes informação. Se a sua família estiver agindo dessa forma, leve folhetos explicativos da doença e do tratamento para casa e deixe-os em lugares acessíveis, mostre-lhes este livro e peça que leiam os capítulos que considera mais importantes, convide-os a ir com você a um encontro psicoeducacional, enfim, tudo o que você pode fazer é dar-lhes informação e esperar que enfrentem seus próprios medos, para que consigam, um dia, ter a mesma coragem que você tem de estar encarando sua doença e tudo o que ela significa.

Como você deve ter percebido, a melhor maneira de sua família poder ajudá-lo é compreender o que é e como é a sua doença.

REFERÊNCIAS

1. Hatfield AB. Systems resistance to effective family coping. New Dir Ment Health Serv. 1987;(33):51-62.

2. Brissos S, Dias VV, Kapczinski F. Cognitive performance and quality of life in bipolar disorder. Can J Psychiatry. 2008;53(8):517-24.

3. Rosa AR, González-Ortega I, González-Pinto A, Echeburúa E, Comes M, et al. One-year psychosocial functioning in patients in the early vs. late stage of bipolar disorder. Acta Psychiatr Scand. 2012;125(4):335-41.

4. Moraes C, Silva F, Andrade ER. Diagnóstico e tratamento de transtorno bipolar e TDAH na infância: desafios na prática clínica. J Bras Psiquiatr. 2007;56:19-24.

5. Colom F. Social cognition and its potential role in bipolar disorder roughening: an editorial comment to Samamé C, Matino DJ, Strejilevich S. 'Social cognition in euthymic bipolar disorder: systematic review and meta-analytic approach' (1). Acta Psychiatr Scand. 2012;125(4):264-5.

6. Miklowitz DJ, Frank E, George EL. New psychosocial treatments for the outpatient management of bipolar disorder. Psychopharmacol Bull. 1996;32(4):613-21.

7. Castle D, White C, Chamberlain J, Berk M, Berk L, Lauder S, et. al. Group-based psychosocial intervention for bipolar disorder: randomised controllled trail. Br J Psychiatry. 2010;196(5):383-8.

8. Michalak EE1, Yatham LN, Wan DD, Lam RW. Perceived quality of life in patients with bipolar disorder. Does group psychoeducation have an impact? Can J Psychiatry. 2005;50(2):95-100.

9. Madigan K, Egan P, Brennan D, Hill S, Maguire B, Horgan F, et al. A randomised controlled trial of carer-focussed multi-family group psychoeducation in bipolar disorder. Eur Psychiatry. 2012;27(4):281-4.

10. de Barros Pellegrinelli K1, de O Costa LF, Silval KI, Dias VV, Roso MC, Bandeira M, et al. Efficacy of psychoeducation on symptomatic and functional recovery in bipolar disorder. Acta Psychiatr Scand. 2013;127(2):153-8.

11. Miklowitz DJ, Simoneau TL, George EL, Richards JA, Kalbag A, Sachs-Ericsson N, et al. Family-focused treatment of bipolar disorder: 1-year effects of a psychoeducational program in conjunction with pharmacotherapy, Biol Psychiatry. 2000;48(6):582-92.

12. Miklowitz DJ, Kim EY. Expressed emotion as a predictor of outcome among bipolar patients undergoing family therapy, J Affect Disord. 2004;82(3):343-52.

13. Miklowitz DJ. The role of the family in the course and treatment of bipolar disorder. Curr Dir Psychol Sci. 2007;16(4):192-6.

14. Roso MC, RA Moreno, EMS Costa. Intervenção psicoeducacional nos transtornos do humor: a experiência do Grupo de Estudos de Doenças Afetivas (GRUDA). Rev Bras Psiquiatr. 2005;27(2):165.

15. Yacubian J, Neto FL. Psicoeducação familiar. Fam Saúde Desenv. 2001;3(2):98-108.

16. Miklowitz DJ, George EL, Richards JA, Simoneau TL, Suddath RL. A randomized study of family-focused psychoeducation and pharmacotherapy in the outpatient management of bipolar disorder. Arch Gen Psychiatry. 2003;60(9):904-12.

17. Yu Yin ML, Oliveira MG. Relato de uma experiência psicoeducacional com familiares de portadores de transtornos do humor. Rev Bras Ter Comport Cogn. 2004;6(1):132-45.

18. Pellegrinelli KB, Roso MC, Moreno RA. The relationship between non-adhence to treatment and false beliefs of bipolar patients and their families. Rev Psiq Clín. 2010;37(4):183-4.

19. Miklowitz DJ. The bipolar disorder survival guide. New York: Guilford; 2002.

20. Berk L. Guia para cuidadores de pessoas com transtorno bipolar. São Paulo: Segmento Farma; 2011.

21. Jovens bipolares: desordem mental começa a atingir as crianças. [20--?] [capturado em 27 jan 2015]. Disponível em: http://www.geocities.ws/lista_desassossego/txt/artigo01.htm

LEITURA SUGERIDA

Vance YH, Huntley Jones S, Espie J, Bentall R, Tai S. Parental communication style and family relationships in children of bipolar parents. Br J Clin Psychol. 2008;47(Pt 3):355-9.

16
CUIDADOS MATERNOS E TRANSTORNO BIPOLAR NA INFÂNCIA

Sandra Petresco
Doris Hupfeld Moreno

CUIDADOS MATERNOS

Quando você conhece os sintomas do transtorno bipolar (TB) e sabe que é uma doença que perdura por toda a vida, apresentando períodos de melhora e piora entre depressões, estados mistos e hipomanias/manias, é possível imaginar o sofrimento que ele causa para o doente e para as pessoas próximas a ele. E quando a pessoa é bipolar, mas quem sofre devido aos seus sintomas é seu filho? E quando a criança ou o adolescente já apresenta os sintomas de TB?

Neste capítulo, discutiremos aspectos relacionados às consequências do TB em filhos de pais bipolares e à forma de apresentação do transtorno em crianças e adolescentes.

Sabe-se que filhos de pais bipolares possuem risco aumentado de desenvolver doenças psiquiátricas, principalmente transtornos do humor[1] e problemas de ajustamento, tais como algumas dificuldades de relacionamento e problemas no desempenho escolar.[2,3] No entanto, estamos falando apenas em risco, ou seja, algo que pode ou não acontecer. Alguns filhos de bipolares podem nunca desenvolver um transtorno mental, pois isso depende 80% da genética e 20% do ambiente em que a criança ou o adolescente vive. Isso significa que o TB só ocorre em indivíduos que possuem propensão genética, e que alguns estressores ambientais podem favorecer o aparecimento do quadro (ver Cap. 3). O ambiente familiar pode ser um importante desencadeante de recaídas, capaz até de precipitar o início do quadro do TB em crianças e adolescentes quando se torna desorganizado, instável e/ou estressante.[4]

Atualmente, os pesquisadores estão voltando a prestar atenção no papel que o ambiente familiar exerce sobre o desenvolvimento de sintomas psiquiátricos.

Nesse contexto, pais com algum transtorno mental têm maior probabilidade de cuidar dos filhos de modo disfuncional, como supervisionando-os de modo insuficiente, criticando-os em excesso ou envolvendo-se demais emocionalmente.

O cuidado que as mães bipolares podem dar a seus filhos é diretamente afetado pelos episódios ou sintomas persistentes entre as crises (depressivos ou maníacos), que provavelmente interferem no desenvolvimento psicológico dessas crianças e facilitam a manifestação do TB, caso haja uma predisposição genética.

Adultos bipolares cujas famílias são muito críticas e hostis apresentam pior recuperação clínica, maior gravidade dos próprios episódios e mais recaídas.[5-7] Esses resultados podem ser estendidos aos adolescentes com TB, pois os que viviam em famílias com alto nível de emoção expressa tinham sintomatologia mais grave quando comparados àqueles cujas famílias apresentavam baixos níveis de emoção expressa.[8] Além disso, famílias com pelo menos um dos pais com TB apresentam menor coesão, menos organização familiar e mais conflitos do que aquelas em que nenhum dos pais apresentava o diagnóstico.[9,10] Transtorno do humor nos pais pode estar associado a um ambiente disfuncional no lar do jovem, com mais conflitos familiares, dificuldade em solucionar problemas e falha na comunicação, a qual pode gerar discussões e frequentes distorções do que foi dito.[11,12]

Mesmo comparando com famílias de crianças com transtorno de déficit de atenção/hiperatividade (TDAH) ou sem qualquer diagnóstico psiquiátrico, o ambiente familiar de crianças e adolescentes com TB apresenta mais tensão, hostilidade e menos calor materno.[13] Mães bipolares, quando sintomáticas, podem distanciar-se afetivamente dos filhos, ficando menos sensíveis e atentas a eles. Pouco afeto materno, por sua vez, pode contribuir para piora da doença nos filhos.[14,15]

No PROGRUDA, foi realizado um estudo importante com filhos de mães bipolares. Verificou-se que 33,3% das mães abusaram física e/ou psicologicamente dos filhos quando estavam doentes, e isso não ocorreu com aquelas que não tinham TB, depressão ou qualquer outro transtorno mental.[16] Além disso, mais da metade delas era divorciada ou tinha que cuidar do filho sem um cônjuge, e apenas um terço delas vivia com o pai da criança. Isso ilustra como o impacto do TB é grave, porque é duradouro e afeta desde a capacidade do cuidador de manter um casamento até a maneira de cuidar dos filhos.

A qualidade da relação pais-criança e do ambiente familiar está relacionada ao desenvolvimento de transtornos psiquiátricos, principalmente o TB, em crianças de alto risco (filhos de pais bipolares) e à piora do curso da doença (recuperações e recaídas). É importante buscar e adotar intervenções focadas na qualidade da relação entre os pais e a criança, na expressão de emoções e na família durante o tratamento de pais com TB e de crianças de alto risco ou já diagnosticadas.

TRANSTORNO BIPOLAR EM CRIANÇAS E ADOLESCENTES

Comumente ouve-se falar que determinado diagnóstico "está na moda", querendo dizer que o número de casos de fato existentes não corresponde ao que é exposto na mídia. Isso já ocorreu no passado com o diagnóstico de TDAH e, agora, está acontecendo com o de TB.

Desde o início do século XIX, havia médicos que descreviam crianças com comportamento francamente alterado, debochadas, insistentes, prepotentes e, por vezes, aceleradas e desinibidas.[17] O fato é que existem crianças e adolescentes que já manifestam a patologia cedo e, muitas vezes, passam anos sem receber o diagnóstico correto, sendo taxadas como sociopatas, *borderline* e outros, sem acesso a um suporte eficaz e adequado.

A apresentação clínica do TB na infância difere muito da manifestação clássica do adulto porque, em vez de manifestar-se em fases alternadas dos dois pólos (depressão e mania) que se intercalam ao longo de semanas ou meses, apresentam várias alterações de humor ao longo do mesmo dia, em um padrão de ciclagem considerado ultrarrápido.[18,19] Esse padrão atípico associa-se a sintomas mais constantes e duradouros no decorrer dos anos, gerando queixas como "Ele é sempre estressado, irritado e explosivo, e qualquer coisa o faz estourar"; "Com ele, temos que tomar cuidado o tempo todo", etc. O curso crônico e arrastado dos sintomas confundem muito os pais e os profissionais, que acabam direcionando o tratamento para outros diagnósticos.

Normalmente, essas crianças estão mais lentas no período da manhã, como se demorassem a acordar ou estivessem tristes; não conseguem funcionar, estão cansadas, desanimadas, sem se motivar com nada, deprimidas. Ao longo do dia, tornam-se mais inquietas e irritadas, batem portas e chutam coisas até quebrar, arremessam objetos longe e ameaçam agredir familiares ou ferir a si mesmas. Elas costumam ter dificuldade em manter as amizades, pois são muito autoritárias, querendo que os outros sempre façam do jeito delas e não tolerando acordos ou revezamento das brincadeiras. Os sintomas de irritabilidade e impulsividade, o aumento de energia, a aceleração de pensamentos e a grandiosidade podem piorar à tarde e à noite. Pode acontecer de a criança ou o adolescente não conseguir adormecer, agitar-se muito e ficar horas no computador, ficar ao celular ou querer sair. Eles são descritos como instáveis, pois nunca se sabe como irão reagir e o que esperar deles; costumam amar ou odiar os amigos em uma intensidade surpreendente, e os descartam de seu círculo de convivência por motivos ínfimos, chorando depois por sentirem-se sozinhos e rejeitados.

Os principais sintomas de depressão e de mania na infância e na adolescência (Quadro 16.1) são os mesmos observados nos adultos, porém é preciso contextualizar para a fase de desenvolvimento em que a criança ou o adolescente se encontra. Muitas vezes, os sintomas de depressão e de mania coexistem, lembrando a apresentação dos quadros mistos do TB em adultos, e, nessa fase, são mais acentuados ainda a ansiedade e o sofrimento.

QUADRO 16.1 PRINCIPAIS SINTOMAS DO TRANSTORNO BIPOLAR EM CRIANÇAS E ADOLESCENTES	
MANIA	**DEPRESSÃO**
Euforia/elação	Tristeza
Irritabilidade	Desânimo
Grandiosidade	Irritabilidade
Distrabilidade	Lentidão psicomotora
Necessidade de sono diminuída	Concentração reduzida
Fala mais e rapidamente	Diminuição das atividades prazerosas
Pensamento acelerado	Alteração do apetite
Atividades de risco	Desconfiança
Inquietação	Queixas em demasia
Aumento das atividades motoras	Mal-estar e dores
Produtividade aumentada	Insegurança
Diminuição do apetite[20]	Dependência

Sofrer de sintomas do TB como adulto já é difícil, quase insuportável, então o que dirá quando crianças ou adolescentes com o transtorno precisam lidar com as cobranças na escola, a necessidade de socialização com parentes, professores e amigos e o aprendizado de regras de como se comportar, sem ainda possuir um amadurecimento suficiente para se controlar? Podem sofrer ou causar *bullying*, dependendo dos sintomas predominantes (se depressivo-ansiosos ou hipomaníacos). O que não se deve fazer é julgar o comportamento como resultado de um transtorno da personalidade, pois a personalidade está em formação e pode ser afetada pelos sintomas constantes ou oscilantes de instabilidade do humor, de dificuldade de concentração e controle de impulsos, de ansiedade, de depressão e de irritabilidade, etc. As consequências podem ser desastrosas se não houver a identificação e a intervenção medicamentosa precoce para impedir prejuízos maiores (Quadro 16.2).

O tratamento medicamentoso é indispensável para o controle da doença, e o tratamento psicoterápico é essencial para fortalecer a criança e a família na forma de lidar com o transtorno e auxiliar nas dificuldades que são desencadeadas. Nesse processo, faz-se necessária a psicoeducação individual ou em grupos, pois as famílias devem conhecer muito bem os sintomas da doença, os principais desencadeantes, os cuidados diários, os medicamentos e os sinais de recaída, assim como o manejo das crises e a melhor forma de preveni-las.

Pesquisas sugerem que crianças e adolescentes com TB possuem falhas no circuito responsável por processar e modular as emoções. Em situações de maior exigência ou estresse, esses jovens podem vivenciar uma espécie de colapso no controle emocional e cognitivo.[21] Essa perda de controle gera as chamadas "tempestades afetivas", contribui para a ausência de resposta às abordagens

QUADRO 16.2 CONSEQUÊNCIAS DO TRANSTORNO BIPOLAR EM CRIANÇAS E ADOLESCENTES	
CRIANÇAS	**ADOLESCENTES**

• Aprendizado dificultado – queda de rendimento escolar
• Comprometimento da socialização
• Isolamento social
• Interferência no desenvolvimento da personalidade
• Risco de vida
• Comportamento perigoso
	• Dificuldade ou abandono escolar
	• Pobre desenvolvimento psicossocial
	• Risco de vida:
	  – suicídio
	  – comportamento perigoso
	• Abuso ou dependência de álcool e/ou drogas
	• Criminalidade
	• Aids, gravidez indesejada
	• Incapacidade ou prejuízo da profissionalização

mais firmes de colocação de limites e justifica, em parte, por que a melhor abordagem é a busca de soluções com uma conversa em tom calmo e acolhedor. Recomenda-se que os pais sempre busquem se manter no comando das próprias emoções para não embarcar no descontrole do jovem e piorar ainda mais o momento de crise. Além disso, é importante que os limites e a imposição das consequências sejam postos depois da criança se acalmar.[22]

As técnicas cognitivo-comportamentais também são muito usadas para modificar os pensamentos e comportamentos que pioram a qualidade de vida da criança e da família, reforçando as atitudes resolutivas e positivas e refutando as desorganizadoras. Por isso, estudiosos da área sugerem que as famílias estabeleçam rotinas para os afazeres habituais e incluam o lazer da criança e da família no cotidiano. O jovem e seus familiares são capacitados a reconhecer suas variadas emoções e expressões, com o intuito de auxiliar no controle das emoções desagradáveis e estimular as produtivas. Ademais, sugere-se que as famílias vivam e pensem no presente, evitando desgastes inúteis com o que já ocorreu ou o que está por vir. O terapeuta deve motivar a criança e a família a buscarem reconhecer suas qualidades e acreditarem no potencial que possuem de vencer as dificuldades e resolver as coisas, e os pais são orientados a colocar os filhos na posição de parceiros na busca criativa de soluções aos problemas.[22]

Este capítulo apresentou informações atualizadas sobre o efeito do TB na família, levando em conta que o diagnóstico pode estar presente nos pais, nos filhos ou em mais de uma geração da mesma família. Diante do exposto, reiteramos que o cuidado com o ambiente familiar dos portadores da doença é essencial para a diminuição da fase aguda da doença e para evitar recaídas.

PERGUNTAS FREQUENTES

SE EU SOU PORTADORA DE TB, O MEU FILHO NECESSARIAMENTE TAMBÉM SERÁ BIPOLAR?
Não. Filhos de bipolares possuem apenas maior chance de desenvolver o transtorno do que as crianças que não possuem um ou ambos os pais com esse diagnóstico.

A PARTIR DE QUE IDADE A PESSOA PODE RECEBER O DIAGNÓSTICO DA DOENÇA? MEU FILHO DE 5 ANOS JÁ PODE SER DIAGNOSTICADO?
A doença pode começar em qualquer idade, mas é raro ocorrer antes dos 10 anos.

OS SINTOMAS DO TB NA CRIANÇA SÃO SEMELHANTES AOS DOS ADULTOS?
Conforme descrito neste capítulo, geralmente a criança não apresenta fases, apenas mudanças de humor muito mais rápidas e frequentes no mesmo dia. Dos sintomas em comum, há grande irritabilidade.

EU SOU BIPOLAR E MEU FILHO FOI DIAGNOSTICADO COM TRANSTORNO DE DÉFICIT DE ATENÇÃO/HIPERATIVIDADE (TDAH). ESTÁ CORRETO?
Muitas vezes, o TDAH antecede os sintomas de TB ou coexiste com ele. O cuidado consiste em ter certeza de que não existem os demais sintomas do TB e acompanhar a criança regularmente, tendo especial atenção às medicações utilizadas.

MEU FILHO É IMPULSIVO, AGITADO E FICA IRRITADO FACILMENTE. ISSO SIGNIFICA QUE ELE É BIPOLAR?
Se a mãe ou o pai apresentarem TB ou depressão, há risco de a criança já estar apresentando os sintomas. Se não for o caso, esses podem ser sintomas de muitos outros diagnósticos.

SE TENHO TB, POSSO ENGRAVIDAR OU É MUITO ARRISCADO?
Pode, mas o melhor momento para engravidar deve ser muito bem discutido com o psiquiatra e o ginecologista.

MEU FILHO É EXTREMAMENTE PESSIMISTA. ISSO SIGNIFICA QUE ELE TEM TB OU É SÓ DEPRESSÃO? COMO TRATAR?
Deve-se verificar se há mais sintomas, pois pode ser apenas o jeito de ser da criança, assim como pode ser sintoma de depressão. É importante lembrar que depressão também faz parte do TB.

A EDUCAÇÃO DOS PAIS PODE INFLUENCIAR NO TB?
Conforme discutido neste capítulo, a forma de manifestar afeto, de aplicar os limites e a maneira como a família se comunica faz muita diferença no surgimento e na evolução da doença; no entanto, não desenvolverá a doença quem não apresentar genética para tal.

O TB PODE SER DIAGNOSTICADO NA INFÂNCIA E NA ADOLESCÊNCIA? SE SIM, PODE SER CONFUNDIDO COM OUTROS TRANSTORNOS? COMO DIFERENCIAR?
Sim, pode manifestar-se na infância e na adolescência, e devido a sua apresentação atípica, pode ser confundido com outros diagnósticos. A diferenciação deve ser feita por um psiquiatra com experiência em avaliação de crianças e excelente conhecimento do TB.

PERGUNTAS FREQUENTES

UMA CRIANÇA MUITO ANSIOSA QUE NÃO DORME À NOITE PODE JÁ ESTAR APRESENTANDO SINTOMAS DE TB?
Sintomas de ansiedade são muito frequentes na infância e, na maior parte das vezes, não correspondem a um quadro de TB, mas alguns estudos os apontam como potenciais precursores de TB.

MINHA FILHA É ADOLESCENTE E, QUANDO ESTÁ EM TPM, MUDA COMPLETAMENTE O HUMOR E FICA MUITO IRRITADA. ISSO É NORMAL OU PODE SER INDÍCIO DO TB?
Parte das mulheres apresenta muitos sintomas de TPM, e a irritabilidade faz parte dos sintomas de ambos, TPM e TB. Esses sintomas, isoladamente, não são indício de TB na adolescência. O diagnóstico de TB requer a presença dos demais sintomas descritos neste capítulo e no Capítulo 2.

QUAL É O MELHOR TRATAMENTO PARA CRIANÇAS E ADOLESCENTES? MEDICAMENTO NESSA FASE NÃO FAZ MAL?
Os medicamentos são essenciais no controle do TB, e as psicoterapias fornecem excelente suporte para a aceitação da doença, bem como o desenvolvimento de melhor autocontrole. Medicamentos podem fazer mal em qualquer idade; portanto, é necessário o uso cuidadoso com adequação da dose ao peso e à idade da criança.

REFERÊNCIAS

1. DelBello MP, Geller B. Review of studies of child and adolescent offspring of bipolar parents. Bipolar Disord. 2001;3(6):325-34.

2. Lapalme M, Hodgins S, LaRoche C. Children of parents with bipolar disorder: a metaanalysis of risk for mental disorders. Can J Psychiatry. 1997;42(6):623-31.

3. Singh MK, Pfeifer JC, Barzman DH, Kowatch RA, DelBello MP. Medical management of pediatric mood disorders. Pediatr Ann. 2007;36(9):552-63.

4. Mick E, Biederman J, Faraone SV, Murray K, Wozniak J. Defining a developmental subtype of bipolar disorder in a sample of nonreferred adults by age at onset. J Child Adolesc Psychopharmacol. 200;13(4):453-62.

5. Miklowitz DJ, Simoneau TL, George EL, Richards JA, Kalbag A, Sachs-Ericsson N, et al. Family-focused treatment of bipolar disorder: 1-year effects of a psychoeducational program in conjunction with pharmacotherapy. Biol Psychiatry. 2000;48(6):582-92.

6. Kim EY, Miklowitz DJ. Expressed emotion as a predictor of outcome among bipolar patients undergoing family therapy. J Affect Disord. 2004;82(3):343-52.

7. Miklowitz DJ, George EL, Axelson DA, Kim EY, Birmaher B, Schneck C, et al. Family-focused treatment for adolescents with bipolar disorder. J Affect Disord. 2004;82 Suppl 1:S113-28.

8. Miklowitz DJ, Biuckians A, Richards JA. Early-onset bipolar disorder: a family treatment perspective. Dev Psychopathol. 2006;18(4):1247-65.

9. Chang KD, Blasey C, Ketter TA, Steiner H. Family environment of children and adolescents with bipolar parents.Bipolar Disord. 2001;3(2):73-8.

10. Romero S, Delbello MP, Soutullo CA, Stanford K, Strakowski SM. Family environment in families with versus families without parental bipolar disorder: a preliminary comparison study. Bipolar Disord. 2005;7(6):617-22.

11. Vance YH, Huntley Jones S, Espie J, Bentall R, Tai S. Parental communication style and family relationships in children of bipolar parents. Br J Clin Psychol. 2008;47(Pt 3):355-9.

12. Du Rocher Schudlich TD, Youngstrom EA, Calabrese JR, Findling RL. The role of family functioning in bipolar disorder in families. J Abnorm Child Psychol. 2008;36(6):849-63.

13. Geller B, Bolhofner K, Craney JL, Williams M, DelBello MP, Gundersen K. Psychosocial functioning in a prepubertal and early adolescent bipolar disorder phenotype. J Am Acad Child Adolesc Psychiatry. 2000;39(12):1543-8.

14. Geller B, Craney JL, Bolhofner K, Nickelsburg MJ, Williams M, Zimerman B. Two-year prospective follow-up of children with a prepubertal and early adolescent bipolar disorder phenotype. Am J Psychiatry. 2002;159(6):927-33.

15. Geller B, Tillman R, Craney JL, Bolhofner K. Four-year prospective outcome and natural history of mania in children with a prepubertal and early adolescent bipolar disorder phenotype. Arch Gen Psychiatry. 2004;61(5):459-67.

16. Moreno DH, Bio DS, Petresco S, Petresco D, Gutt EK, Soeiro-de-Souza MG, et al. Burden of maternal bipolar disorder on at-risk offspring: a controlled study on family planning and maternal care. J Affect Disord. 2012;143(1-3):172-8.

17. Zivanovic O, Nedic A. Kraepelin's concept of manic-depressive insanity: one hundred years later. J Affect Disord. 2012;137(1-3):15-24.

18. Biederman J, Mick E, Faraone SV, Spencer T, Wilens E, Wozniack J. Pediatric mania: a developmental subtype of bipolar disorder? Biol Psychiatry. 2000;48(6):458-66.

19. Pavuluri MN, Birmaher B, Naylor MW. Pediatric bipolar disorder: a review of the past 10 years. J Am Acad Child Adolesc Psychiatry. 2005;44 (9): 846-71.

20. Goldstein BI, Birmaher B. Prevalence, clinical presentation and differential diagnosis of pediatric bipolar disorder. Biol Psychiatry. 2000;48(6):458-66.

21. Pavuluri MN, O'Connor MM, Harral E, Sweeney JA. Affective neural circuitry during facial emotion processing in pediatric bipolar disorder. Biol Psychiatry 2007;62:158-67.

22. West AE, Weinstein SM. A family-based psychosocial treatment model. Isr J Psychiatry Relat Sci. 2012;49(2):86-93.

APÊNDICE: DICAS PARA MANTER O SEU BEM-ESTAR

Danielle Soares Bio
Denise Petresco David
Ricardo Alberto Moreno

DICAS PARA CONVIVER COM A DOENÇA

- Aprenda a conviver com a doença da melhor maneira possível, pois a indiferença não fará o pro blema desaparecer.
- Fique alerta para sintomas iniciais de depressão ou mania. A detecção precoce dos sintomas e o medicamento adequado podem evitar o desencadeamento de um episódio. Procure seu médico nesses casos.
- Quanto mais cedo você identificar a chegada de uma nova crise e tomar adequadamente o medicamento prescrito, maior será a chance de evitá-la.
- Seu médico é seu aliado. Pergunte e tire suas dúvidas; mantenha um relacionamento baseado em confiança. Lembre-se que todos os profissionais que cuidam de você são seus aliados.
- O tratamento medicamentoso é fundamental, pois é com ele você poderá ter uma vida normal.
- Falta ou excesso de sono pode desestabilizar o humor. Mantenha um padrão regular de sono sempre que possível. Tente acordar e ir dormir no mesmo horário todos os dias, mesmo nos fins de semana, e evite cochilos durante o dia, pois eles interferem no sono durante a noite e podem provocar mudanças no seu estado de humor.
- Encontre o equilíbrio certo: quanto de descanso, de atividades e de estímulo é ideal no seu dia a dia.
- Evite álcool e drogas, além de outras substâncias que possam provocar oscilações no seu humor, como café expresso, fórmulas para emagrecer e outros medicamentos sem o conhecimento do seu médico.

DICAS PARA CONVIVER COM A DOENÇA (continuação)

- O estresse pode causar ou piorar sintomas de mania ou de depressão. Aprenda a identificar quais fatos e acontecimentos do ambiente (emprego, relacionamentos, etc.) são os que mais lhe afetam. Aprenda a lidar melhor com eles e a enfrentar e resolver conflitos.
- Desenvolva maneiras de se preparar para estressores que não possam ser evitados. Separe um tempo extra para estar sozinho após incidentes estressantes ou faça um intervalo de descanso durante o dia.
- Procure e aceite ajuda da família e dos amigos quando perceber que não pode se cuidar sozinho.
- Dedique parte do seu tempo ao relaxamento. Experimente diferentes técnicas e escolha a que mais se adapta a você, como caminhar, ouvir música, andar de bicicleta, exercícios de relaxamento muscular, yoga, etc.
- Converse com seu médico quando quiser engravidar. Uma gravidez planejada pode ser saudável para você e para o bebê.
- Frequente os encontros psicoeducacionais. Neles, você terá a oportunidade de conhecer mais sobre a doença, tirar dúvidas e encontrar outros portadores do TB.
- Muitas vezes, conviver com o TB torna difícil manter amizades, relações familiares e conjugais. Educação, comunicação e conhecimento são fundamentais para reconstruir seus relacionamentos e afastar preconceito e estigma sobre a doença.

SITES, *LINKS* E ENDEREÇOS ÚTEIS

SITES NACIONAIS

- PROGRUDA – Programa de Transtornos Afetivos: www.progruda.com
- ABRATA – Associação Brasileira de Familiares, Amigos e Portadores de Transtornos Afetivos: www.abrata.org.br
- PRODAF – Programa de Distúrbios Afetivos e Ansiosos: www.psiquiatria.unifesp.br/d/prodaf

SITES INTERNACIONAIS

- The International Society for Bipolar Disorders: www.isbd.org
- The Child and Adolescent Bipolar Foundation: www.bpchildren.org
- The Juvenile Bipolar Research Foundation: www.jbrf.org
- The National Alliance for Mentally Ill: www.nami.org
- Lithium Information Center: www.miminc.org

SERVIÇOS DE ATENDIMENTO PSICOLÓGICO GRATUITO OU A PREÇOS ACESSÍVEIS EM SÃO PAULO

ABRATA: 3256-4831

CLÍNICAS PSICOLÓGICAS:
- USP: 3091-8248. www.ip.usp.br
- PUC: 3862-6070. www.pucsp.br/clinica
- UNIP: 3341-4250. www3.unip.br/universidade/clinica.aspx
- Mackenzie: 3256-6827. www.mackenzie.br/psico_clinica_psicologica.html
- Sedes Sapientiae: 3866-2730. www.sedes.org.br/site/clinica
- Sociedade de Psicodrama de SP: 3284-4067. www.sopsp.org.br/index.php/servicos